Zum Buch:

Drei Monate, nachdem seine Frau ihrer Krankheit erlegen ist, jongliert Hendrik Norberg seine Rollen als alleinerziehender Vater zweier Jungs und Dienststellenleiter der Polizei in St. Peter-Ording. Während er es genießt, seine Söhne häufiger zu sehen, kratzt der Rückschritt vom gefeierten Mordermittler zum Schutzpolizisten heftig an seinem Selbstwertgefühl. Als dann auch noch ohne Rücksprache mit ihm eine Münchner Kommissarin in seine Dienststelle geschickt wird, die von St. Peter-Ording aus einen Vermisstenfall lösen soll, würde er sie am liebsten kommentarlos zurück nach Bayern schicken. Doch Anna Wagner stellt sich als fähige Ermittlerin mit einer ordentlichen Portion trockenem Humor heraus – und der Fall um die verschwundene Umweltaktivistin lässt Norberg schon bald wieder zu alter Form auflaufen.

Zur Autorin:

Svea Jensen ist das Pseudonym einer erfolgreichen Krimiautorin. Sie ist in Hamburg aufgewachsen und dem Norden stets treugeblieben: Nach vielen Jahren beim Norddeutschen Rundfunk lebt sie heute in Schleswig-Holstein, wo sie sich mittlerweile ganz dem Schreiben widmet. Während sie Verbrechen für ihre nächsten Bücher plottet, lässt sie sich am liebsten eine Nordseebrise um die Nase wehen.
Svea Jensen ist Mitglied im »Syndikat« und bei den »Mörderischen Schwestern«.

SVEA JENSEN

NORD WEST TOD

Ein Fall für die Soko St. Peter-Ording

MIX
Papier
FSC FSC® C021394

Genehmigte Sonderausgabe 2024

Dieses Werk wurde vermittelt durch die
Literarische Agentur Thomas Schlück GmbH, 30161 Hannover.

Umschlaggestaltung: Birgit Tonn
Umschlagabbildung: Animaflora / GettyImages
Satz: GGP Media GmbH, Pößneck
Druck und Bindung: ScandBook
Printed in Lithuania

ISBN 978-3-365-01068-6

Dieses Buch ist ein Roman. Die Handlung und
alle handelnden Personen sind frei erfunden.
Jegliche Ähnlichkeit mit lebenden oder verstorbenen
Personen wäre rein zufällig und nicht von mir beabsichtigt.

PROLOG

Die beiden Schutzpolizisten hatten schon so manches in ihrem Leben gesehen, aber der Anblick, der sich ihnen in dieser regennassen Nacht kurz vor ein Uhr auf der Koogstraße bot, würde sie noch lange Zeit bis in ihre Träume hinein verfolgen.

Die nächtliche Routinefahrt, die sie auf unterschiedlichen Wegen über Teile der Halbinsel Eiderstedt geführt hatte und die gegen zwei Uhr am Morgen in St. Peter-Ording enden würde, war bis zu diesem Zeitpunkt ereignislos verlaufen. Vor einer halben Stunde hatte ein feiner Sprühregen eingesetzt, der den Staub der Straße in einen gefährlichen Schmierfilm verwandelt hatte.

Sören Rohde und Lars Klüver fuhren jetzt seit zehn Jahren gemeinsam Streife. Die beiden Oberkommissare waren ein eingespieltes Team und auch privat miteinander befreundet. Ihre Zusammenarbeit wurde von keinerlei Konkurrenzkampf beeinträchtigt; sie wussten, dass sie sich blind aufeinander verlassen konnten. Nur an einem Punkt kamen sie in der letzten Zeit so gar nicht zusammen.

»Der Neue wird frischen Wind reinbringen«, davon war Rohde überzeugt. »Claas ist doch ziemlich behäbig geworden in letzter Zeit und hat sich nur noch mit seinem bevorstehenden Ruhestand beschäftigt. Außerdem hat er den Biss verloren und schiebt wichtige Entscheidungen ewig vor sich her.«

»Aber bei Claas wusste man immer, woran man ist und was man bekommt«, erwiderte Klüver und regulierte das Intervall der Scheibenwischer, als der Regen an Stärke zunahm. Ein schabendes Geräusch bei jedem zweiten Schlag ließ ihn seine Entscheidung wieder korrigieren. »Wer weiß, was da mit dem Neuen auf uns zukommt! Ein Mordermittler aus Itzehoe, der sich zur Schutzpolizei versetzen lässt, wann hat es so was schon mal gegeben? Der wird doch den ganzen Laden umkrempeln.«

»Mensch, Lars, du kennst doch die Hintergründe für diese Versetzung. Der Mann hat nun wirklich einiges durchgemacht. Ich habe jedenfalls Respekt vor seiner Entscheidung, denn die dürfte ihm mit Sicherheit nicht leichtgefallen sein.«

Klüver schnaubte und setzte zu einer Antwort an, als die Scheinwerfer ein Objekt erfassten, das vor ihnen auf der Straße lag. Er bremste abrupt, die Reifen blockierten, aber der Wagen kam rechtzeitig zum Stehen.

Der Mann war noch jung, sein Körper lag merkwürdig verdreht auf der Fahrbahn. Der rechte Arm war angewinkelt, der linke ausgestreckt, die Beine übereinandergeschlagen. Auf seiner Stirn klaffte eine große Wunde, das Gesicht und das ehemals weiße T-Shirt waren blutverschmiert. Ohne zu zögern, stürzten die Polizisten aus dem Wagen. Atemlos überprüfte Rohde die Vitalfunktionen des Mannes, auch wenn ihm die weit aufgerissenen Augen verrieten, dass hier jede Hilfe zu spät kam.

»Scheiße!« Er blickte auf die Gegenfahrbahn, wo im Licht der Autoscheinwerfer in knapp drei Metern Entfernung ein weiterer menschlicher Körper lag, neben dem sein Kollege gerade niedersank.

»Das ist ein Kind!«, rief Klüver, und Rohde hörte die Erschütterung in dessen Stimme.

»Lebt es noch?« Rohde sprang auf und lief zu seinem Kollegen hinüber.

Klüver hatte sich zu dem Körper hinuntergebeugt, jetzt richtete er sich wieder auf und begann mit einer Herzdruckmassage. Der Junge war vielleicht zehn Jahre alt, mit blonden Locken, Jeans und einem Batman-Shirt. Auf den ersten Blick konnte Rohde keine äußeren Verletzungen entdecken.

»Ruf einen RTW, er lebt noch!«, rief Klüver ihm zu.

Rohde rannte zum Streifenwagen zurück und machte Meldung bei der Leitstelle, bevor er mit der Absicherung der Unfallstelle begann und das zerbeulte Mofa am Straßenrand sicherstellte. Im Licht seiner Taschenlampe begann er die Straße abzusuchen, die Grasstreifen und die dahinterliegenden mit Schilf bewachsenen schmalen Wasserläufe zu beiden Seiten. Vorwärtsgetrieben von der verzweifelten Hoffnung, irgendwelche Gegenstände zu finden, die ihnen etwas über den Unfallverursacher verraten würden. Doch das Licht durchdrang die Dunkelheit nur unvollständig, und der Regen, der sich mittlerweile zu einem Wolkenbruch entwickelt hatte, tat ein Übriges, um die Sicht zu erschweren. Rohde fluchte. Allein würden sie es nicht schaffen. Da mussten die Scheinwerfer der Spurensicherung ran. Denn irgendetwas fand sich immer nach einem Autounfall mit Personenschaden. Teile eines kaputten Scheinwerfers oder Blinkers, Absplitterungen einer Stoßstange, wichtig waren auch Reifen- oder Bremsspuren. Allerdings hatte er aufgrund des Regens wenig Hoffnung, was Letzteres betraf.

Während er zu seinem Kollegen zurücklief, überkam Rohde eine heiße Wut auf den Menschen, der das hier verursacht hatte, und er schwor sich, alles daranzusetzen, um dieses elende Schwein zu finden.

Klüver saß jetzt auf dem nassen Asphalt, der Kopf des Jungen lag in seinem Schoß. Unaufhörlich strich er über das feingliedrige Gesicht und die Haare, die sich vor Nässe kräuselten.

»Ist er …?« Rohde brachte die Frage nicht über die Lippen.

Klüver nickte, und als er aufblickte, sah Rohde Tränen in seinen Augen schimmern.

1

Eine Woche später
Sonnabend, 27. Juni

Mit dem Setzen des Grabsteins würde es wohl noch ein bisschen länger dauern als ursprünglich erwartet, hatte der Steinmetz gerade am Telefon gesagt. Er hätte sich das Grab gestern angeschaut und dabei festgestellt, dass die Erde noch längst nicht so verdichtet sei, wie er gehofft habe. Und man wolle ja nicht, dass der Stein in eine Schieflage geriete oder womöglich sogar umfiele. Dann lieber noch ein, zwei weitere Monate warten.

Hendrik Norberg hatte sich diese Aussage zunächst kommentarlos angehört, dann brach es aus ihm heraus.

»Die Beerdigung meiner Frau liegt jetzt drei Monate zurück, und Sie hatten mir seinerzeit versichert, dass bei einem Sandboden innerhalb von sechs Monaten der Stein gesetzt werden kann. Und jetzt gilt das auf einmal nicht mehr?« Seine Stimme war laut geworden, die linke Hand zur Faust geballt.

»Ja, nun«, erwiderte der Steinmetz, »davon war ich auch ausgegangen, aber man steckt halt nicht drin.«

Norberg sparte sich eine Antwort, denn was hätte sie gebracht? Er beendete das Gespräch und feuerte das Smartphone in die Sofaecke.

Er musste hier raus. Noch eine Sekunde länger in dem Haus, das ihm so viele Jahre Geborgenheit gegeben hatte, und er würde durchdrehen. Zum Deich war es nicht weit, dann runter durch die Salzwiesen an den Strand, wo selbst jetzt in der Hochsaison nie so viel los war wie an den Stränden in Bad oder Ording.

Das Joggen strengte ihn an. Er war aus der Übung und wechselte in einen schnellen Schritt. Trotzdem war er vollkommen erschöpft, als er den Südstrand erreichte und die Stufen zum Pfahlbaurestaurant *Strandhütte* erklomm. Er hatte Glück und ergatterte einen Platz im Außenbereich, wo sich gerade ein Pärchen von einem Zweiertisch erhob. Hoffentlich würde der Stuhl neben ihm frei bleiben, ihm stand nämlich nicht der Sinn nach Gesprächen, die einem Touris, erst recht solche, die allein unterwegs waren, häufig aufzudrängen versuchten.

Das erste Glas Wasser leerte er in einem Zug, vorsichtshalber hatte er eine Flasche bestellt, um den Flüssigkeitsverlust wieder auszugleichen. Er lehnte sich im Stuhl zurück und streckte die Beine aus.

Die Angelegenheit mit dem Grabstein setzte ihm zu, und der Anpfiff, den er dem Steinmetz verpasst hatte, zeigte deutlich, dass seine Nerven noch immer blank lagen. Der Mann konnte ja nichts für die Umstände, aber, verdammt noch mal, Norberg wollte, dass Kathrins Grab endlich in Ordnung kam und mit den Blumen bepflanzt werden konnte, die sie geliebt hatte. Er sehnte sich verzweifelt nach einem Ort, an dem er trauern konnte. War das denn zu viel verlangt?

»Hendrik!«

Norberg war so in seine Gedanken vertieft, dass er zusammenschrak, als er die Stimme neben sich vernahm. Sobald er aufblickte und sah, wer dort stand und ihn mit leichter Verunsicherung anschaute, überfiel ihn das schlechte Gewissen mit Macht.

»Philipp.« Norberg erhob sich, zögerte einen Augenblick und drückte den langjährigen Freund dann etwas ungelenk. Er deutete auf den freien Stuhl, obwohl ihm auch nicht nach einem Gespräch mit Philipp war. Aber er konnte ihn nicht länger abwimmeln. »Setz dich doch.«

Philipp Hartwigsen kam der Aufforderung nach. »Wie geht es dir?«, fragte er, als sich das Schweigen dehnte und unangenehm zu werden drohte.

»Geht so.«

»Ich hab gehört, dass du ab nächster Woche in unserer Polizeistation arbeitest.«

Falsches Thema. »Hat sich das schon rumgesprochen?« Als Norberg sich des verständnislosen Ausdrucks in Hartwigsens Gesicht gewahr wurde, hob er die Hand in einer entschuldigenden Geste. »Sorry, Philipp, ich wollte dich nicht anraunzen … Es ist nur …« Er brach ab, weil sich wieder dieser elende Kloß in seiner Kehle formte, der seit Kathrins Tod nahezu jedes Gespräch im Keim erstickte.

»Ich weiß nicht mehr weiter, Hendrik«, sagte Hartwigsen, nachdem ein Kellner ihm einen Kaffee gebracht hatte. In seinen dunklen Augen stand die pure Hilflosigkeit. »Seit Kathrins Tod schottest du dich ab und gibst keinem deiner Freunde eine Möglichkeit, dir beizustehen. Das kann doch nicht ewig so weitergehen.«

»Es tut mir leid«, stieß Norberg hervor, und er meinte es auch so. Aber es gelang ihm einfach nicht, über seinen Schatten zu springen. »Woher weißt du es?«, brachte er schließlich heraus.

»Finn hat es Daniel erzählt. Dein Sohn scheint vor Stolz zu platzen, dass du bald in Uniform rumläufst und er mit dir angeben kann.« Hartwigsen schmunzelte. »Ein Polizist in Zivil scheint für ihn kein echter Bulle zu sein.«

Norberg bemühte sich, das Lächeln zu erwidern, aber der Versuch misslang kläglich. Vom erfolgreichen Mordermittler zum Schupo, was für ein Abstieg! Er hielt nach wie vor die größten Stücke auf die Kollegen der Schutzpolizei und hatte sie nie als Zuarbeiter der Kripo gesehen, wie andere es taten. Schließlich hatte er vor seinem Wechsel zur Kripo ja auch einmal zu ihnen gehört. Trotzdem machte es ihn fertig, dass er ab Montag wieder in Uniform herumlaufen würde. »Dann gefällt es ja wenigstens einem in der Familie.«

»Du hast es wegen der Jungs gemacht, oder?«

Norberg starrte auf das Wattenmeer, das glitzernde Wasser der Nordsee in der Ferne. Es war Ebbe, da musste man ein ganzes Stück laufen, bis man das Wasser erreichte. »Ich wollte den beiden keinen Ortswechsel zumuten. Kathrins Tod setzt ihnen schwer zu, da sollen sie wenigstens in ihrer vertrauten Umgebung bleiben.« Ihm wurde bewusst, dass er bisher mit keinem seiner wenigen Freunde über den beruflichen Wechsel gesprochen hatte. Wie bei so vielem hatte er auch diese Angelegenheit wieder mit sich allein ausgemacht. Eine Angewohnheit, mit der Kathrin häufig nicht glücklich gewesen war.

»Es ist die richtige Entscheidung, Hendrik. Solange Kathrin noch lebte, war es nicht so schlimm, wenn du unter der Woche aufgrund der Arbeit mal nicht nach Hause kommen konntest. Aber jetzt brauchen die Jungs dich mehr denn je. Das können Kathrins Eltern nicht auffangen.«

Norberg nickte. Das alles war ihm vollkommen klar, aber

trotzdem würde er noch lange mit dieser Entscheidung hadern. In einem Monat hätte er zum Leiter der Itzehoer Mordkommission ernannt werden sollen, ein Posten, auf den er lange hingearbeitet hatte. Alles für die Katz, stattdessen würde er jetzt die Polizeidienststelle in St. Peter-Ording leiten, wo ihn fünf Kollegen erwarteten, die er während der Übergabe in den vergangenen Wochen bereits kennengelernt hatte.

»Willst du nicht mal wieder zu uns kommen?«, fragte Hartwigsen nach einer Weile des erneuten Schweigens.

»Ich weiß nicht …« Norberg zögerte, seinem Freund eine Abfuhr zu erteilen, aber er fühlte sich einfach noch nicht gewappnet für ein Treffen, bei dem sie unweigerlich auf Kathrins Tod zu sprechen kämen. Auf die endlosen Monate, die diesem vorangegangen waren, in denen er sich bemüht hatte, seinen Beitrag zu ihrer Pflege zu leisten und gemeinsam mit ihr der Diagnose ALS die Stirn zu bieten, und doch Tag für Tag aufs Neue das Gefühl gehabt hatte, kläglich zu versagen. »Gib mir noch ein bisschen Zeit, okay?« Er erhob sich, auch wenn er wusste, dass Hartwigsen nicht weiter in ihn dringen würde, aber plötzlich wurde ihm wieder alles zu viel. »Ich muss nach Hause und mich um das Mittagessen kümmern. Finn hat heute noch ein Abschlusstreffen mit seiner Klasse, aber zum Essen steht er immer pünktlich auf der Matte.« Mit Lasse sah das anders aus, aber Norberg hoffte trotzdem, dass sie heute mal wieder alle zusammen essen würden.

»Wir sind die ersten beiden Ferienwochen noch hier, weil Beate noch arbeiten muss. Ich wollte mit Daniel einige Tagesausflüge unternehmen. Ist es okay, wenn wir Finn mitnehmen?«

Norberg fiel ein Stein vom Herzen, denn er hatte schon überlegt, was er mit seinem Jüngsten in den am Montag beginnenden Sommerferien machen sollte. Lasse war in der Hinsicht kein Problem, der beschäftigte sich am liebsten mit sich selbst, aber Finn wollte ständig etwas unternehmen. »Das wäre eine große Erleichterung für mich. Corinna wird sich zwar tagsüber erst einmal weiter um die Jungs kümmern, aber ich möchte ihr jetzt nicht auch noch die tägliche Bespaßung von Finn zumuten. Du weißt ja selber, wie anstrengend er manchmal sein kann.«

»Prima, dann ist das abgemacht.«

»Danke, Philipp!« Norberg legte seinem Freund kurz die Hand auf die Schulter.

»Ich bleib noch einen Augenblick. Das Wetter ist so schön, das muss man ausnutzen.« Hartwigsen deutete auf die Wasserflasche. »Ich übernehm das.«

Norberg nickte ihm dankbar zu und machte sich auf den Heimweg.

Auf der gekiesten Einfahrt stand der rote Polo seiner Schwiegermutter, Heckklappe und Türen weit geöffnet. Der Kofferraum war vollgepackt mit Einkaufstüten, als erwarte Corinna Heckler demnächst eine Belagerung des weiß verputzten Einfamilienhauses in der Deichstraße, in dem jetzt nur noch Norberg und seine beiden Söhne lebten. Er hatte von Anfang an ein gutes Verhältnis zu seinen Schwiegereltern gehabt, vor allen Dingen zu Corinna, und hätte die letzten Monate ohne deren Unterstützung wohl nicht überstanden. Beide trauerten unendlich um ihre Tochter, hatten sich in seiner Gegenwart aber nie zu Gefühlsausbrüchen hinreißen lassen, wofür er ihnen sehr dankbar war, weil er diesen nichts hätte entgegensetzen können.

»Ja, sag mal, wo warst du denn?« Corinna kam ihm aus der offen stehenden Haustür entgegen. Sie war eine attraktive Frau, die im letzten Jahr ihren fünfundsechzigsten Geburtstag gefeiert hatte. Blond, blauäugig und von schlanker Statur war Kathrin ihr Ebenbild gewesen. »Wir wollten doch zusammen zum Einkaufen fahren.«

Norberg starrte sie einen Augenblick sprachlos an, dann fiel es ihm wieder ein. Sie hatten sich am Vortag verabredet, aber nach dem Gespräch mit dem Steinmetz war er so von seiner Wut beherrscht gewesen, dass er Corinna und den Einkauf total vergessen hatte. »Oh Mann, ich … Tut mir leid.«

Seine Schwiegermutter strich leicht über seinen Arm. »Ist schon okay, ich hab's ja auch allein geschafft.« Sie ging zum Wagen. »Hilf mir mal. Ich hab einiges an Tiefkühlsachen gekauft, die Truhe war ja fast leer. Dann ist erst mal wieder ein bisschen Vorrat im Haus.«

Nach einer Viertelstunde waren Kühlschrank und Tiefkühltruhe wieder aufgefüllt. Nach Kathrins Tod hatte Corinna vorgeschlagen, sich fürs Erste nach der Schule um Finn und Lasse zu kümmern. Sie und sein Schwiegervater wohnten im Ortsteil Böhl, nur wenige Minuten entfernt. Die beiden Jungen kamen zu unterschiedlichen Zeiten aus der Schule, da Finn mit seinen sieben Jahren zur Utholm-Schule ging, der dreizehnjährige Lasse aber auf den Gymnasialteil der Nordseeschule. Norberg hatte sich aber trotzdem vorgenommen, mittags wenigstens mit einem seiner Jungen eine Mahlzeit einzunehmen, vorausgesetzt sein Dienst ließ dies zu. Falls am Abend Not am Mann sein sollte, wollte Corinna ebenfalls einspringen, aber er würde alles daransetzen, dass er pünktlich in den Feierabend gehen konnte. In der Saison wurden die Badeorte an Nord- und Ostsee durch Bäderdienst-Beamte verstärkt, ihre Dienststelle hatte drei zugewiesen bekommen, also standen die Chancen gut.

Während Corinna Kaffee aufsetzte, suchte Norberg die Zutaten für Spaghetti bolognese heraus. Zum Glück konnte er kochen und achtete darauf, dass sich Finn und Lasse gesund ernährten, aber unter den jetzigen Umständen drückte er beide Augen zu, wenn sie nach ihren Lieblingsgerichten verlangten. Norberg setzte das Nudelwasser auf und hörte, wie die Haustür aufgeschlossen wurde. Nur Sekunden später polterte sein Jüngster in die Küche.

»Wann gibt's Mittagessen?«

»Dauert nicht mehr lange.« Norbergs Herz weitete sich, als er den erwartungsvollen Ausdruck in Finns Augen sah. Der Stöpsel, wie er ihn bei sich nannte, hatte immer Hunger, blieb aber dank seiner sportlichen Aktivitäten ein Strich in der Landschaft. Fußball, Schwimmen, Tennis: Finns Interessen waren vielseitig. Norberg war dankbar dafür, erst recht nach Kathrins Tod, da sie Finn auf andere Gedanken brachten. Aber nachts hörte er seinen Sohn häufig weinen, einige Male war Finn sogar zu ihm ins Bett gekrochen und hatte sich schluchzend an ihn geklammert.

Lasse hingegen machte seine Trauer mit sich allein aus. Er ließ nicht einmal sein engstes Umfeld an sich heran, hielt jeden, der ihm zu nahe kam, mit schroffen Worten auf Distanz. Genauso wie auch Norberg es allen gegenüber tat – mit Ausnahme seiner Schwiegereltern. Es schmerzte ihn, seinen Sohn so zu erleben, aber er fand einfach keinen Zugang mehr zu ihm. Wenn dieses Verhalten anhielt, müssten sie sich Gedanken über psychologische Unterstützung machen, zumal

Lasses schulische Leistungen nach Kathrins Tod extrem nachgelassen hatten.

Während des Mittagessens plapperte Finn munter vor sich hin und gab einige Geschichten aus dem morgendlichen Treffen zum Besten. Seine Leistungen waren zum Glück stabil, hier hatte Norberg eine Sorge weniger. Nicht zum ersten Mal dachte er, wie sehr sich seine beiden Söhne voneinander unterschieden. Finn war ein Sonnenschein, ging, ebenso wie Kathrin es getan hatte, offen und freundschaftlich auf Menschen zu. Lasse hingegen geriet ganz nach ihm, worüber Norberg nicht immer glücklich war. Verschlossen, distanziert, zwei Menschen, die nicht so leicht mit anderen warm wurden.

»Sag mal, Papaaa ...« Wenn Finn dieses Wort so dehnte, plante er normalerweise etwas. Norberg schob den leeren Teller zur Seite. Er bemerkte das Lächeln in Corinnas Gesicht, sie kannte ihren Enkel gut.

»Jaaa ...?«

»Du arbeitest doch ab Montag in unserer Polizeistation ...«

Norberg ahnte, was jetzt kommen würde.

»Da kannst du mich doch bestimmt mal mit dem Streifenwagen zur Schule bringen, oder ...?«

Kathrin und er hatten sich nie als Elterntaxis betätigt, da die Jungen selbstständig erzogen wurden und die Entfernungen in St. Peter-Ording nicht weit waren. Aber die Verlockung, vor den Augen seiner Mitschüler aus einem Streifenwagen zu steigen, war natürlich sehr groß für Finn, der jetzt schon allen verkündete, dass er auch einmal zur Polizei gehen würde.

Norberg konnte nicht anders, er musste lachen, als er in das erwartungsvolle Gesicht seines Sohnes schaute. »Darüber reden wir dann noch mal.«

»Och, Papa, das wäre so cool! Wie die mich beneiden würden!«

Davon war Norberg nicht ganz so überzeugt, da sich die Vorbehalte gegen die Polizei mittlerweile durch alle Bevölkerungsschichten und Altersgruppen zogen. Aber es würde schwierig werden, dies einem siebenjährigen Kind zu erklären. Zu Norbergs Erleichterung klingelte es an der Haustür, was ihn einer Antwort enthob.

»Das ist Daniel!« Finn sprang auf und sauste auf den Flur. Kurze Zeit später steckten zwei Blondschöpfe ihre Köpfe zur Küche herein, und Norberg begrüßte Philipp Hartwigsens Sohn. Finn und Daniel waren seit frühester Kindheit dicke Freunde, und beim Anblick der Tennistasche über Daniels Schulter fiel Norberg ein, dass heute Training auf dem Programm stand. Er sah, wie Daniel Finn in die Seite stupste und ihm etwas zuflüsterte.

»Daniel möchte übrigens auch mitfahren«, verkündete Finn lautstark.

Norberg mimte den Ungehaltenen und deutete mit dem Finger Richtung Haustür. »Abmarsch, ihr beiden!«

»Och, Papaaa ...«

»Wir werden darüber sprechen, Finn, aber nicht jetzt!«

Sein Jüngster zog einen Flunsch, Daniel guckte bedripst. Nach einigen Sekunden, in denen Finn sichtlich mit sich rang, das Thema erneut anzusprechen, zogen die beiden dann doch wortlos von dannen.

»Mach ihm doch die Freude«, sagte Corinna und begann, das schmutzige Geschirr in die Spülmaschine zu räumen.

»Ich kann ihn ja verstehen«, sagte Norberg, »aber ich weiß nicht, ob ich ihm damit einen Gefallen tue. Du weißt selber, dass viele Menschen der Polizei gegenüber eher negativ eingestellt sind, und ich möchte vermeiden, dass Finn dadurch Stress mit seinen Mitschülern bekommt.«

Corinna hielt inne und blickte ihn nachdenklich an. »Da ist was dran, das habe ich nicht bedacht. Aber es wird schwer sein, ihm das zu erklären.«

»Das fürchte ich auch«, seufzte Norberg.

»Gehst du heute Abend eigentlich zur Verabschiedung deines Vorgängers?«, wollte Corinna wissen, nachdem sie den Geschirrspüler angestellt hatte.

»Muss ich wohl.«

Claas Hoyer hatte seine Kollegen in die *Arche Noah*, das traditionsreiche Pfahlbaurestaurant am Strand vom Ortsteil Bad, eingeladen. Norberg hatte noch immer nicht zugesagt, obwohl ihn Hoyer bereits zweimal dezent darauf hingewiesen hatte, dass es eine gute Gelegenheit wäre, die Kollegen einmal ganz zwanglos kennenzulernen. Norberg kannte Hoyer seit etlichen Jahren, nicht allzu gut, so wie man den Dienststellenleiter seines Wohnorts eben kennt, wenn man für denselben Verein arbeitete. Die anderen Kollegen waren ihm bis dato unbekannt gewesen.

Seine Schwiegermutter versetzte ihm einen aufmunternden Klaps auf die Schulter. »Geh hin, Hendrik! Du musst ja nicht lange bleiben, aber damit zeigst du den neuen Kollegen deinen guten Willen. Außerdem wird dich die Feier auf andere Gedanken bringen, und das hast du wirklich dringend nötig. Seit Kathrins Tod wirst du nämlich immer mehr zum Eigenbrötler.«

»Corinna, ich …«, Norberg schluckte und spürte voller Entsetzen, wie Tränen in seine Augen stiegen.

Seine Schwiegermutter nahm wieder ihm gegenüber Platz und musterte ihn mit ernstem Blick. »Kathrin würde nicht wollen, dass du dich so einigelst. Du musst wieder am Leben teilnehmen, Hendrik.«

2

Da auch bei ihrem heutigen Besuch niemand auf das Klingeln an der Gartenpforte reagierte, machte sich Kriminaloberkommissarin Anna Wagner wie bereits am Vortag daran, die Vorderseite des Grundstücks in Augenschein zu nehmen. Vielleicht deutete ja heute irgendetwas auf die Anwesenheit der Besitzerin hin. Gartengeräte zum Beispiel, die darauf schließen ließen, dass hier jemand am Werkeln war, auch wenn die Größe des Grundstücks eher dafür sprach, dass für die Pflege der Gartenanlage eine Firma zum Einsatz kam. Oder liegen gelassenes Spielzeug, das zum Beispiel auf den Besuch von Enkeln hindeutete, wenn es denn welche gab, was Anna noch nicht wusste. Zum Glück ermöglichte es ihr der schwarz mattierte Edelstahlzaun, der das inmitten eines gepflegten Gartens gelegene Friesenhaus umgab, das Haus von außen gut zu sehen. Die Aussicht auf die rückwärtige Seite des Grundstücks blieb ihr allerdings verwehrt, da dieses an ein Feld grenzte, auf dem sich eine Herde schottischer Hochlandrinder tummelte, von denen einige äußerst imposante Hörner aufwiesen. In deren Revier wollte sie besser nicht eindringen, man wusste ja nie.

Das Haus, in dem Constanze Brechtmann wohnte, lag in einer schmalen Einbahnstraße im Ortsteil Ording, dem Surf-Hotspot in St. Peter-Ording. Es war ein imposantes Domizil im Friesenstil mit einer weißen Außenfassade und dunklem Fachwerk. Der Farbe des Reetdachs nach zu urteilen, war es älteren Datums. Während sie es auch heute voller

Bewunderung betrachtete, rief Anna sich in Erinnerung, was sie in den letzten beiden Tagen über die Familie Brechtmann herausgefunden hatte.

Eine bekannte Hoteliersfamilie, seit 1960 in St. Peter-Ording ansässig. Bescheidene Anfänge mit einer Pension, später der Neubau eines kleinen Hotels im Ortsteil Ording sowie die Übernahme eines größeren Hauses in St. Peter-Bad.

Ab 2010 dann die Expansion über St. Peter-Ording hinaus, mit Hotels in Büsum, Wyk auf Föhr sowie in Grömitz und Timmendorfer Strand an der Ostsee. Anna erinnerte sich an einen Artikel, in dem die Rede davon gewesen war, dass die Hoteliers an Nord- und Ostsee nach der Wiedervereinigung eine Reihe von Jahren tatenlos zugesehen hatten, wie ihnen Mecklenburg-Vorpommern den Rang ablief und die dortigen Übernachtungszahlen beständig stiegen. Dann waren sie aufgewacht und hatten sich darangemacht, den Mief der Siebzigerjahre, der noch in vielen ihrer Häuser hing, zu beseitigen, die Gebäude zu renovieren oder abzureißen und neue zu bauen. Mittlerweile nahmen die Gästezahlen von Jahr zu Jahr zu, und St. Peter-Ording war neben Sylt zu *dem* Hotspot an der Nordsee geworden.

Was die Brechtmanns offensichtlich für sich zu nutzen versuchten, bei denen nach dem Tod von Constanze Brechtmanns Mann im Jahr 2012 jetzt die Mutter und die jüngere Tochter Sophie das Sagen hatten. Anna hatte einige Artikel im Netz gefunden, in denen von einem Hotelneubau mit einhundertzehn Zimmern im Ortsteil Böhl die Rede gewesen war, der in der Nähe eines Naturschutzgebiets von einem dänischen Architekturbüro errichtet werden sollte. Die Baugenehmigung hatte die einschlägigen Instanzen trotz zahlreicher Einwände von Ortsansässigen und auch Touristen passiert, die der rasanten Entwicklung von St. Peter-Ording ebenso ablehnend gegenüberstanden wie eine Gruppe von Umweltschützern, die bereits eine Reihe von Protestaktionen durchgeführt hatte. Alles ohne Erfolg, im Herbst würden die Bauarbeiten beginnen. Auch in Eckernförde an der Ostseeküste war ein weiterer Neubau geplant.

Da Annas Bemühungen, Constanze Brechtmann ausfindig zu machen, auch heute kein Ergebnis brachten, beschloss sie der Aussage Glauben zu schenken, die sie vom Manager der beiden in St. Peter-Ording befindlichen Hotels erhalten hatte. Constanze und Sophie Brechtmann befänden sich auf einer viertägigen Geschäftsreise und würden erst am kommenden Tag zurückerwartet. Ab fünfzehn Uhr dürften sie entweder zu Hause oder im *Seaview*, dem Haupthaus in Bad, anzutreffen sein. Und nein, die Handynummern gebe man grundsätzlich nicht heraus, nicht einmal der Polizei – sie müsse sich gedulden, bis die Damen wieder vor Ort seien.

Anna konnte nicht sagen, warum sie die Worte dieses gelackten Typen mit dem eingefrorenen Lächeln angezweifelt und den Eindruck gewonnen hatte, dass die beiden Frauen sich verleugnen ließen. Es musste wohl das über bald zwanzig Dienstjahre gewachsene Misstrauen sein, dass sie Aussagen erst einmal infrage stellte und zu überprüfen versuchte. Was in diesem Fall besonders wichtig war.

Nina, die 32-jährige ältere Tochter der Brechtmanns, war vor zwei Tagen vermisst gemeldet worden. Allerdings nicht von ihrer Familie, sondern von einer Kollegin in der Seehundstation in Friedrichskoog, in der Nina seit zehn Jahren arbeitete. Da die junge Frau äußerst zuverlässig war, hatten sich die

Arbeitskollegen große Sorgen gemacht, als sie nicht aus ihrem Urlaub zurückkehrte. Weil Anna von den Kolleginnen die Information bekommen hatte, dass sich Nina im Urlaub mit ihrer Familie treffen wollte, war Constanze Brechtmann ihre wichtigste Anlaufstelle.

Dieser Vermisstenfall war der Grund, warum man Anna nach ihrer Ankunft im LKA Kiel vor zwei Tagen sofort nach St. Peter-Ording geschickt hatte, um den Fall vor Ort zu bearbeiten. Claas Hoyer, der Leiter der dortigen Polizeistation, hatte durch einen Bekannten im LKA von ihrer Ankunft erfahren und um Unterstützung gebeten, da bei ersten Befragungen in Nina Brechtmanns beruflichem Umfeld keine Gründe für ein freiwilliges Untertauchen zutage getreten waren. Was das Treffen mit ihrer Familie betraf, war auch Hoyer nicht weitergekommen, da der Hotelmanager ihn mit der gleichen Antwort abgespeist hatte wie später auch sie.

Anna hatte die Entscheidung der Kieler LKA-Kollegen mit einiger Verwunderung, aber ohne Widerspruch zur Kenntnis genommen, einfach nur froh darüber, dass sie München und die vergangenen Monate, in denen in ihrem Leben kein Stein auf dem anderen geblieben war, endlich hinter sich lassen konnte. Außerdem war ein Küstenort, in dem sie als Kind einige Urlaube mit ihren Eltern verbracht hatte, ein hundertmal attraktiverer Arbeitsplatz als die nicht besonders schöne Landeshauptstadt von Schleswig-Holstein. Auch wenn sie nur für diesen einen Fall in St. Peter-Ording eingesetzt werden würde.

Allerdings hatte sie ihre Kindheitserinnerungen bisher noch nicht auffrischen können, da sie die Arbeit von der ersten Minute an in Anspruch genommen hatte und sie nach zwei sehr späten Feierabenden erst einmal versucht hatte, sich in der Ferienwohnung einzurichten, die von Claas Hoyer für sie angemietet worden war. Anna hatte aus München zwar nur eine Reihe von Kleidungsstücken mitgenommen und alles andere erst einmal eingelagert, aber die Wohnung hier in St. Peter war viel zu klein, der Platz reichte hinten und vorne nicht. In München hatte sie bis vor der Scheidung in ihrem geräumigen Elternhaus gewohnt, sie war ein Mensch, der einfach Platz um sich herum brauchte, selbst wenn sie sich, wie im Moment, nur mit wenigen Dingen belastete. Hier musste also dringend Abhilfe geschaffen werden, denn schließlich bestand die Möglichkeit, dass der Fall sie länger vor Ort halten würde. Und selbst wenn nicht: In dieser winzigen Wohnung würde sie keine Sekunde länger als nötig verbringen. Es war allerdings die Frage, ob sie jetzt in der Hauptsaison auf die Schnelle eine andere Unterkunft finden würde.

Als sie in die Polizeistation zurückkehrte, stellte sie fest, dass bis auf Claas Hoyer alle ausgeflogen waren. Er hatte heute seinen letzten Arbeitstag, für den Abend war seine Abschiedsfeier in einem der Pfahlbaurestaurants geplant. Am Montag würde sein Nachfolger den Dienst antreten, den sie noch nicht kennengelernt hatte. Sie bedauerte, dass Hoyer in den Ruhestand ging, denn er war ihr vom ersten Augenblick an sympathisch gewesen. Gerne hätte sie ihn weiter an ihrer Seite gehabt, auch weil ihr der norddeutsche Menschenschlag doch noch so manches Rätsel aufgab. Allein dieses *Moin*, mit dem man hier nicht nur am Morgen, sondern rund um die Uhr grüßte. Wohingegen *Moin, Moin* schon wieder als *Gesabbel* – noch so ein Wort – galt und *Guten Moin* den Touristen auswies, wie Hoyer ihr schmunzelnd beigebracht hatte. Wer weiß, wie zugänglich der Neue sein wird, hatte sie gedacht, als Hoyer ihr von dessen Hintergrund erzählt hatte. Ein ehemaliger Mordermittler aus Itzehoe, der sich nach dem Tod seiner Frau an den Wohnort der Familie nach St. Peter-Ording hatte versetzen lassen, damit seine beiden Söhne in ihrer gewohnten Umgebung bleiben konnten. Das sprach ja für ihn; Anna konnte sich allerdings schwer vorstellen, dass er mit dieser Entscheidung glücklich war. Von der Schutzpolizei zur Kripo war bei den meisten der ersehnte Weg, umgekehrt eher nicht.

»Und? Bist du weitergekommen?«, fragte Hoyer, als sie sein Büro betrat, in dem bereits ein Umzugskarton mit persönlichen Dingen auf den Abtransport in sein Haus wartete. An der hellgrau gestrichenen Wand zeugten zwei hellere Rechtecke von den Bildern, die dort gehangen hatten und jetzt auf dem Karton lagen. Gletscher und Eisberge, zwei atemberaubende Aufnahmen. In der kommenden Woche sollten die Wände neu gestrichen werden, hatte Hoyer Anna erzählt und dabei schelmisch gegrinst. »Damit mein Nachfolger dann seine Spuren hinterlassen kann.«

Er sieht aus wie ein Seebär, dachte Anna jedes Mal bei Hoyers Anblick. Kurz getrimmtes eisgraues Haar, ein gepflegter Vollbart im wettergegerbten Gesicht, dessen zahlreiche Augenfältchen von einem Menschen zeugten, der viel und gerne lachte. Ein Mann, der sich unbändig auf den Ruhestand freute und auf die Reisen, die er mit seiner Frau unternehmen wollte. Grönland war ihr vorrangigstes Ziel – »Bevor die Eisberge dort wegschmelzen, Anna!« – und dann Touren mit dem neu erstandenen Wohnmobil durch Skandinavien.

Anna ließ sich auf den Stuhl vor Hoyers Schreibtisch fallen. »Nein, auch heute war niemand zu Hause.«

»Dann musst du die Aussage dieses Managers jetzt wohl glauben, mir blieb ja auch nichts anderes übrig«, sagte er. »Warum so misstrauisch, junge Frau?«

Junge Frau, nein, die war sie mit ihren 37 Jahren ganz bestimmt nicht mehr, worauf sie ihr Spiegelbild jeden Tag aufs Neue gnadenlos hinwies. Eine Reihe zusätzlicher Falten, die ersten grauen Haare, die letzten Monate hatten sie ausgelaugt. »Jobbedingt«, sagte sie und fühlte auf einmal wieder diese allumfassende Müdigkeit, die sie jedes Mal überfiel, wenn sie an die zurückliegende Zeit dachte. »Kennst du doch sicher auch, oder?« Sie hatte Hoyer nicht erzählt, wie es zu ihrer Versetzung von Bayern nach Schleswig-Holstein gekommen war, dazu kannten sie sich noch nicht gut genug. Vielleicht, wenn er geblieben wäre, aber so hatte keine Veranlassung dazu bestanden.

»Klar«, meinte Hoyer, »man sollte aber aufpassen, dass man sich davon nicht zu sehr vereinnahmen lässt.«

Er lehnte sich in seinem Stuhl zurück, und Anna dachte wieder einmal, wie tiefenentspannt dieser Mann wirkte. Sicher hatte es in seinem Leben eine Reihe von Momenten gegeben, in denen das Gegenteil der Fall gewesen sein mochte, aber trotzdem schien diese Gelöstheit ein Wesenszug von ihm zu sein. Sie beneidete ihn glühend darum, war sie doch selber das genaue Gegenteil.

»Wie willst du denn jetzt weitermachen?«, wollte Hoyer wissen.

Das hatte sie auf dem Rückweg auch überlegt. »Ich werde noch mal nach Friedrichskoog fahren und mir die Wohnung von Nina Brechtmann vornehmen. Vielleicht finde ich ja doch irgendwas, was ich gestern übersehen habe.«

Die Kollegen von Nina hatten ihre Wohnung aufgesucht, nachdem sie nicht zum Dienst erschienen war. Nina hatte einer von ihnen einen Schlüssel für den Notfall gegeben, und da hatten sie natürlich erst einmal dort nachgeschaut, bevor sie die Polizei alarmiert hatten. Es war ihnen allerdings nichts Ungewöhnliches aufgefallen.

Anna hatte den Schlüssel am Vortag erhalten und eine ansprechende Zweizimmerwohnung mit einem kleinen Balkon vorgefunden, in der nichts darauf hindeutete, dass hier ein Verbrechen geschehen war. Trotzdem hatte sie die Wohnung wie einen Tatort behandelt und sie in entsprechender Schutzkleidung betreten. Was ihr aufgefallen war, war das Fehlen jeglicher Fotos, auf denen Familienmitglieder oder Freunde zu sehen waren. Ob es einen Mann in Ninas Leben gab, hatten ihre Kollegen nicht gewusst. Was ihr Privatleben anbelangte, sei sie immer sehr zurückhaltend gewesen, hatten sie Anna erzählt, wie sie überhaupt eine eher stille Person gewesen sei, die sich aber durch große Zuverlässigkeit auszeichnete. Selbst die Kollegin, der Nina seinerzeit den Schlüssel anvertraut hatte, hatte nichts zur Aufklärung beitragen können. Das Einzige, was Anna erfahren hatte, war der Umstand, dass sich Nina stark für den Umweltschutz engagierte.

»Ich muss unbedingt Freunde von Nina Brechtmann auftreiben«, sagte Anna. »Da konnte mir bisher nämlich noch niemand weiterhelfen.« Sie blickte Hoyer an. »Ihre Kollegen hatten mir ja erzählt, dass Nina im Umweltschutz aktiv ist, allerdings wussten sie nicht, ob sie sich einer Gruppe angeschlossen hat. Gibt es hier überhaupt solche Gruppen?«

Hoyer legte seine Stirn in nachdenkliche Falten. »Ich hab da kürzlich was von einer Bewegung gehört, die sich gegen

Hotelneubauten an unserer Nordseeküste engagiert. Ob das nun aber so ein loser Zusammenschluss oder eine richtig organisierte Gruppe ist, weiß ich nicht.«

»Wo hast du das gehört?«

Hoyer grinste. »Das hat mir der Bäcker meines Vertrauens erzählt.« Er griff zum Telefonhörer. »Ich frag ihn mal eben, vielleicht kann er sich noch erinnern.«

Das Gespräch war kurz und brachte ein Ergebnis.

»Die heißen *KüstenFreunde SH* und existieren seit zwei Jahren.« Er reichte ihr den Klebezettel, auf dem er während des Telefonats etwas notiert hatte. »Das ist ihre Website. Da findest du bestimmt Ansprechpartner.«

Anna griff nach dem Zettel. »Danke, das hilft mir doch schon weiter.«

»Hast du auch mal über einen Suizid nachgedacht?«

»Natürlich. Ninas Kollegen war aufgefallen, dass sie in der letzten Zeit häufig bedrückt wirkte. Sie haben da was in Richtung Liebeskummer vermutet. Einen Suizid konnte sich trotzdem niemand vorstellen, weil Nina wohl normalerweise ein sehr lebensfroher Mensch ist.«

»Ich hab ja vor deiner Ankunft überprüft, wie es in Bezug auf einen Unfall aussieht. Also Autounfall oder so«, sagte Hoyer. »Da war aber nichts in unserem Bundesland und auch nicht in Hamburg gemeldet. Willst du dir noch die anderen Bundesländer und Dänemark vornehmen?«

»Hab ich schon«, sagte Anna, »dabei ist aber auch nichts rausgekommen. Das Wichtigste sind deshalb jetzt die Gespräche mit ihrer Mutter und Schwester. Wenn Nina sie in ihrem Urlaub besuchen wollte, sind sie unter Umständen die Letzten, die sie gesprochen haben. Außerdem hoffe ich, dass sie mir etwas über Ninas private Kontakte sagen können. Es ist ja auch nicht auszuschließen, dass sie vor jemandem geflohen ist.«

»Oder dass jemand sie umgebracht hat«, vollendete Hoyer Annas Gedanken. »Da kommt noch ’ne Menge Arbeit auf dich zu. Aber du bist ja zum Glück die Expertin auf diesem Gebiet.«

Anna seufzte. Ja, das war sie, aber dieser Fall war kompliziert, weil das soziale Umfeld so schwer zu ermitteln war. Selbst die Gespräche mit Ninas Nachbarn waren nicht allzu ergiebig gewesen, obwohl gerade Hausgenossen in vielen Fällen geradezu sprudelnde Informationsquellen waren. Zwei Nachbarn hatten etwas von Herrenbesuchen erwähnt, der jeweiligen Beschreibung nach musste es sich allerdings um zwei unterschiedliche Männer gehandelt haben. Einige Male wären laute Stimmen aus Ninas Wohnung zu hören gewesen, hatte die direkte Nachbarin noch erwähnt, das hätte immer nach einem heftigen Streit geklungen. Hier musste sie einen Ansatz finden.

»Vergiss aber bitte meine Feier heute Abend nicht«, unterbrach Hoyer ihre Gedanken. »Ich zähle auf dich!«

Sie lächelte ihn an und erhob sich. »Ganz bestimmt nicht. Ich freue mich darauf, endlich wieder frischen Fisch aus dem Meer essen zu können. In Bayern kommen Fischfreunde ja eher zu kurz.«

»Bayerische Fischfreunde?«, wunderte sich Hoyer. »Das gibt es?«

»Ja, was glaubst du denn?«, gab sie zurück. »Dass wir nur Weißwurscht und Brez’n essen? Ich bin der absolute Fischfreak.«

Sein ungläubiges Lachen folgte ihr, als sie die Dienststelle verließ. Draußen fuhr gerade ein Streifenwagen vor, dem die Kollegen Nils Scheffler und Michael Paulsen entstiegen. Nils schien der Sonnenschein der Truppe zu sein, ging mit seinen achtundzwanzig Jahren locker für zehn Jahre jünger durch und war ein begeisterter Surfer. Er hatte sie bei ihrer Ankunft in Empfang genommen, und sie waren sofort miteinander warm geworden; bei den restlichen Kollegen, ausschließlich Männer, hatte sich bisher noch keine Möglichkeit für ein näheres Kennenlernen ergeben. Alle hatten aber einen sympathischen Eindruck gemacht, bis auf Michael Paulsen. Sie schätzte ihn auf etwa fünfzig, auch wenn er sich mit einem Undercut, dem silbernen Ohrstecker und einer etwas zu coolen Sonnenbrille alle Mühe gab, jünger auszusehen. Bei der Begrüßung hatte er ihre Hand ein wenig zu lange gehalten, und sein Blick war langsam und abschätzend über ihren Körper geglitten und hatte sie frösteln lassen.

»Ah, die neue Kollegin.« Paulsen schob die Sonnenbrille hoch und kam langsam auf sie zu. Unwillkürlich glitt Annas Blick wieder zu den drei blauen Sternen auf seiner Schulterklappe. Polizeiobermeister. Wie bereits bei der Begrüßung fragte sie sich, was in seiner Karriere schiefgelaufen sein mochte, dass er denselben Dienstrang aufwies wie sein zwanzig Jahre jüngerer Kollege Nils Scheffler.

»Hallo.« Sie wollte an Paulsen vorbeigehen, aber er trat ihr in den Weg.

»Ich hoffe doch, dass wir uns heute Abend auf Claas' Abschiedsfeier sehen.«

Sie zwang sich keinen Schritt zurückzutreten und musterte ihn mit einem, wie sie hoffte, kühlen Blick. »Mal sehen, ob ich es einrichten kann.« Bevor er antworten konnte, ließ sie ihn stehen, warf Nils ein Lächeln zu, auch wenn ihr im Moment überhaupt nicht danach war, und ging zu ihrem Wagen, den sie am Straßenrand geparkt hatte.

»Ich freu mich auf dich!«, hörte sie Paulsens Stimme in ihrem Rücken, gefolgt von einem leisen und unangenehmen Lachen. Das war wieder einer dieser Momente, in denen ihr die unter Kollegen übliche Gewohnheit, dass jeder jeden duzte, selbst wenn man sich nur kurz kannte und überhaupt nichts über den anderen wusste, extrem auf den Wecker ging. Aber es war schwer, sich dem zu entziehen – besonders, wenn man neu an einer Arbeitsstätte und zudem noch eine Frau war. Mal sehen, wie der neue Dienststellenleiter das handhaben würde. Sie hatte jedenfalls entschieden, ihn erst einmal zu siezen.

Sie beschloss, sich auf der Feier blicken zu lassen. Claas Hoyer zuliebe, aber wenn Paulsen sie weiterhin so dämlich anbaggerte, würde dieser Besuch sehr kurz ausfallen. Außerdem ließ ihr das Verschwinden von Nina Brechtmann keine Ruhe. Dieses beharrlich im Hinterkopf pochende Wissen, dass bei einem Vermisstenfall jede Sekunde zählte, wenn es zum Beispiel um eine Entführung ging oder die vermisste Person in die Hände eines Gewalttäters geraten war. Aber traf etwas davon bei Nina Brechtmann zu? Anna hoffte inständig, dass Constanze und Sophie Brechtmann ihr am nächsten Tag weiterhelfen konnten.

3

Nach dem gemeinsamen Abendessen aller Teilnehmer hatte sich Bent Forsgren mit der Entschuldigung verabschiedet, dass er noch mit seiner Schwester verabredet sei. Was nicht der Wahrheit entsprach, da Saga mit Mann und Tochter vor einer Woche in den Urlaub nach Kreta geflogen war, aber er hatte einfach keinen Bock mehr auf den Abschiedsumtrunk gehabt, der unweigerlich in einem Besäufnis enden würde.

»Schade«, hatte Saga bei seinem Anruf vor zwei Wochen gesagt, »da kommst du endlich mal wieder nach Hause, und dann bin ich nicht da. Sieh doch zu, dass du es über die Weihnachtstage schaffst, dann feiern wir das Fest so, wie wir es von Mama und Papa kennen. Mit gemeinsamem Baumschmücken und Kochen und einem tollen Spieleabend. Ich hab zwei neue Spiele gekauft, die werden dir bestimmt gefallen.«

Eine jähe Trauer überfiel ihn, als er sich jetzt an diese Worte erinnerte. Er trat an das Wohnzimmerfenster der Altbauwohnung in der in Kopenhagen liegenden Kommune Fredreiksberg, die er vor fünfzehn Jahren erworben und aufwendig restauriert hatte. Weihnachten mit den Eltern war immer groß gefeiert worden, und sie hatten stets viel Spaß miteinander gehabt, aber seitdem ihre Mutter vor acht Jahren verstorben und der Vater ihr ein Jahr später nachgefolgt war, waren die Weihnachtsfeste in der Familie Forsgren nicht mehr dieselben.

Überhaupt war nichts in seinem Leben mehr, wie es sein sollte. Weder beruflich noch privat.

Der Neubau des Einkaufszentrums in Malmö war vor drei Monaten geplatzt, und die Teilnahme an dem heute zu Ende gegangenen viertägigen Architektenkongress im Comwell Conference Center in Kopenhagen war ebenso für die Katz gewesen wie diverse Unternehmensbesuche, von denen er sich einiges erhofft hatte. Keine neuen Aufträge, mit denen er das Unvermeidliche noch hätte abwenden können.

»Na, hör mal, du hast doch nun wirklich keinen Grund, dich zu beklagen«, hatte ein Kollege mit einem unangenehmen Grinsen gemeint. »Schließlich hast du zwei begehrte Hotelneubauten in Schleswig-Holstein an Land gezogen, hinter denen auch noch andere von uns her waren. Aber im Gegensatz zu uns hast du eben die allerbesten Verbindungen in diese Familie, und deshalb wird dieser Auftrag mit Sicherheit nicht der letzte gewesen sein, den du von ihnen erhältst.«

Forsgren stieß einen gequälten Seufzer aus und goss sich einen doppelten Whisky am gut bestückten Barwagen ein, obwohl er fest entschlossen gewesen war, heute Abend nüchtern zu bleiben. Aber wie an allen Abenden zuvor blieb es auch dieses Mal bei dem guten Vorsatz.

Ja, der Hotelneubau in St. Peter-Ording und ein weiterer in Eckernförde würden dafür sorgen, dass die Absage aus Malmö *Forsgren Arkitekt* nicht das Genick brach, sondern die Firma, die sein Vater gegründet hatte, weiterhin schwarze Zahlen schreiben würde.

Aber welchen Preis hatte er dafür zahlen müssen …

4

Hendrik Norberg hatte sich die mahnenden Worte seiner Schwiegermutter zu Herzen genommen, hegte aber bereits bei seiner Ankunft in der *Arche Noah* die ersten Fluchtgedanken. Das Restaurant war rappelvoll, fröhliche Stimmung an jedem Tisch, kein Wunder bei dem prachtvollen Wetter. Die Erinnerung an schöne Stunden an diesem Ort mit Kathrin und den Kindern hatte ihn bereits beim Erklimmen der ersten Stufen attackiert und ließ sich angesichts der glücklichen Gesichter um ihn herum kaum abschütteln. Aber dies ging ihm an vielen Plätzen in St. Peter so, schließlich wohnte er seit der Heirat mit Kathrin vor achtzehn Jahren hier. Er hoffte inständig, dass es ihm irgendwann gelingen würde, der Erinnerungen Herr zu werden und die Örtlichkeiten nicht mehr zu fliehen.

Claas Hoyer hatte einen Platz im Außenbereich reserviert, und als Norberg mit einer halben Stunde Verspätung eintraf, war die Stimmung bereits prächtig. Woran mit Sicherheit auch die farbenfrohen Cocktails ihren Anteil hatten, die vor sieben der insgesamt neun Anwesenden aufgereiht waren. Norberg guckte, wen der Bereitschaftsdienst getroffen hatte: Nils Scheffler und einen der Bäderdienst-Beamten, dessen Namen er vergessen hatte. Die beiden hielten sich an Wasser, machten aber keinen minder aufgeräumten Eindruck.

Hoyer hatte sich erhoben und begrüßte Norberg mit einem Handschlag. »Schön, dass du es einrichten konntest, dann sind wir jetzt ja fast vollzählig.« Er deutete auf den freien Stuhl neben sich.

»Fast?«, fragte Norberg, nachdem er die Kollegen, die in zwei Strandkörben und auf Holzstühlen um drei zusammengerückte Tische unter einem großen Sonnenschirm saßen, mit einem Nicken begrüßt hatte.

»Ja, es fehlt noch eine Kollegin, die hast du noch nicht kennengelernt. Sie hat mir aber gerade eine Nachricht geschickt, dass es bei ihr noch etwas dauern wird und wir nicht mit dem Essen auf sie warten sollen.« Hoyer winkte der Bedienung. »Was möchtest du trinken?«

»Gerne ein Bier.« Norberg hakte noch einmal nach, weil ihn Hoyers Bemerkung irritiert hatte. »Was für eine Kollegin? Hab ich da irgendwas verpasst?«

Der letzte Satz war schärfer herausgekommen, als beabsichtigt, was Hoyer aber nicht aus der Fassung brachte. Der 62-jährige Exdienststellenleiter schien ein umgänglicher Zeitgenosse zu sein, wie überhaupt das ganze Team einen entspannten und unaufgeregten Eindruck machte, was Norberg bereits an den Tagen der Übergabe hatte feststellen können. Zum ersten Mal streifte ihn der Gedanke, dass der neue Posten ihm vielleicht auch die Chance bieten könnte, sein inneres Gleichgewicht wiederzufinden. Mit netten Kollegen und ohne den ständigen Aufstiegskampf in einer Mordkommission, der ihm in den letzten Jahren doch so manches Mal zugesetzt hatte. Aber um dahin zu kommen, müsste er sich erst einmal mit der neuen Situation arrangieren …

»Nicht verpasst, ich bin nur noch nicht dazu gekommen, dich darüber zu informieren, weil du die letzten Tage ja in Itzehoe warst«, sagte Hoyer und bat die Bedienung, ihnen ein

Bier und die Speisekarten zu bringen. »Wir haben einen aktuellen Vermisstenfall, der mir Grund zur Sorge bereitet, weil nichts auf ein freiwilliges Verschwinden hindeutet. Ich hatte die LKA-Kollegen um Unterstützung gebeten, weil mir zu Ohren gekommen war, dass sie eine Expertin auf dem Gebiet erwarten. Und wir sind in der Saison sowieso schon genug ausgelastet. Die Kollegin hat die Vermisstenstelle in München geleitet. Da ich den Fall dringlich gemacht habe, hat man sie uns sofort zugewiesen. Seit zwei Tagen ist sie bei uns.«

Eine Kripokollegin, die in seiner Dienststelle einen Vermisstenfall bearbeiten sollte? Wieso machte sie das nicht von Kiel aus?

Offensichtlich stand ihm seine Frage ins Gesicht geschrieben, da Hoyer sie im nächsten Moment beantwortete. »Wir hielten es für besser, dass Anna Wagner die Ermittlungen von St. Peter aus führt. Von Kiel hierher sind es pro Strecke mindestens anderthalb Stunden, das ist ja nun wirklich eine Gurkerei, die wir ihr ersparen können. Ich hab sie in der Ferienwohnung eines Bekannten untergebracht, denn die Wohnungen in unserer Dienststelle sind ja von den Bäderdienstlern belegt.«

Norberg war sich nicht darüber im Klaren, ob er Hoyers Idee gut finden und dessen Aussage, er hätte noch keine Zeit gehabt, ihn darüber zu informieren, glauben sollte. Aber er wollte die Abschiedsfeier jetzt nicht mit Querelen verderben, sondern sich diese Anna Wagner erst einmal anschauen und dann entscheiden, ob es wirklich erforderlich war, dass sie vor Ort blieb. Er fragte Hoyer, um wen es sich bei der vermissten Person handeln würde.

»Die Frau heißt Nina Brechtmann und arbeitet in der Seehundstation in Friedrichskoog. Sie hätte am 25. Juni aus dem

Urlaub an ihren Arbeitsplatz zurückkehren sollen. Als sie nicht erschienen ist und weder telefonisch erreichbar noch in ihrer Wohnung anzutreffen war, hat sich eine Kollegin bei uns gemeldet, da Frau Brechtmann angegeben hatte, im Urlaub ihre Familie hier vor Ort besuchen zu wollen.«

»Die Hoteliersfamilie?«

»Ja.« Hoyer nickte.

»Und was haben die ausgesagt?«

»Noch nichts. Mutter und Tochter sind auf einer Dienstreise und kommen erst morgen zurück.«

Das Gespräch wurde unterbrochen, als die Bedienung mit den Speisekarten und Norbergs Bier kam.

»Prost, Kollegen«, sagte Hoyer, bevor er sich wieder an Norberg wandte. »Ich hatte die vergangenen Tage noch so viel auf dem Zettel, dass ich alles Anna überlassen habe. Sie kommt ja noch, da kann sie dich gleich auf den neuesten Stand bringen.«

Während des Essens entspannen sich unterhaltsame Gespräche, aus denen Norberg einiges über seine neuen Kollegen erfuhr. Sportbegeistert schienen alle zu sein, wobei Windsurfen und Strandsegeln an vorderster Stelle standen. Das Durchschnittsalter der Truppe lag in etwa bei dreißig. Der Ausreißer nach unten war der 22-jährige Polizeiobermeisteranwärter Bastian Werner, bei dem nach oben handelte es sich um den fünfzigjährigen Polizeiobermeister Michael Paulsen. Dass Letzterer es in seinem Alter zu keinem höheren Dienstgrad gebracht hatte, hatte Norberg bereits beim Kennenlernen gewundert. Hoyer hatte ihm keine Bewertungen der Kollegen an die Hand gegeben, da sich Norberg lieber ein eigenes Bild von jedem machen wollte. Paulsen allerdings war ihm vom ersten Augenblick an unsympathisch gewesen, was auf Gegenseitigkeit zu beruhen schien.

Beim Anblick des Fischtellers war Norberg tatsächlich das Wasser im Mund zusammengelaufen, und er hatte sich umgehend mit gutem Appetit über Rotbarsch, Kabeljau, Zander und die Riesengarnele hergemacht. Seit Monaten brachte er kaum etwas herunter, auch wenn Corinna, die gut und reichlich kochte, ihn stets zum Essen animierte. Dass er hier jetzt die Köstlichkeiten aus dem Meer bis auf den letzten Bissen verputzte, durfte sie auf keinen Fall erfahren, weil dies verständlicherweise an ihrer Hausfrauenehre kratzen würde.

Nachdem er seine Mahlzeit beendet hatte, entschuldigte er sich für einen Augenblick und stieg die Treppen zum Strand hinunter. Eine Möwe segelte fast schwerelos am Himmel über ihm und stieß von Zeit zu Zeit ein keckerndes Kreischen aus, während sie die Strandfläche unter sich aufmerksam nach etwas Essbarem absuchte.

Norberg ging einige Schritte Richtung Wasser und zog sein Smartphone aus der Hosentasche, um zu Hause anzurufen. Lasse hatte sich am Nachmittag nicht wohlgefühlt, und Norberg wollte hören, wie es ihm jetzt ging. »Scheint ein Magen-Darm-Virus zu sein«, hatte Corinna gemeint. »Der Junge hat sich hingelegt. Nein, du musst nicht kommen, ich hab alles im Griff.«

Natürlich hatte sie das, trotzdem beunruhigte ihre Aussage Norberg, und so überlegte er, ob er die Gelegenheit ergreifen und seine Zelte in der *Arche* abbrechen oder noch auf die angekündigte Kollegin warten sollte. Als er zu den Tischen zurückkehrte, wurde er auf eine Frau aufmerksam, die Hoyer gerade einen Blumenstrauß überreichte. Schlanke Figur, ein luftiges Sommerkleid, kinnlange braune Haare. Das musste dann wohl diese Anna Wagner sein, also konnte er das Kennenlernen jetzt auch gleich hinter sich bringen. Er trat an den Tisch heran.

»Ah, da bist du ja wieder«, sagte Hoyer. »Dann kann ich euch gleich miteinander bekannt machen. Anna Wagner, unser Neuzugang aus München, und das ist mein Nachfolger Hendrik Norberg. Ich habe ihm bereits von dem Vermisstenfall erzählt, den du bearbeitest.«

Ein interessierter Blick aus warmen braunen Augen traf Norberg, dem ein fester Händedruck folgte. »Grüß Gott, freut mich.«

Norberg erwiderte die Begrüßung, auch wenn sich die Freude auf seiner Seite in sehr engen Grenzen hielt. Grüß Gott, du lieber Himmel! Wenigstens schien sie keinen bayerischen Akzent zu haben. »Ganz meinerseits.« Er wandte sich an Hoyer. »Es tut mir leid, aber ich muss mich jetzt absetzen. Meinem älteren Sohn geht es nicht gut.«

Hoyer nickte verständnisvoll und legte ihm kurz die Hand auf die Schulter. Er und die Kollegen wussten von Kathrins Tod. Alle hatten kondoliert, das Thema dann aber nicht mehr angeschnitten, wofür Norberg dankbar war, da ihn Gespräche darüber noch immer sehr schnell aus der Fassung brachten.

»Kann ich Sie noch kurz sprechen, bevor Sie gehen?«, fragte Anna Wagner. »Es geht um den Vermisstenfall Nina Brechtmann, da würde ich gerne schon jetzt das weitere Vorgehen mit Ihnen abstimmen und nicht erst am Montag.«

Norberg hätte sie am liebsten abgewimmelt, aber dieser Fall ging jetzt auch ihn etwas an, weil die Kollegin, so wie es aussah, nicht ohne die Unterstützung der Dienststelle ermitteln konnte. Da gerade ein Tisch frei wurde, schlug er vor, dort Platz zu nehmen.

»Was hat Claas Ihnen bisher erzählt?«, kam Anna Wagner ohne Umschweife zur Sache.

Norberg gab die wenigen Infos wieder, die er von Hoyer erhalten hatte.

»Ich war bereits gestern in Ninas Wohnung und habe sie mir vorhin noch einmal angeschaut«, sagte die Kollegin. Sie wirkte sehr konzentriert und ließ sich weder von Kindergeschrei noch den lauten Unterhaltungen an den Nachbartischen ablenken. »Keinerlei Veränderung seit meinem ersten Besuch, nichts deutet darauf hin, dass Nina in der Zwischenzeit dort gewesen ist. Es sieht immer noch alles so aus, als wäre sie nur kurz weggegangen.«

»Keine Anhaltspunkte, die auf ein Verbrechen hindeuten?«

»Nein.« Sie schüttelte den Kopf. »Keine Anzeichen von Kampfspuren, kein Blut, nichts.«

»Vielleicht hat sie sich abgesetzt. Aus welchen Gründen auch immer.«

»Das kann ich mir nicht vorstellen«, sagte Anna zweifelnd. »Unter dem Bett liegt ein leerer Koffer, und im Kleiderschrank sieht es nicht so aus, als wenn Dinge fehlen würden.«

»Haben Sie ihr Konto überprüft, ob Geld abgehoben wurde?«

»Ja, natürlich. Da waren nur die üblichen Kontobewegungen wie Gehaltseingänge und Abbuchungen von Versicherungen zu finden, und hin und wieder wurden zwischen zwei- und dreihundert Euro abgehoben, die wohl für den Lebensunterhalt gedacht waren.«

»Wie sieht es mit einem Verbindungsdatennachweis und einer Handyortung aus?«

»Der Nachweis ist beantragt, ich hoffe, dass ich ihn schnell bekomme. Die Ortung war ohne Ergebnis, was darauf schließen lässt, dass Akku und SIM-Karte entfernt wurden. Das könnte auf ein Verbrechen oder eine Entführung hindeuten.«

»Letzteres wäre tatsächlich eine Möglichkeit, immerhin sind die Brechtmanns eine sehr wohlhabende Familie.«

»Eine Anzeige ist nicht eingegangen, das habe ich überprüft. Ich werde die beiden aber auf jeden Fall dazu befragen.«

»Und ein Suizid?«

»Ihre Kollegen haben mich darauf hingewiesen, dass Nina in der letzten Zeit bedrückt gewirkt hätte. Da stand die Vermutung im Raum, dass sie Liebeskummer gehabt haben könnte. Einen Suizid konnte sich aber niemand von ihnen vorstellen.«

Norberg merkte, wie sein Interesse erwachte.

»Claas Hoyer hatte eine Anfrage an sämtliche Krankenhäuser in Schleswig-Holstein und Hamburg gerichtet, allerdings ohne Ergebnis«, fuhr Anna fort. »Ich habe das um weitere Bundesländer und Dänemark erweitert, dabei ist aber auch nichts rausgekommen. Laut Auskunft ihrer Kollegen fährt Nina Brechtmann einen Opel Corsa älteren Datums, der ebenfalls verschwunden ist. Er ist jetzt zur Fahndung ausgeschrieben. Eine Überprüfung bezüglich eines Bahn- oder Flugtickets hat auch nichts ergeben. Außerdem habe ich in der Rechtsmedizin in Kiel, Lübeck und Hamburg nachgefragt, auch nach unbekannten Toten, die dort eingeliefert wurden. Ebenfalls Fehlanzeige.«

Norberg musste sich eingestehen, dass ihn Anna Wagners Effizienz beeindruckte. Sie verstand ihr Geschäft, und es war beachtlich, was sie in der kurzen Zeit und ohne jegliche Unterstützung schon abgeklärt hatte. »Was sagt das Umfeld von Nina Brechtmann? Freunde, Bekannte, Nachbarn?«

Die Kollegin zuckte mit den Schultern und wirkte für einen Moment bedrückt. »Das ist im Moment ein großes Problem, weil ich da noch keinerlei Angaben habe. Laut ihren Kollegen ist Nina immer sehr verschlossen gewesen, wenn es um ihr Privatleben ging. Nachbarn haben vor längerer Zeit Streitigkeiten in ihrer Wohnung gehört und zu unterschiedlichen Zeiten zwei Männer herauskommen sehen, aber was einen Freundes- und Bekanntenkreis angeht, stehe ich noch vollkommen auf dem Schlauch.« Anna räusperte sich und nahm einen Schluck von ihrem Getränk, um dann fortzufahren: »Da sich Nina wohl sehr für den Umweltschutz engagiert, besteht die Möglichkeit, dass sie der Gruppe *Küsten-Freunde SH* angehört, die gegen Hotelneubauten an der Nordseeküste angeht. Ich habe mir vorhin deren Website angeschaut, allerdings keine Ansprechpartner, aber zumindest eine Telefonnummer und eine Mailadresse gefunden und Nachrichten hinterlassen. Da dürfte sich aber vor Montag wohl niemand melden. Wenn überhaupt, da viele Umweltschützer ja mit unserem Berufsstand auf dem Kriegsfuß stehen. Ich bleibe auf jeden Fall an denen dran.«

»Falls Frau Brechtmann dort Mitglied sein sollte, hat sie sich unter Umständen auch gegen den Neubau ihrer eigenen Familie gewendet.« Norberg erinnerte sich an einen Artikel über das besagte Projekt, das im Ortsteil Böhl realisiert werden sollte. Er selbst stand dem Neubau ablehnend gegenüber, da ihm der Gedanke, dass sich St. Peter unaufhaltsam zu einem zweiten Sylt entwickelte, überhaupt nicht behagte.

»Das ist nicht auszuschließen.«

»Seit wann genau wird Frau Brechtmann denn eigentlich vermisst?«

»Selbst das können wir nicht mit Gewissheit sagen. Sie hatte vom 17. bis einschließlich 24. Juni Urlaub. Vermisst gemeldet wurde sie an ihrem ersten Arbeitstag am 25. Juni.«

Norberg überlegte. Das verkomplizierte die Sache. Ebenso wie bei Tötungsdelikten waren auch bei Vermisstensachen die ersten achtundvierzig Stunden die entscheidenden. »Haben Sie ein Foto von Frau Brechtmann, das wir notfalls in die Fahndung geben können?«

»Ja, das habe ich von ihren Kollegen erhalten.«

»Gut.«

»Ich setze im Moment meine ganze Hoffnung in die Gespräche mit Ninas Mutter und Schwester, die sie ja in ihrem Urlaub treffen wollte.«

Norberg nickte. »Wir müssen diese Gespräche abwarten, bevor wir unter Umständen weitere Maßnahmen einleiten. Okay?«

Anna stimmte ihm zu. »Ich weiß, es ist Wochenende, aber ich würde Sie trotzdem gerne morgen nach den Gesprächen anrufen.«

»Kein Problem.« Norberg zog eine Visitenkarte aus dem Portemonnaie, auf der sein privater Festnetzanschluss sowie seine Handynummer standen. Dann erhob er sich. »Jetzt müssen Sie mich aber entschuldigen, ich muss nach Hause.«

Anna stand ebenfalls auf und ging mit ihm zu den anderen zurück, wo Norberg sich von Hoyer verabschiedete und dann einen kurzen Blick in die Runde warf. »Noch eine schöne Feier. Wir sehen uns Montag.«

5

Nach einer weiteren Stunde merkte auch Anna, dass es Zeit zum Aufbruch war. Sie war erschöpft von dem Tag, aber noch mehr von der Hitze und sehnte sich nach einer erfrischenden Dusche. Außerdem nervte Michael Paulsen, der ihr zum Glück nur schräg gegenübersaß, was ihn aber nicht daran hinderte, sie die ganze Zeit über mehr oder minder deutlich anzubaggern. Nils Scheffler, der neben ihm saß, schien ihn einmal sogar zur Räson gerufen zu haben, wenn sie die Gesten der beiden Männer richtig gedeutet hatte, allerdings ohne großen Erfolg.

Sie verabschiedete sich und wünschte Claas Hoyer alles Gute für seinen Ruhestand, dann fuhr sie in ihre Ferienwohnung, wo sie zuerst unter die Dusche ging und sich danach in Shorts und T-Shirt mit einem Glas Wasser auf den Minibalkon setzte. Sie hätte lieber ein Bier getrunken, hatte aber keines zur Hand und musste auch erst in Erfahrung bringen, ob es das süffige Helle, das sie so liebte, auch hier im Norden zu kaufen gab. Wohl eher nicht. Das bittere Zeug vorhin auf der Feier hatte ihr jedenfalls die Schuhe ausgezogen, aber sie hatte ihr Glas tapfer geleert und sich kurz geärgert, dass sie kein Weißbier zu ihrem Matjesgericht bestellt hatte.

Sie legte die Füße auf die Brüstung und bemühte sich, das anhaltende Gelächter, das von der Terrasse unter ihr kam, so gut es ging auszublenden. Sie war dem Paar im mittleren Alter zweimal im Treppenhaus begegnet, sehr lästige Zeitgenossen, die jedem sofort ein Gespräch aufzudrängen suchten. Das Lachen der Frau hatte etwas vom Gackern eines Huhns, und das Nervige daran war, dass sie jeden zweiten Satz damit untermalte, egal ob er komisch war oder nicht. Die Königsdisziplin ihres Mannes war das Telefonieren mit Lautsprecher, am liebsten auf der Terrasse, sodass man nicht nur seine Worte, sondern auch die Antworten seiner Gesprächspartner mitbekam. Zum Glück gingen die beiden mit den Hühnern ins Bett – und den Geräuschen nach zu urteilen, war es gerade wieder so weit. Gläserklirren, das Rücken der Gartenstühle, sich entfernende Stimmen.

Endlich.

Mit der eingetretenen Ruhe kam Anna wieder das Gespräch mit Norberg in den Sinn.

Er hatte auf sie den Eindruck eines Menschen gemacht, mit dem man nicht so schnell warm wurde. Es war allerdings nicht zu übersehen gewesen, dass der Vermisstenfall sein Interesse geweckt hatte. Und nur darauf kam es ihr an. Sie hatte schon häufiger mit unnahbaren Kollegen zusammengearbeitet, aber solange es mit der Arbeit vorangegangen war, hatte sie dies nicht als Manko empfunden. Ihr kam es auf Verlässlichkeit an, engere Kontakte oder gar Freundschaften schloss sie lieber außerhalb der Arbeit.

Sie konnte im Moment noch nicht absehen, in welchem Ausmaß sie die Unterstützung der Dienststelle benötigte. Da hing jetzt alles von den Gesprächen mit Constanze und Sophie Brechtmann ab, die sie hoffentlich einen großen Schritt weiterbrachten. Falls allerdings Hilfe vonnöten war, dürfte sie mit Norberg am besten fahren, schließlich war er ein erfahrener Mordermittler, der wusste, was in solchen Fällen zu tun war.

Der erneute Besuch in Nina Brechtmanns Wohnung hatte sie frustriert. Sie hatte auch dieses Mal wieder alles akribisch untersucht und sich unwohl gefühlt – wie immer bei Wohnungsdurchsuchungen von Vermissten. Man drang in die Intimsphäre eines Menschen ein, und da war es egal, ob dieser Mensch tot oder wie Nina Brechtmann hoffentlich noch am Leben war. Allerdings war diese Maßnahme unabdingbar, erst recht, wenn man noch niemanden gefunden hatte, der einem etwas über diesen Menschen erzählen konnte.

Eine gut bestückte Bücherwand, in der vom Krimi über Historienschinken und Liebesromane bis zu Sachbüchern alles vertreten war. Auffällig viele Werke über Natur- und Umweltschutz. An den Wänden mehrere großformatige Fotos mit Luftaufnahmen der Nordseeküste.

Auch die neuerliche Suche in Schränken und Schubladen hatte nichts ergeben. Keine Geheimfächer, keine Dokumenten-, Schmuck- oder Geldkassetten, nicht einmal eine Geburtsurkunde hatte sie gefunden. Was schon merkwürdig war, obwohl natürlich auch die Möglichkeit bestand, dass diese in einem Bankschließfach aufbewahrt wurde. Somit war Nina Brechtmann nach wie vor ein unbeschriebenes Blatt. Eine Frau, die, dem Inhalt ihres Kleiderschranks nach zu urteilen, Jeans und T-Shirts bevorzugte. Elegante Klamotten und Schmuck: Fehlanzeige.

Auf dem Balkon waren keine Blumen gepflanzt, allerdings stand eine Zehnlitertüte mit Erde in einer Ecke, was ein Indiz dafür sein konnte, dass Nina beabsichtigt hatte, nach ihrem Urlaub hier Hand anzulegen.

Den kleinen Keller, der zur Wohnung gehörte, hatte Anna sich ebenfalls noch einmal vorgenommen, aber auch dieses

Mal nichts entdeckt, was ihr hätte weiterhelfen können. Eine ausrangierte Kommode, in der sich einige ramponierte Plüschtiere befanden, vergilbte Kinderbücher, zwei Barbiepuppen in einem Schuhkarton und ein Puppenhaus, dem das Innenleben fehlte. Dinge aus Ninas Kindertagen. Ein ausgeblichener Sonnenschirm, mehrere tönerne Pflanztöpfe, zwei Balkonkästen. Das war's.

Was Anna noch immer verwunderte, war die Tatsache, dass Ninas Kollegen bis auf ihren familiären Hintergrund so gar nichts über sie wussten. Es hatte den Anschein gehabt, dass Nina an ihrem Arbeitsplatz sehr beliebt war und sich dort wohlgefühlt hatte, da hielt man doch mit persönlichen Dingen nicht hinter dem Berg. Es sei denn, man hatte etwas zu verbergen.

Anna gähnte herzhaft und beschloss, die beruflichen Überlegungen für heute einzustellen und sich stattdessen der Frage zu widmen, wie sie schnellstmöglich an eine größere Ferienwohnung kam. Sie hatte sich in der Zwischenzeit mit der Tourismuszentrale in Verbindung gesetzt und erfahren, dass St. Peter-Ording ausgebucht sei. Falls es kurzfristige Absagen gäbe, würde man sie gerne informieren. Eine unbefriedigende Auskunft, da Stornierungen in der Hochsaison und dann auch noch bei diesem Bombenwetter eher unwahrscheinlich waren. »Warte doch erst mal ab«, hatte Nils Scheffler vorhin gemeint. »Vielleicht ist der Fall schnell aufgeklärt, oder Nina Brechtmann kehrt von allein zurück.« Aber das glaubte Anna nicht, denn ihr Instinkt sprach eine andere Sprache. Dieser Fall schien kompliziert und könnte längere Zeit in Anspruch nehmen.

Falls sie also in St. Peter keinen Erfolg haben sollte, hatte sie sich auf der Karte schon mal nach den nächstgelegenen

Ortschaften umgeschaut. Tating oder Garding kämen infrage, alternativ Welt oder Vollerwiek. Hier würde die Fahrtzeit zur Station etwa zwanzig Minuten betragen, also immer noch zu verschmerzen.

6

Sonntag, 28. Juni

Wann hatte sein Leben eigentlich begonnen den Bach runterzugehen? Schon vor der Begegnung mit Nina oder erst nach ihrer Trennung?

Erbittert trat Kai Hellmer nach dem Kinderroller, der den Eingang des kleinen Supermarktes in Friedrichskoog versperrte und nach der Attacke einige Meter weit flog, bevor er scheppernd auf dem Gehweg aufprallte. Dem älteren Ehepaar, dem das Teil so unvermutet vor die Füße kullerte, warf er einen bösen Blick zu, der ihren offensichtlichen Protest augenblicklich im Keim erstickte.

»Ich kann nicht mehr«, hatte Nina bei ihrer letzten Begegnung gesagt. »Und ich will auch nicht mehr, weil du jeden Menschen in deinem Umfeld runterziehehst. Du benutzt mich als deine persönliche Klagemauer und saugst mir jegliche Energie ab. So geht das nicht weiter.«

Er hatte einen Einwand vorbringen wollen, aber sie war noch nicht fertig gewesen.

»Du musst endlich damit aufhören, immer die anderen verantwortlich zu machen, wenn mal wieder etwas in deinem Leben schiefläuft. Das liegt ganz allein in deiner Verantwortung, daran ist niemand sonst schuld.«

»Verdammt noch mal, natürlich sind die schuld!«, hatte er sie irgendwann angeschrien. »Wenn man mir endlich mal eine

Chance geben würde, dann könnte ich ihnen auch zeigen, was in mir steckt. Aber die wird mir ja von allen verwehrt!«

»Niemand verwehrt dir irgendwas«, hatte sie gesagt, und ihr mitleidiger Blick hatte ihn tausendmal mehr gekränkt, als wenn sie ihn verhöhnt hätte. »Deine Artikelserie ist nicht angekommen, aber man hat dir angeboten, stattdessen über etwas anderes zu schreiben. Aber das wolltest du ja nicht, weil du dich plötzlich zum investigativen Journalismus berufen fühltest. Mensch, Kai, jetzt sei doch endlich mal realistisch! Du bist ein guter Lokalreporter, aber mehr ist nicht drin.«

In dieser Deutlichkeit hatte sie es ihm zuvor noch nie gesagt. Er hatte sie dafür gehasst und tat es immer noch. Dass sie sich auf dem Rückzug befand, hatte sich schon seit Längerem angedeutet. Kaum noch Verabredungen, versiegende Gespräche, keinerlei gemeinsame Interessen mehr. Ja, er hatte sich in der letzten Zeit immer häufiger bei ihr ausgeheult, aber wofür war eine Partnerin denn da, wenn sie nicht auch die Sorgen und Nöte mit einem teilte?

»Wollen Sie hier Wurzeln schlagen, junger Mann?«

Kai fuhr herum und blickte in das genervte Gesicht einer drallen Frau in mittleren Jahren, die auf den Eingang deutete, vor dem er noch immer stand. Irritiert trat er zur Seite, woraufhin sie an ihm vorbeirauschte und das Geschäft betrat. Er war so in seine Gedanken versunken gewesen, dass er einen Augenblick überlegen musste, was er eigentlich hatte kaufen wollen. Nach kurzem Nachdenken fiel es ihm wieder ein. Butter, Käse, Milch. Nicht zu vergessen die überregionalen Sonntagszeitungen. Die regionalen Käseblätter, für die er bisher einige Artikel geschrieben hatte, hatte er bereits am

Frühstückstisch gelesen, und die Lektüre hatte ihm wie jeden Morgen den Appetit verdorben.

Mein Gott, wie er diese Provinzblätter hasste! Diese immer gleichen Artikel über die immer gleichen regionalen und somit völlig unbedeutenden Ereignisse. Kuh entlaufen, Trecker umgekippt, nächster Bauernmarkt. Selbst die anfangs hochemotionale Debatte, ob der Wolf nach Dithmarschen gehörte oder nicht, verlief sich langsam im Sande. Warum passierte eigentlich nie etwas Aufsehenerregendes in dieser verfickten Gegend, der er lieber heute als morgen den Rücken kehren würde? War es da ein Wunder, dass er sich endlich anderweitig ausprobieren wollte? Außerdem brauchte er irgendwann mal wieder ein paar Einnahmen, denn die andere Sache wurde ihm langsam zu heiß.

Bei seiner Rückkehr begegnete er einem Nachbarn, der gerade sein Rad Richtung Straße schob. Kai ließ dessen freundlichen Gruß unerwidert, eilte in das Mehrfamilienhaus, in dem er jetzt seit einigen Jahren wohnte, und öffnete den Briefkasten.

Leer.

Ja, logisch, sagte er sich einige Sekunden später. Vollpfosten! Es ist Sonntag, da wird keine Post zugestellt. Manchmal vertüddelte er die Wochentage, weil gerade in der Hochsaison auch am Sonntag alle Geschäfte geöffnet waren.

Mit einem unterdrückten Fluch schloss er die Klappe wieder und lief die Treppe zu seiner Wohnung im Dachgeschoss hinauf. In den beiden Zimmern war es warm wie in einem Backofen, obwohl er ständig Durchzug machte. Er verstaute die Lebensmittel im Kühlschrank und sank dann auf den einzigen, schon etwas klapprigen Küchenstuhl nieder.

Es lag jetzt ein halbes Jahr zurück, dass er seinen ganzen Mut zusammengenommen und Bewerbungsschreiben an mehrere überregionale Zeitungen geschickt hatte. Mit einer Reihe von Vorschlägen für längere Reportagen über Themen, die von gesellschaftlichem Interesse waren. Natürlich hatte er nicht mit schnellen Antworten gerechnet, aber dass es so lange dauern würde, hatte er nicht gedacht.

Und was, wenn am Ende überhaupt keine Antworten kamen? Wie immer, wenn ihn dieser Gedanke streifte, überkamen ihn eine tiefe Verzweiflung und Wut auf die anderen, die den beruflichen Aufstieg schafften, den man ihm vorenthielt.

Aber dieses Mal würde er nicht so schnell die Segel streichen und alle bisher angeschriebenen Zeitungen ein weiteres Mal kontaktieren. Das Hinterherbetteln widerstrebte ihm zutiefst, aber er hatte keine andere Wahl, denn er musste endlich weg aus Friedrichskoog.

7

Der Anruf der Touristeninfo holte Anna um halb acht aus dem Tiefschlaf.

Es hatte eine kurzfristige Absage aufgrund eines Krankheitsfalles gegeben, woraufhin ein siebzig Quadratmeter großes Ferienhaus im Ortsteil Böhl zur Verfügung stünde. Wenn Frau Wagner Interesse hätte, würden die Vermieter sie in einer Stunde in Empfang nehmen. Sie müsse sich allerdings sofort entscheiden, da mittlerweile weitere Anfragen nach größeren Ferienhäusern hereingekommen seien.

Frau Wagner hatte Interesse. Großes sogar, denn dieses Angebot war fast zu schön, um wahr zu sein. Hastig sprang Anna unter die Dusche, schlang einen Joghurt und eine Banane hinunter und machte sich auf den Weg. Um nicht zu spät zu kommen, nahm sie den Wagen. Außerdem kannte sie sich in St. Peter noch nicht aus, da sich seit ihren Kindertagen doch einiges verändert hatte, also musste das Navi aushelfen.

Das Ferienhaus lag in der Straße Zum Leuchtturm und entpuppte sich als kleinerer Anbau eines ansehnlichen einstöckigen Rotklinkerdomizils, das von einem gepflegten Garten umgeben war, dessen üppiger Bepflanzung man den heißen Sommer nicht ansah. Alles blühte in schönster Pracht, hier musste jemand einen besonders grünen Daumen haben. Auch die wenigen anderen Häuser und Grundstücke in dieser kleinen Sackgasse machten einen ansprechenden Eindruck, außerdem herrschte eine himmlische Ruhe. Kein Vergleich zu ihrer momentanen Ferienwohnung, in der sie von Touristen umgeben war, von denen es nicht nur das Paar in der Wohnung unter ihr mit der Lautstärke nicht so genau nahm. Von anhaltendem Kindergeschrei über bellende Hunde bis hin zu Ehestreitigkeiten hatte sie in der kurzen Zeit ihres Aufenthalts bereits alles gehabt. Dinge, auf die sie gerne endlich verzichten würde. Es blieb allerdings die Frage, ob die Vermieter sie nehmen würden, da sie nicht sagen konnte, für wie lange sie das Ferienhaus mieten würde.

Auf ihr Klingeln reagierte zunächst niemand, erst nach dem zweiten Mal erblickte sie einen Schatten durch den geriffelten Glaseinsatz im oberen Bereich der weißen Haustür, die nur Sekunden später schwungvoll geöffnet wurde. Die Frau, die nun vor ihr stand, mochte um die sechzig sein, schlank und ausgesprochen attraktiv mit ihrem Kurzhaarschnitt. Sie sah Anna mit einem offenen und freundlichen Blick an. »Moin, Sie müssen Frau Wagner sein.«

Anna nickte und erwiderte einen kräftigen Händedruck. »Ja, Grüß Gott, äh … Moin.«

Die Frau lachte. »Grüß Gott? Das klingt mir aber sehr nach Bayern.«

Anna fiel in das Lachen ein. »Das stimmt. Ich komme aus München.«

Die Frau machte eine auffordernde Handbewegung. »Ich bin Corinna Heckler, kommen Sie doch herein.«

Anna folgte ihr durch einen hellen gefliesten Flur in ein gemütliches Wohnzimmer mit schönen Pinienmöbeln und einer Sitzgarnitur aus cognacfarbenem Leder. Bodentiefe Fenster gaben den Blick auf eine Terrasse mit Rattanmöbeln und einem blau-weiß gestreiften Strandkorb frei. Durch die geöffnete Tür trat ein Mann ins Zimmer, der sie mit einem aufmerksamen Blick musterte.

»Das ist mein Mann Peter, und das ist Frau Wagner«, machte Corinna Heckler sie miteinander bekannt.

Auch Peter Heckler hatte einen energischen Händedruck. Er war ein kräftiger Mann in Jeans und Holzfällerhemd, der wesentlich zugeknöpfter als seine Frau wirkte. Ein knappes *Moin* zur Begrüßung, dann ging er in den Flur, nahm einen Schlüssel von einem an der Wand befestigten Brett und öffnete die Haustür ohne ein weiteres Wort.

Corinna Heckler schenkte Anna ein aufmunterndes Lächeln, als wollte sie sich für ihren wortkargen Mann entschuldigen, und bat sie wieder nach draußen. »Unsere Tochter hat bis zu ihrer Heirat in dem Haus gewohnt. Seitdem bringen wir dort immer mal wieder Bekannte und Verwandte unter, und in der Hochsaison vermieten wir es auch an Feriengäste, die etwas Größeres suchen.«

Ihr Mann schloss die Haustür auf, und nachdem Anna eingetreten war und sich umgeschaut hatte, brauchte sie nicht lange für ihre Entscheidung. Die Zimmer im Erdgeschoss und ersten Stock waren großzügig geschnitten und lichtdurchflutet, und die Einrichtung im skandinavischen Stil ließ ihr Herz höherschlagen. So hatte sie ihr Haus in München seinerzeit auch einrichten wollen, aber Ralf … Stopp, nicht mehr dran denken, das Kapitel liegt endgültig hinter dir, unterbrach sie ihre Gedanken. »Wunderschön.« Anna strahlte die Hecklers an. »Wenn es für Sie okay ist, ziehe ich sofort ein.«

»Die Kosten sind Ihnen bekannt?«, fragte Corinna Heckler.

Anna nickte. Der Preis war natürlich um einiges höher als in ihrem jetzigen Domizil, und sie ging davon aus, dass die

Behörde wenig bis gar nichts übernehmen würde. Aber das war ihr egal, dann würde sie die Differenz eben aus eigener Tasche zahlen.

»Wie lange werden Sie bleiben?«, wollte Peter Heckler wissen.

»Das kann ich noch nicht sagen«, musste Anna eingestehen.

Heckler runzelte die Stirn. »Wieso nicht?« Jetzt klang er fast unfreundlich.

Anna erklärte, dass sie keine Touristin sei, und erläuterte ihre Situation, ohne ins Detail zu gehen.

»Sie arbeiten bei unserer Polizei?«, fragte Corinna Heckler, und ihr Lächeln vertiefte sich. »Dann dürften Sie ja unseren Schwiegersohn kennen. Hendrik Norberg. Er fängt zwar erst morgen seinen Dienst an, war aber schon zur Einarbeitung in der Station.«

Anna stand da und fühlte sich für einen Moment wie ein begossener Pudel. So hatte sie sich das nicht vorgestellt. In direkter Nachbarschaft mit der Familie eines neuen Kollegen, der zudem noch der Dienststellenleiter war und jetzt womöglich brühwarm über ihre außerdienstlichen Aktivitäten informiert werden würde. Dann rief sie sich zur Ordnung. Sie war nach St. Peter-Ording geschickt worden, um einen Fall aufzuklären, da würde nicht viel Zeit für Freizeit bleiben. »Ich habe ihn gestern Abend bei der Verabschiedung seines Vorgängers kennengelernt.«

»Dann besteht also die Möglichkeit, dass Sie nur ein paar Tage hierbleiben, wenn Sie den Fall schnell aufklären können«, stellte Heckler fest. »Unter diesen Umständen können wir Ihnen das Haus natürlich nicht vermieten. Die Gäste, die jetzt so kurzfristig abgesagt haben, hatten es immerhin für vier Wochen gebucht. Da wollen wir schon einen Ersatz für den ganzen Zeitraum haben.«

»Moment mal!«, sagte seine Frau energisch. »Frau Wagner ist eine Kollegin von Hendrik, natürlich vermieten wir ihr das Haus. Und falls es nur für einige Tage sein sollte, ist das doch nicht weiter schlimm.«

Es folgte ein kurzes Augenduell zwischen dem Ehepaar, das Corinna Heckler gewann. Ihr Mann grummelte noch etwas Unverständliches und verließ das Ferienhaus dann ohne einen Gruß.

Corinna Heckler seufzte. »Sie müssen meinen Mann entschuldigen. Unsere Tochter ist vor drei Monaten verstorben, Sie haben auf der Dienststelle ja vielleicht schon davon gehört. Ihr Tod setzt uns schrecklich zu.« Sie legte Anna kurz eine Hand auf die Schulter. »Entschuldigen Sie, dass ich Sie damit behellige. Es ist nur so, dass ich immer das Gefühl habe, meinen Mann verteidigen zu müssen, weil er sich vielen gegenüber so furchtbar unhöflich benimmt.«

»Sie müssen sich doch nicht entschuldigen, Frau Heckler«, sagte Anna, die plötzlich tiefes Mitleid empfand. Corinna Heckler schien geschrumpft angesichts der Unfreundlichkeit ihres Mannes, und Anna hoffte, dass der Tod ihrer Tochter die Hecklers nicht auseinanderdriften ließ, bis es womöglich zu spät war.

Corinna Heckler lächelte sie dankbar an und straffte ihren Rücken. »Also, wie ist es? Mein Angebot gilt.«

»Dann würde ich das Haus gerne nehmen«, sagte Anna erleichtert. »Kann ich gleich meine Sachen herbringen? Ich bin heute Nachmittag nämlich dienstlich unterwegs.«

»Natürlich können Sie das. Und mit dem Preis werden wir uns auch einig. Ich schätze nämlich mal, dass Ihr neuer Dienstherr die Differenz zu Ihrer jetzigen Ferienwohnung nicht zahlen wird.«

»Das ist schon okay, Frau Heckler«, wehrte Anna ab. »Die übernehme ich dann.«

»Darüber reden wir noch mal«, meinte Corinna Heckler mit einem Lächeln und drückte ihr den Türschlüssel in die Hand. »Auf gute Nachbarschaft!«

Anna brachte ihre Sachen in Windeseile von einem Ort zum anderen. Zwischendurch rief sie Claas Hoyer an, der ihr die Ferienwohnung vermittelt hatte und der nun versprach, bei seinem Bekannten ein gutes Wort einzulegen, damit keine weiteren Kosten für sie entstünden. Als schließlich alles eingeräumt war, warf Anna einen Blick auf ihre Armbanduhr. Erst halb eins, sie hatte also noch Zeit für ein Mittagessen und einen Spaziergang.

Der Ortsteil Dorf war laut Reiseführer der schönste in St. Peter-Ording. Anna konnte sich nicht daran erinnern, ihn als Kind mit ihren Eltern besucht zu haben, und selbst wenn, dürfte sich nach bald dreißig Jahren vieles verändert haben. Sie nahm den Wagen, da sie im Anschluss nach Ording zu Constanze Brechtmann fahren wollte, und fand in der Dorfstraße, die im malerischen Ortskern als Einbahnstraße angelegt war, tatsächlich noch einen Parkplatz. Für das Mittagessen standen einige Lokalitäten zur Verfügung, und nachdem Anna sich kurz orientiert hatte, entschied sie sich für das Restaurant *Am Kamin*, dessen weiß gekalkte Fassade unter dem tief geduckten Reetdach in der Sonne leuchtete. Sie fand einen Platz im Außenbereich und lehnte sich, nachdem sie ihre Bestellung aufgegeben hatte, behaglich im Stuhl zurück.

Leute gucken, wie ihre Mutter immer sagte. Anna hatte Spaß daran und spann sich häufig kleine Geschichten zusammen, wenn sie Gespräche anderer Menschen mitbekam oder deren Verhaltensweisen beobachtete.

Die Ofenkartoffel mit Krabben war lecker, das alkoholfreie Weizenbier süffig, und nachdem sie ihre Mahlzeit beendet und gezahlt hatte, reihte sie sich in den Strom der Urlauber ein, die die Dorfstraße entlangflanierten. Ein weißes Haus mit rotem Dach und dem Schriftzug *Boy Jöns* über dem Eingang erregte ihre Aufmerksamkeit. Es lag auf der gegenüberliegenden Straßenseite, und während Anna die Straße überquerte, erinnerte sie sich, in welchem Zusammenhang ihr dieser Name untergekommen war.

Nordsee-Bernsteinmuseum.

Anna öffnete die Tür und betrat einen kleinen Laden, in dem man sich kaum umdrehen konnte, so voll war er. Sie erhaschte einen Blick auf die unterschiedlichsten Schmuckstücke aus dem fossilen Harz, die in Vitrinen ausgestellt waren. Wäre es leerer gewesen, hätte sie sich ausgiebig umgeschaut, da sie Bernstein liebte, aber angesichts der Vielzahl der Besucher, die heute den Laden bevölkerten, beschloss sie, ein anderes Mal wiederzukommen und dann auch das Museum aufzusuchen. Falls sie Zeit dafür fand.

Der Blick auf die Uhr verriet ihr, dass sie noch eine halbe Stunde Zeit hatte. Sie blickte sich kurz um und bog dann nach rechts in die Olsdorfer Straße ab, wo sie vor einem prachtvollen Reetdachhaus aus rotem Backstein mit grünen Fensterrahmen stehen blieb, das am Ende der Straße auf der linken Seite lag.

Die Tafel über der schmucken Eingangstür wies darauf hin, dass es sich um das *Museum Eiderstedt* handelte. Es schien ein sehr altes Haus zu sein, und sobald sie Zeit hatte, würde sie auch ihm einen Besuch abstatten.

Sie setzte ihren Weg noch bis zum Marktplatz fort, dann kehrte sie wieder um. Es gab hier noch so vieles zu entdecken, aber jetzt musste sie sich erst einmal auf den Weg zu Constanze Brechtmann machen, die laut telefonischer Auskunft aus dem *Seaview* erst am Abend ins Hotel kommen würde, sich jetzt also zu Hause aufhalten dürfte.

8

Hendrik Norberg hatte den Vormittag damit verbracht, das Haus auf Vordermann zu bringen. Finn war von Daniel und Philipp abgeholt worden, der mit den beiden Jungen schwimmen gehen wollte. Norberg hatte versucht, Lasse, der wieder auf dem Damm zu sein schien, zum Mitgehen zu überreden, aber auf Granit gebissen. Um eins war sein Ältester kurz zu einem schweigsamen Mittagessen heruntergekommen, hatte sich jedoch im Anschluss daran sofort wieder in sein Zimmer im Dachgeschoss zurückgezogen. Wo er sich jetzt, kurz nach halb drei, immer noch aufhielt.

Das konnte nicht so weitergehen! Diese Sprachlosigkeit zwischen ihnen musste endlich ein Ende haben!

Kurz entschlossen brachte Norberg den Rasenmäher in den Schuppen zurück, der Rasen konnte warten. Nach dem Mittagessen hatte er sich im Garten beschäftigt, nur um seinen Gedanken und seiner Hilflosigkeit gegenüber Lasses Verhalten zu entfliehen.

Was war er doch für ein erbärmlicher Vater!

Norberg stieg ins Dachgeschoss hinauf und bemerkte auf einmal, dass an diesem Tag etwas anders war als sonst. Schon die ganze Zeit über, aber erst jetzt, auf der Treppe, wurde ihm bewusst, was es war.

Die Musik fehlte, mit der Lasse sie häufig nach seiner Rückkehr aus der Schule und manchmal auch an den Wochenenden zu malträtieren pflegte. Dieser unsägliche Rap, den er erst seit Kathrins Tod hörte. Zuerst hatten Norberg und Corinna ihn gewähren lassen; die Wege der Trauerbewältigung waren unterschiedlich, und wenn die Musik Lasse dabei half, Druck abzubauen, mussten sie da eben durch. Aber irgendwann war es zu viel geworden, und sie hatten Lasse gebeten, sich Kopfhörer aufzusetzen oder die Musik auf Zimmerlautstärke zu drehen. Lasse war ihrer Bitte jedes Mal widerspruchslos nachgekommen, aber irgendwann hatte das Spiel von Neuem begonnen. Und während er jetzt vor Lasses Zimmertür stand, fragte sich Norberg zum wiederholten Mal, ob dieses Verhalten ein Schrei nach Aufmerksamkeit war. Aber falls er mit seiner Vermutung recht haben sollte, wieso verschloss sich Lasse dann vor ihnen?

Norberg klopfte an die Zimmertür. Drinnen blieb es still. »Lasse?« Als auch dieses Mal keine Reaktion erfolgte, drückte Norberg die Klinke herunter und betrat den Raum. Er war leer. Norberg ließ seinen Blick durch das Zimmer schweifen und stellte fest, dass Lasses Rucksack nicht auf seinem angestammten Platz neben der Tür stand. Offensichtlich hatte sein Sohn das Haus verlassen.

Seufzend stieg Norberg wieder ins Erdgeschoss hinunter. Dass Lasse neuerdings häufiger verschwand, ohne eine Nachricht zu hinterlassen, hatte Corinna bereits erzählt. Mit Ermahnungen hatten sie sich bisher zurückgehalten, auch wenn sie schon gerne gewusst hätten, wohin er ging. Lasse war dreizehn und sehr selbstständig, und sie hatten beschlossen, ihm nach Kathrins Tod den Freiraum zu lassen, den er offensichtlich brauchte. Aber jetzt fragte sich Norberg, ob sie nicht zu nachsichtig gewesen waren in ihrem Bemühen, dem Jungen die Trauer um seine Mutter so erträglich wie möglich zu machen.

9

Constanze Brechtmann wohnte nicht, sie residierte. Wozu die Angestellte passte, die Anna kurz nach fünfzehn Uhr die Tür öffnete, nachdem sie sich über die Gegensprechanlage angemeldet hatte. Anna wunderte sich, wieso die junge Frau, die in ihrer adretten Schürze schon fast das Klischee eines Hausmädchens verkörperte, ihr nicht an den Tagen zuvor geöffnet hatte, bekam aber auf ihre Nachfrage nur die schnippische Antwort, dass die junge Frau schließlich nicht jeden Tag anwesend sei.

Anna trat ein und blickte sich um, wobei sie sich alle Mühe gab, ihr Erstaunen nicht allzu offen zur Schau zu stellen.

Nahm man das Haus von außen als ein äußerst luxuriöses Friesenhaus wahr, wirkte es im Inneren wie ein New Yorker Loft im Industrial Style. Unverputzte Wände, Böden in Räuchereicheoptik, die Möbel zum größten Teil aus unbehandeltem Holz mit Vintage-Charakter. Das Wohnzimmer, in welches die Angestellte sie führte, wurde von einer dunkelbraunen Chesterfield-Wohnlandschaft dominiert, bei deren Anblick sich Anna fragte ob der Antiklook echt war oder künstlich herbeigeführt. Die Einrichtung war sehr stylish und mit Sicherheit das Werk eines hochpreisigen Innenarchitekten. Für Annas Geschmack passten das Äußere des Hauses und dessen Inneres überhaupt nicht zusammen.

»Sie wollten mich sprechen?«

Anna fuhr herum, denn sie hatte niemanden hereinkommen hören. Eine Frau stand im hölzernen Türrahmen und musterte sie mit aufmerksamem Blick. Constanze Brechtmann; Anna hatte ihr Foto und eine Kurzvita im Internet gefunden. Sechzig Jahre alt, circa 1,70 groß, schlank, die blonden, zum Pagenkopf geschnittenen Haare von weißen Strähnen durchzogen. Dunkelgrauer Hosenanzug, weiße Seidenbluse, Perlenkette, das perfekte Abbild einer erfolgreichen Geschäftsfrau. Nur die schwarzen Pumps in ihren Händen passten nicht ganz zum Bild. Als sei ihr das ebenfalls bewusst geworden, bückte sich die Hotelière und streifte die Schuhe mit schnellen Bewegungen über ihre Füße, bevor sie auf Anna zutrat und ihr die Hand reichte. »Constanze Brechtmann.«

Anna stellte sich vor und zeigte ihren Dienstausweis. »Ich wollte Sie und Ihre Tochter Sophie sprechen. Ist sie zufällig ebenfalls hier?«

»Nein, Sophie bewohnt ein Haus in Böhl. Dort finden allerdings gerade Renovierungsarbeiten statt, und so lange hält sich meine Tochter im *Seaview* auf.« Constanze Brechtmann sah Anna fragend an. »Und was will die Polizei von uns?« Sie deutete auf die Couch, und Anna nahm Platz.

»Es geht um Ihre Tochter Nina. Sie ist nach einer Urlaubswoche nicht an ihren Arbeitsplatz zurückgekehrt, woraufhin ihre Kollegen sie bei der hiesigen Polizei als vermisst gemeldet haben.«

Constanze Brechtmann runzelte die Stirn, erwiderte aber nichts.

Also fuhr Anna fort: »Eine Kollegin hat angegeben, dass sich Nina in ihrem Urlaub mit ihrer Familie treffen wollte. Können Sie mir dazu etwas sagen? War Ihre Tochter hier?«

Constanze Brechtmann setzte sich jetzt ebenfalls und schüttelte den Kopf. Ihr Gesichtsausdruck ließ keine Rückschlüsse zu. »Nein, tut mir leid. Nina hat uns nicht besucht.«

Anna war irritiert. »Auch nicht ihre Schwester?«

»Nein, bei Sophie war sie sicherlich auch nicht. Wir haben schon länger keinen Kontakt mehr zu Nina.«

Damit hatte Anna nicht gerechnet, denn diese Aussage ließ die Angelegenheit in einem neuen Licht erscheinen. Offensichtlich hatte sie den Begriff »Familie« zu einseitig interpretiert. »Wen kann Nina denn sonst noch mit Familie gemeint haben? Onkel oder Tanten oder vielleicht Cousins und Cousinen? Oder Großeltern?«

Constanze Brechtmann schüttelte den Kopf. »Ich habe keine Geschwister, und mein verstorbener Mann hatte ebenfalls keine. Und unsere Eltern leben nicht mehr.« Sie blickte Anna fragend an. »Seit wann wird Nina denn vermisst?«

»Vermisst gemeldet wurde sie vor vier Tagen. Wann sie genau verschwunden ist, versuche ich in Erfahrung zu bringen.«

Constanze Brechtmann schien zu überlegen. »Sophie und ich sind vier Tage auf Geschäftsreise gewesen. Davor waren wir durchgehend hier.«

»Besteht die Möglichkeit, dass sich Nina während Ihrer Abwesenheit in einem der Hotels gemeldet hat und die Nachricht nach Ihrer heutigen Rückkehr nicht an Sie weitergeleitet wurde?« Anna konnte sich das zwar nicht vorstellen, aber sie musste alles in Erwägung ziehen.

Die Frau vor ihr schüttelte den Kopf. »Nein, das hätte man uns mitgeteilt. Wir haben äußerst zuverlässige Mitarbeiter.«

»Ich würde Sie trotzdem bitten, in den beiden Hotels nachzufragen«, beharrte Anna.

Constanze Brechtmann nickte und stand auf, um ihr Handy zu holen, das auf einem Sideboard lag. Zwei kurze Telefonate, dann war die Sache geklärt. »Nina hat sich in keinem der beiden Häuser gemeldet. Weder telefonisch noch war sie vor Ort.«

Das war alles sehr merkwürdig. »Sie sagten, dass Sie schon länger keinen Kontakt mehr zu Nina haben. Wann haben Sie denn das letzte Mal etwas von ihr gehört?«

Constanze Brechtmann hob die Brauen und stieß die Luft aus. »Das muss so zwei, drei Jahre zurückliegen. An ein genaues Datum kann ich mich leider nicht mehr erinnern.«

Das wollte Anna jetzt aber doch genauer wissen. »Gibt es einen Grund, warum der Kontakt abgebrochen ist?«

»Ach Gott …«, Constanze Brechtmann schaute für einen Moment auf ihre im Schoß verschränkten Hände, bevor sie ihren Blick wieder auf Anna richtete. »Es ist ein sehr schmerzhaftes Thema für mich, dass wir so auseinandergedriftet sind. Wissen Sie, Nina hat sich schon immer sehr für den Umweltschutz eingesetzt, aber irgendwann schien sie uns äußerst fanatisch in dieser Beziehung geworden zu sein.« Sie seufzte. »Die Hotelneubauten an der Nordseeküste und auf den Inseln waren ihr schon immer ein Dorn im Auge. Natürlich wird bei denjenigen, die dagegen angehen und die sich teilweise auch in Gruppen organisieren, immer der Umweltschutz ins Feld geführt und der angebliche Ausverkauf unserer Orte. Dass die Einheimischen keinen bezahlbaren Wohnraum mehr finden, ist zum Beispiel auch so ein Totschlagargument, das aber ganz bestimmt nicht auf St. Peter-Ording zutrifft.«

Na ja, dachte Anna, die Frage ist, wie man bezahlbar definiert. Da setzt du mit Sicherheit einen anderen Maßstab an als ein kleiner Angestellter.

»Wir kommen aber nun mal nicht an der Tatsache vorbei, dass wir lange Jahre die Entwicklung verschlafen haben, und da schließe ich mein Unternehmen überhaupt nicht aus«, fuhr Constanze Brechtmann fort. »Obwohl ich bei meinen Hotels immer viel Geld in die Modernisierung gesteckt habe. Aber Fakt ist, dass wir gerade in St. Peter-Ording dringend weitere Hotelneubauten brauchen. Der Ort hat sich in den vergangenen Jahren zu dem Hotspot an der Nordsee entwickelt, da kann sich Sylt mit seiner schlechten Anbindung mittlerweile verstecken. So etwas muss man natürlich ausnutzen und den Touristen das bieten, was sie haben wollen. Immerhin lassen sie eine Menge Geld bei uns, und davon profitiert schließlich die ganze Region – und nicht nur wir Hoteliers.« Sie wirkte aufgewühlt. »Wissen Sie, es ist nicht einfach, sich in dieser Branche zu behaupten, erst recht nicht, wenn man eine Frau ist. Das hat mich in den letzten Jahren viel Kraft gekostet. Und dann auch noch der Bruch mit Nina, das war alles nicht leicht für mich.«

»Ich habe gelesen, dass Sie einen Hotelneubau in Böhl in der Nähe eines Naturschutzgebiets planen.«

»Ja, *in der Nähe* eines Naturschutzgebiets!« Constanze Brechtmann hatte sich in ihrem Sessel aufgerichtet. »Nicht mittendrin! Aber das interessiert diese Krawallmacher ja nicht, Hauptsache, alles niedermachen!« Jäh hielt sie inne, als sei der Ausbruch ihr peinlich. »Verstehen Sie mich bitte nicht falsch, der Umweltschutz ist eine Sache, die wir sehr ernst nehmen. Aber wir verwahren uns dagegen, dass jetzt jedes neue Hotelprojekt an unseren beiden Küsten in Grund und Boden verdammt wird und wir Investoren die Buhmänner sind! Ich spende zum Beispiel schon seit Jahren für Naturschutzprojekte, auch weil ich Nina zeigen wollte, wie wichtig mir der Umweltschutz ist. Aber sie hat das immer so dargestellt, als wolle ich mich damit von meiner Verantwortung freikaufen.« Sie schluckte. »Das hat mir sehr wehgetan.«

»Hat Nina sich denn auch gegen Ihre Hotelneubauten gewendet, die in den letzten Jahren entstanden sind?«

»Ja, natürlich, und zwar ganz vehement. Das neue Projekt hier in St. Peter ist schon seit einigen Jahren in der Planung, und nachdem Nina davon erfahren hatte, ist sie dann tatsächlich mal wieder aufgetaucht. Sie hat mir vorgeworfen, dass ich nur auf Profit aus sei und mich einen Dreck um die Umwelt scheren würde und um die Leute, die hier leben und mit dem immer größeren Touristenandrang klarkommen müssen. Der Ort würde jetzt schon aus allen Nähten platzen, ob ich auch mal an die Infrastruktur gedacht hätte, die da überhaupt nicht mithalten könne.« Constanze Brechtmann stieß ein ungehaltenes Schnauben aus. »Als wäre ich jetzt auch noch für die Infrastruktur zuständig!«

Wenn du nicht nur auf Profit ausgerichtet wärst, würdest du sie zumindest im Auge behalten, dachte Anna.

»Wie auch immer«, fuhr Constanze Brechtmann fort. »Nina wurde ziemlich laut bei diesem Gespräch und ist zum Schluss richtig ausgeflippt. Ich habe dann dagegengehalten und sie darauf hingewiesen, dass dieses Geld, das sie so anprangert, ihr lange Jahre ein sorgenfreies Leben und ein Studium ermöglicht hat. Ich habe ihr klipp und klar gesagt, dass sie die Leistung *meiner* Familie nicht ständig in den Schmutz ziehen soll. Danach haben wir uns dann kaum noch gesehen, und irgendwann brach der Kontakt endgültig ab.«

Die Betonung eines Wortes machte Anna stutzig. »*Meiner* Familie? Entschuldigung, aber das klingt für mich im Moment so, als wäre Nina kein Teil davon.«

Constanze Brechtmann räusperte sich. »Nina ist adoptiert. Vielleicht hat sie sich deshalb nie so richtig mit dem identifizieren können, was meine Eltern aufgebaut haben. Aber Nina ist deshalb natürlich trotzdem ein Teil meiner Familie! Auch wenn sie sich in den letzten Jahren offensichtlich für uns geschämt hat.«

Nina war adoptiert. Warum hatte Constanze Brechtmann sie nicht eher darauf hingewiesen? »Ist Ihre Tochter Sophie ebenfalls adoptiert?«, wollte Anna wissen, nachdem sie den Moment der Überraschung überwunden hatte.

»Nein, Sophie ist mein leibliches Kind.« Constanze Brechtmann lehnte sich zurück und ein zärtlicher Ausdruck überzog ihr Gesicht. »Mein Mann und ich wollten immer Kinder, aber es hat einfach nicht geklappt. Sechs Jahre nach unserer Heirat haben wir uns dann zu einer Adoption entschlossen. Nina war einen Monat alt, als sie zu uns kam. Drei Jahre später wurde ich dann überraschend doch noch schwanger. Die Ärzte meinten, dass es damit zusammenhängen könnte, dass der Druck nach Ninas Adoption endlich weg gewesen war.« Das Lächeln vertiefte sich. »Mein Mann und ich waren jedenfalls überglücklich, als es dann doch noch funktioniert hat.«

Anna überlegte. Dann hatte Nina mit dem Hinweis auf den Besuch bei ihrer Familie womöglich gar nicht die Brechtmanns, sondern ihre leiblichen Eltern gemeint. Als sie Constanze Brechtmann darauf ansprach, zuckte diese die Schultern. »Das ist natürlich möglich, allerdings hat Nina nie irgendein Interesse gezeigt, ihre leibliche Mutter kennenzulernen. Mein verstorbener Mann und ich haben seinerzeit eine sogenannte Inkognitoadoption durchgeführt, da wir nicht wollten, dass sich Ninas Mutter mit uns in Verbindung setzt. Sie hatte Nina mit sechzehn Jahren bekommen und war vollkommen überfordert mit dem Kind, woraufhin ihre Eltern ihr zu einer Adoption geraten hatten. Wir haben uns damals nur vergewissert, dass der soziale Hintergrund der Familie stimmt, mehr wollten wir nicht wissen, da wir Nina auf den ersten Blick geliebt haben.«

Anna rief sich ins Gedächtnis, was sie über die Inkognitoadoption wusste. Hier erfuhren die Eltern, die ihr Kind zur Adoption freigaben, nichts über die annehmenden Eltern, weil vermieden werden sollte, dass sie im Zuge einer emotionalen Kurzschlussreaktion bei ihren Kindern auftauchten und deren Leben durcheinanderbrachten. Die annehmenden Eltern hingegen wurden über eine eventuelle Vorgeschichte des Kindes sowie die der leiblichen Eltern informiert.

»Sie sprechen nur von Ninas leiblicher Mutter«, hakte Anna nach. »Was ist mit dem Vater?«

»Der hat Ninas Mutter sitzen lassen, nachdem er von der Schwangerschaft erfahren hatte. So stand es in den Adoptionsunterlagen.«

»Dann haben Sie also nur Angaben über Ninas Mutter und deren Eltern?«

Constanze Brechtmann nickte. »Ja.«

»Wann hat Nina erfahren, dass sie adoptiert wurde?«

»Wir haben es ihr an ihrem sechzehnten Geburtstag gesagt, weil sie ab diesem Datum Einblick in die Adoptionsunterlagen hätte nehmen können. Das hat sie auch getan, allerdings hat sie sich geweigert, ihre leibliche Mutter kennenzulernen. Die hätte sie schließlich einfach so weggegeben, der würde sie mit Sicherheit nicht hinterherlaufen. Deshalb kann ich mir nicht vorstellen, dass Nina später dann doch Kontakt zu ihr aufgenommen hat. Aber wenn Sie jetzt sagen, dass sie im Urlaub ihre Familie besuchen wollte, kann sie damit ja nur ihre leibliche Mutter und vielleicht auch ihre Großeltern gemeint haben.«

»Wie hat Nina reagiert, als sie von der Adoption erfuhr?«

»Sehr verhalten. Unsere Schwierigkeiten begannen ja schon während ihrer Pubertät und setzten sich danach leider fort. Das hat dazu geführt, dass sie sich uns gegenüber immer mehr verschlossen hat. Deshalb kann ich im Grunde bis heute nicht sagen, ob sie diese Nachricht trotz ihrer markigen Worte emotional aus dem Gleichgewicht gebracht hat.«

»Können Sie mir bitte die Namen von Ninas Mutter und von ihren Großeltern geben, damit ich Kontakt zu ihnen aufnehmen kann? Und nach Möglichkeit auch deren Adressen?«

Constanze Brechtmann erhob sich und ging zum Schreibtisch hinüber, aus dem sie einen Ordner herausholte. Sie blätterte einen Augenblick darin und nahm dann eine Seite heraus. »Ich mache Ihnen eine Kopie.« Sie verließ den Raum und kam nach kurzer Zeit mit einer Ablichtung zurück, die sie Anna in die Hand drückte. »Hier finden Sie alle Angaben.«

»Danke.« Anna steckte das Blatt in ihre Tasche und sah Constanze Brechtmann forschend an. Die nächste Frage war heikel, aber sie musste sie stellen. »Sie sind sehr wohlhabend, Frau Brechtmann, und so etwas weckt immer Begehrlichkeiten. Seien Sie deshalb jetzt bitte ganz ehrlich zu mir. Ist Nina entführt worden? Haben Sie eine Lösegeldforderung erhalten?«

Zum ersten Mal während des Gesprächs verlor Constanze Brechtmann die Fassung. Geschockt starrte sie Anna an und brauchte einige Sekunden, um ihre Sprache wiederzufinden. »Entführt? Nein … nein … Wie kommen Sie denn darauf? Bei einer Lösegeldforderung hätte ich doch sofort die Polizei alarmiert. Das ist doch der normale Weg.«

»Das ist richtig«, räumte Anna ein, »aber Ihnen dürfte bekannt sein, dass dieser Weg häufig nicht beschritten wird, weil die Entführer drohen, dann die Person umzubringen, die sie in ihrer Gewalt haben.«

Constanze Brechtmann schüttelte den Kopf. »Das mag ja sein, aber Ihre Überlegung trifft in diesem Fall nicht zu. Nichts dergleichen ist passiert!«

Anna beobachtete sie aufmerksam. Constanze Brechtmann war erregt, daran bestand kein Zweifel. Weil ihre Aussage nicht der Wahrheit entsprach? Oder hatte das vorangegangene Gespräch ihr mehr zugesetzt, als sie es sich hatte anmerken lassen? Anna war gespannt, wie Sophie Brechtmann auf die Frage nach der Entführung reagieren würde. Sie erhob sich. »Danke, das war's fürs Erste, Frau Brechtmann. Wenn Ihnen noch etwas einfällt, rufen Sie mich bitte an.«

Constanze Brechtmann warf einen kurzen Blick auf die Visitenkarte, die Anna ihr in die Hand gedrückt hatte. »LKA Bayern?«

»Ich bin erst vor Kurzem nach Schleswig-Holstein versetzt worden und noch nicht dazu gekommen, mir neue Visitenkarten machen zu lassen.« Anna deutete auf die Karte.

»Die Nummer meiner Dienststelle hier in St. Peter und meine Handynummer stehen auf der Rückseite.«

Constanze Brechtmann drehte die Karte um und nickte. »Halten Sie mich bitte auf dem Laufenden, Frau Wagner. Auch wenn wir keinen Kontakt mehr haben, ist Nina doch immer noch meine Tochter, und ich mache mir jetzt natürlich große Sorgen um sie.«

Anna versprach es.

10

»Wann kommt Nina denn mal wieder zu Besuch?«

Jutta Gräfsen zuckte zusammen, als sie die Stimme ihres Mannes aus dem Wohnzimmer vernahm. Hastig stellte sie die Teller, die sie gerade aus dem Geschirrspüler geholt hatte, auf der Arbeitsplatte ab, weil ihre Hände zu zittern begonnen hatten.

Ihr war klar gewesen, dass Hans diese Frage über kurz oder lang stellen würde. Schließlich war Nina in der Anfangszeit häufig zu ihnen nach Büsum gekommen, aber in den vergangenen Monaten hatten die Besuche abgenommen, bis sie schließlich ganz ausgeblieben waren. Jutta schauderte, als sie an ihre letzte Begegnung dachte. So viele böse Worte, bis die Situation schließlich eskaliert war …

»Jutta?«

Hans würde keine Ruhe geben, bis er eine Antwort erhalten hatte. Also ging sie ins Wohnzimmer hinüber, wo er am Esstisch über der Sonntagszeitung saß. »Nina kommt nicht mehr.«

Ihr Mann ließ die Zeitung sinken und sah sie erstaunt an. »Wieso das denn? Ist irgendwas passiert?«

Jutta nahm ihm gegenüber Platz und verschränkte die Hände vor sich auf dem Tisch. Sie mied seinen Blick. »Nina hat mir vorgeworfen, dass ich klammere. Ich würde sie erdrücken.«

Hans stieß einen Seufzer aus und legte die Zeitung beiseite. Seine Hände umschlossen ihre, und zwangen Jutta mit sanftem Druck dazu, zu ihm aufzusehen. »Das solltest du nicht überbewerten, Schatz. Nach allem, was uns Nina über die Brechtmanns erzählt hat, hat sie dort nie viel Liebe erfahren. Es ist wahrscheinlich nur ungewohnt für sie, dass jetzt jemand da ist und Anteil an ihrem Leben nimmt.«

»Hab ich geklammert?« Tränen stiegen in Juttas Augen.

Ihr Mann löste seine Hände und faltete die Zeitung zusammen. »Ach Gott, was heißt ›geklammert‹? Du hast versucht, dich um sie zu kümmern, das ist ja nun nicht gleichbedeutend mit ›klammern‹.«

Jutta erinnerte sich an die Gespräche, nach denen Ninas Rückzug begonnen hatte. »Nina hat mir unterstellt, dass ich versuche, alles wiedergutzumachen. Weil ich sie damals weggegeben habe.« Jutta wischte sich über die nassen Augen und blickte ihren Mann an. »Natürlich habe ich das versucht. Es kann doch überhaupt niemand nachvollziehen, was für Schuldgefühle ich all die Jahre mit mir herumgetragen habe. Und welche Trauer und Sehnsucht nach meinem Kind.«

»Ich muss sagen, dass ich solche Sprüche nicht nett von Nina finde. Was ist denn schlimm daran, wenn man etwas wiedergutmachen möchte? Ich war davon ausgegangen, dass sie Verständnis für deine damalige Lage aufgebracht hat.« Er sah sie mit einem besorgten Blick an. »Warum hast du mir denn nie etwas davon erzählt, dass es Schwierigkeiten zwischen euch gegeben hat? Dann hätte ich mal mit Nina gesprochen.«

Seine Worte erfüllten Jutta mit Wärme. Sie waren jetzt seit siebzehn Jahren zusammen, fünfzehn davon als Ehepaar. In diesem Jahr hatten sie beide ihren achtundvierzigsten Geburtstag gefeiert. Vor Hans hatte sie nur Nieten gezogen, mit ihm aber das große Los. Er war fürsorglich und liebevoll, auch wenn er es nicht immer leicht mit ihr hatte, und er wäre mit Sicherheit ein guter Vater geworden. Aber leider war ihnen kein Kind vergönnt gewesen, und Jutta hatte in manchem düsteren Moment gedacht, dass dies die Strafe dafür war, dass sie Nina damals fortgegeben hatte.

Sie war so glücklich gewesen, als ihre Tochter sich vor vier Jahren bei ihr gemeldet hatte. Nina hatte zugegeben, dass sie bereits an ihrem sechzehnten Geburtstag von der Adoption erfahren hatte, aber lange Jahre nicht wissen wollte, wer ihre leiblichen Eltern waren. Aber irgendwann war das Verlangen, sie kennenzulernen, doch zu groß geworden.

Jutta überlief noch heute eine Gänsehaut, wenn sie an den Moment zurückdachte, an dem Nina so unverhofft vor ihrer Tür gestanden hatte. Schon beim ersten Blick in Ninas Augen hatte sie geahnt, um wen es sich bei der jungen Frau handelte, und nachdem Nina ihren Namen genannt hatte, war die Ahnung zur Gewissheit geworden. Jutta hätte ihre Tochter am liebsten sofort in die Arme geschlossen, aber Ninas Blick hielt sie auf Distanz. Jutta hatte sie ins Haus gebeten, wo sie zuerst eine ganze Zeit lang um Worte verlegen im Wohnzimmer gesessen hatten, bis Hans von der Arbeit gekommen war und es mit seiner umgänglichen Art geschafft hatte, das Eis zu brechen. Danach war es Stück für Stück vorangegangen. Gegenseitige Besuche waren gefolgt, Nina hatte sich mehr und mehr geöffnet.

Jutta hatte nicht genug von ihr bekommen können. Sie hatte sie mit Geschenken überhäuft, sich um wöchentliche Treffen bemüht und mehrere Male sogar vorgeschlagen, einmal gemeinsam in den Urlaub zu fahren.

Ja, gestand sie sich jetzt ein, vielleicht bin ich in meinem Bemühen, alles nachholen zu wollen, über das Ziel hinausgeschossen. Vielleicht habe ich Nina zu sehr vereinnahmt und ihr die Luft zum Atmen genommen. Aber ich war doch so glücklich, dass sie wieder bei mir war.

»Soll ich mit Nina sprechen?«

Jutta war so in Gedanken versunken, dass sie Hans' Frage zuerst gar nicht mitbekommen hatte. Erst beim zweiten Mal drang sie zu ihr durch.

»Jutta, soll ich mal mit Nina sprechen?«

»Nein! Nein, auf keinen Fall!«, wehrte sie voller Entsetzen ab. Sie wich seinem Blick aus und blinzelte heftig, um die Tränen zurückzuhalten.

11

Constanze Brechtmann konnte sich nicht mehr erinnern, wann sie das letzte Mal in den alten Fotoalben geblättert hatte. Eine Reihe von Schubladen war voll mit ihnen, da sie eine leidenschaftliche Fotografin war und nicht nur die wichtigen Ereignisse ihres Lebens auf Schnappschüssen festgehalten hatte. Natürlich hatte sie in den letzten Jahren auf die digitale Fotografie umgestellt, aber sie mochte es nicht, sich die Fotos auf dem Bildschirm anzuschauen, sondern ließ sie drucken, und deshalb kamen immer wieder neue Alben dazu.

Sie zog eines davon heraus. Silvester 2000/I: Die Bilder des Jahrtausendwechsels hatten gleich zwei Fotoalben gefüllt.

Constanze blätterte durch die Seiten, betrachtete Fotos, die im Verlauf der Jahre einen Rotstich bekommen hatten. Und auf einmal hatte sie wieder Sophies quengelnde Stimme im Ohr …

»Ich will aber aufbleiben! Nina hat gesagt, dass ich das heute darf. Weil es doch ein besonderer Anlass ist mit diesem Jahrtausendwechsel. Da will ich das Feuerwerk sehen!«

Sophies schmales Gesicht war gerötet. Ob vom Fieber, das sie einer hartnäckigen Erkältung verdankte, oder vor Empörung, dass man ihren Wunsch einfach so ignorierte, war schwer zu sagen.

»Schluss jetzt, Sophie! Es reicht!«

Constanze hatte keinen Nerv mehr für das Herummaulen ihrer jüngsten Tochter, die einfach nicht im Bett bleiben wollte und ihr bei den letzten Vorbereitungen für das glanzvolle Silvestermenü im festlich geschmückten Restaurant des Seaview *ständig im Weg stand. Es war kurz vor zwanzig Uhr, das Essen sollte um einundzwanzig Uhr beginnen, anschließend dann der Tanz in das neue Jahr, und Constanze hatte das Gefühl, dass noch tausend Dinge zu erledigen waren. Sie wusste, dass sie sich auf ihre Angestellten verlassen konnte, aber die Deko war nun einmal ihre Sache, und die würde sie sich nicht aus der Hand nehmen lassen.*

»Hier bist du! Ich such dich schon die ganze Zeit.«

Nina war neben ihnen aufgetaucht und nahm Sophie an die Hand.

»Bring sie bitte wieder hoch«, bat Constanze, während sie die Blumenarrangements auf den Tischen noch einmal einem kritischen Blick unterzog. »Sie ist immer noch nicht fieberfrei, und wir müssen aufpassen, dass die Erkältung nicht wieder schlimmer wird. Meinetwegen kann sie das Feuerwerk von drinnen sehen, falls sie um Mitternacht wach sein sollte, sie geht mir aber auf keinen Fall nach draußen! Es ist unter null Grad.«

Die beiden Mädchen waren für diese Nacht in eine Suite des Hotels übergesiedelt, da Constanze nicht wollte, dass sie allein zu Hause blieben. Ihr saß immer noch der Schreck vom letzten Jahr in den Knochen, als das Reetdach eines Nachbarhauses plötzlich Feuer gefangen hatte, weil die Gäste einer dortigen Ferienwohnung ein Feuerwerk abgebrannt hatten. Die Feuerwehr war zwar schnell vor Ort gewesen, hatte das

Haus aber nicht mehr retten können. Die Verursacher hatten eine saftige Strafe aufgebrummt bekommen, da das Abbrennen von privatem Feuerwerk aufgrund der vielen Reetdächer im Ort verboten war.

»Ich will aber aufbleiben und mir das Feuerwerk draußen angucken! Nina darf doch auch mit euch auf die Promenade gehen, wieso ich dann nicht?«

Sie nörgelt mit ihren acht Jahren herum wie ein Kleinkind, *dachte Constanze gereizt.* Das hast du nun davon, dass du ihr so häufig ihren Willen lässt. *»Weil du krank bist und ins Bett gehörst. Außerdem ist Nina älter.« Das letzte Argument klang selbst in Constanzes Ohren dünn, aber ihr war auf die Schnelle nichts Intelligenteres eingefallen.*

»Jetzt pass mal auf, Sophie.« Nina strich ihrer Schwester über das Haar. »Du schläfst jetzt noch 'ne Runde, und kurz vor Mitternacht wecke ich dich. Dann gucken wir beide uns das Feuerwerk von drinnen an. Okay?«

»Du willst nicht rausgehen?« Sophies Augen waren groß geworden.

»Nein, ich bleibe bei dir.«

Gerührt sah Constanze zu, wie Sophie Nina um den Hals fiel. Es war nicht das erste Mal, dass ihre ältere Tochter zurücksteckte, um Sophie einen Gefallen zu tun. Constanze hatte manchmal das Gefühl, dass sich Nina als eine Art Ersatzmutter sah, weil sie und ihr Mann durch ihr Arbeitsaufkommen häufig zu wenig Zeit für die beiden Mädchen hatten.

»Na komm, Lütte, dann bringe ich dich jetzt mal wieder ins Bett.«

Constanze hielt in ihrem Tun inne und blickte den beiden Mädchen hinterher, die sich zwischen den Tischen entfernten.

Ein blonder und ein brauner Hinterkopf, zwei wippende Pferdeschwänze. Ausgefranste Jeans und T-Shirts, die übliche Alltagskluft. Selbst an diesem Tag.

Ein Lächeln überzog Constanzes Gesicht. Die Lütte. Ein Überbleibsel aus Kindertagen, Sophie hasste es, wenn man sie so nannte, nur Nina durfte es noch. Die beiden Mädchen waren grundverschieden, standen sich aber sehr nahe, und Sophie himmelte ihre große Schwester geradezu an. Constanze war froh, dass Nina sich heute um Sophie kümmern würde, dann konnten sie und ihr Mann sich bis zum Mittag des Neujahrstages eine kleine Auszeit gönnen, um wieder einmal das Gefühl zu spüren, dass sie nicht nur Eltern, sondern auch ein Ehepaar waren.

12

Auf dem Weg zu Sophie Brechtmann ließ sich Anna noch einmal das Gespräch mit deren Mutter durch den Kopf gehen und natürlich die neu gewonnene Erkenntnis, dass Nina adoptiert war. Das bedeutete, dass sie sich am kommenden Tag als Erstes mit dem Jugendamt in Husum in Verbindung setzen musste, über das die Adoption seinerzeit gelaufen war, um in Erfahrung zu bringen, ob die Adressen, die Constanze Brechtmann ihr ausgehändigt hatte, noch stimmten. Denn je mehr sie darüber nachdachte, desto wahrscheinlicher erschien es ihr, dass Nina mit dem Begriff »Familie« ihre leibliche Mutter gemeint hatte. Das galt erst recht, wenn Sophie Brechtmann die Aussage ihrer Mutter, dass Nina auch nicht bei ihr gewesen sei, bestätigte, wovon Anna ausging.

Es war merkwürdig, und sie konnte auch nicht den Finger darauf legen, was der Auslöser gewesen war, aber im Laufe des Gesprächs mit Constanze Brechtmann hatte sich ihr immer mehr der Eindruck aufgedrängt, dass Nina nach Sophies Geburt langsam, aber sicher in eine Außenseiterposition in der Brechtmann-Familie gerückt war. Die Empfindung war auf nichts offen Ausgesprochenes zurückzuführen, sondern nur auf den Subtext: die Körperhaltung von Constanze Brechtmann zum Beispiel, aber auch ihr Gesichtsausdruck, als die mit Sicherheit knallharte Geschäftsfrau plötzlich eine Weichheit offenbart hatte, wenn die Rede auf Sophie gekommen war. Kein Vergleich zu den härter werdenden Gesichtszügen und der plötzlichen Anspannung in ihrem Körper, wenn sie von Nina gesprochen hatte. Wobei … Das konnte natürlich auch etwas mit dem Bruch zwischen Nina und ihr zu tun haben, mit der Enttäuschung einer Mutter, deren Tochter sich von der Familie abgewandt hatte.

Anna war gespannt, was ihr der Besuch bei Sophie Brechtmann über das Verhältnis der Schwestern offenbaren würde.

Die stellvertretende Geschäftsführerin der *Küstenhotels* bewohnte zurzeit eine Suite des Haupthauses *Seaview*, das sich in St. Peter-Bad am südlichen Ende der Strandpromenade befand. Drei Stockwerke hoch, verfügte das Hotel über sechsundsechzig Zimmer und drei Suiten und warb auf seiner Website mit unterschiedlichen Wellnessangeboten und einem traumhaften Blick auf Salzwiesen, Strand und das Meer.

Wenn es dann mal da ist, hatte Anna beim Lesen gedacht, denn in den Tagen, seit sie sich in St. Peter aufhielt, hatte sie die Nordsee nur in weiter Entfernung ausmachen können. Die Gezeiten, klar, die kannte sie schon aus den Kindheitsurlauben, aber merkwürdigerweise hatte sie damals den Eindruck gehabt, als sei das Wasser immer viel näher gewesen. Jetzt war ihr, als müsse sie erst einmal einen endlosen Fußmarsch zurücklegen, bis sie es endlich zu Gesicht bekam, was natürlich mit den Salzwiesen und der vorgelagerten Sandbank zusammenhing, wie sie dem Reiseführer entnommen hatte. Zwölf Kilometer lang und bis zu zwei Kilometer breit, das war schon beeindruckend. Die größte Sandkiste der Welt, eine wirklich treffende Formulierung.

Anna meldete sich an der Rezeption und erfuhr, dass Sophie Brechtmann sie bereits erwartete. Die Suite Nr. 3 liege im dritten Stock.

Constanze Brechtmann hatte ihre Tochter also vorgewarnt, wovon Anna ausgegangen war. Auf dem Weg zum Fahrstuhl warf sie einen interessierten Blick in die großzügige Lobby mit dem rustikalen Holzfußboden und der Einrichtung im maritimen Stil, bei der unterschiedliche Blautöne die Farbgebung dominierten. Weiß gekalkte Betonwände, an denen großformatige Fotos von St. Peter-Ording hingen, vervollständigten das Bild und vermittelten ein Gefühl von Behaglichkeit. Diesen Eindruck hatte Anna bereits während der Durchsicht der Website gewonnen.

Der Wohnraum der achtzig Quadratmeter großen Suite, den sie kurz darauf betrat, war in denselben Farben gehalten. Auch hier stellte sich sofort ein Wohlgefühl ein. Eine Dreiercouch und zwei Sessel mit aquamarinblauen Leinenbezügen, ein hölzerner Couchtisch, dessen ausgewaschen wirkende weiße Oberfläche mit dem Erscheinungsbild des Schreibtischs harmonierte. Küstenflair auf den sparsam platzierten Bildern, ein überdimensionaler Fernseher an der dem Sofa gegenüberliegenden Wand. Edles Parkett, auch im Schlafraum, dessen Tür weit offen stand und Anna einen Blick auf ein ausladendes Doppelbett gewährte, das sich auf einer Empore befand.

Ja, dachte sie und verkniff sich einen Seufzer, hier konnte man bestimmt einen ganz wunderbaren Urlaub verbringen. Wenn man über das nötige Kleingeld verfügte, denn unter dreihundertzwanzig Euro pro Nacht war diese Suite selbst in der Nebensaison nicht zu bekommen.

Sophie Brechtmanns Begrüßung fiel herzlich aus, und beim Anblick eines mit edlem Geschirr und einer üppigen Obsttorte dekorierten kleinen Beistelltisches zog sich Annas Magen zusammen. Dabei war das Mittagessen ja auch nicht gerade wenig gewesen.

Sie nahm auf dem angebotenen Sessel Platz und musterte Sophie Brechtmann unauffällig. Die junge Frau war das jüngere und äußerst attraktive Ebenbild ihrer Mutter.

»Sie essen doch bestimmt ein Stück Kuchen mit mir?«, fragte Sophie.

Einmal war keinmal. »Gerne.«

»Auch einen Tee – oder möchten Sie lieber Kaffee? Dann lasse ich schnell welchen raufbringen.«

»Oh nein, das ist nicht nötig, ich bin die absolute Teetante«, sagte Anna lächelnd und beobachtete, wie Sophie Brechtmann ein großzügig bemessenes Tortenstück auf ihren Teller legte. Energisch rief sie sich zur Räson, denn schließlich war sie nicht zum Kuchenessen hier.

»Ich gehe davon aus, dass Ihre Mutter Sie bereits über den Zweck meines Besuches aufgeklärt hat.«

Sophie Brechtmann legte bezüglich des Kuchens weniger Zurückhaltung an den Tag und führte bereits zum zweiten Mal einen vollen Löffel zu ihrem Mund. »Entschuldigen Sie, aber ich habe heute Morgen nur einen Joghurt gegessen.«

»Zum Frühstück hatte ich auch nicht viel mehr.« Anna verschwieg das Mittagessen und gönnte sich jetzt doch einige Bissen.

»Ja, meine Mutter hat mich angerufen und mir erzählt, dass Nina verschwunden sei«, beantwortete Sophie ihre Frage. Sie schien ihren ersten Hunger gestillt zu haben und stellte den Teller wieder ab. Ihr Gesicht war sehr ernst geworden. »Was ist denn genau passiert?«

Anna erklärte ihr die Hintergründe.

Sophie schüttelte verständnislos den Kopf. »Bei mir war Nina auch nicht. Das ist ja merkwürdig.« Sie stockte und runzelte die Stirn. »Meine Mutter hat Ihnen gegenüber doch erwähnt, dass Nina mit Familie gar nicht uns, sondern ihre leibliche Mutter und deren Eltern gemeint haben könnte. Ich habe darüber nachgedacht, und das erscheint mir mittlerweile immer logischer.«

»Ja, das ist vorstellbar. Ich werde mich morgen mit dem Jugendamt in Husum in Verbindung setzen, um zu sehen, ob die Adressen noch stimmen.« Anna trank einen Schluck Tee. »Aber vorher würde ich von Ihnen gerne noch ein bisschen mehr über Nina erfahren.«

»Ja, klar, fragen Sie!« Sophie griff erneut zum Kuchenteller.

»Wann war denn Ihr letzter Kontakt zu Ihrer Schwester? Ihre Mutter hat ausgesagt, dass er bei ihr zwei bis drei Jahre zurückliegen würde.«

Sophie stieß die Luft aus und runzelte die Stirn. »Ja, das kann hinkommen.«

Als nichts weiter folgte, hakte Anna nach. »Dann ist Ninas Kontakt zu Ihnen und zu Ihrer Mutter also zur selben Zeit abgebrochen?«

Sophie nickte. »Es hatte wieder mal einen Streit gegeben, danach hat sie nichts mehr von sich hören lassen.« Die junge Frau zögerte, dann blickte sie Anna wieder an. »Wissen Sie, als Kinder waren Nina und ich unzertrennlich. Sie war zwar nur dreieinhalb Jahre älter als ich, hat sich aber immer in so einer Art Mutterrolle gesehen. Meine Eltern hatten ja nie so viel Zeit für uns, weil die Hotels natürlich einiges an Arbeit erforderten, da hat sich Nina dann häufig um mich gekümmert. Als wir älter wurden, hat sich unser Verhältnis dann leider geändert. Meine Eltern wollten, dass Nina und ich irgendwann gemeinsam für die Hotels verantwortlich sind und deshalb die notwendigen Ausbildungen machen, aber Nina hat das abgelehnt. Sie interessierte sich zu der Zeit schon sehr für den Umweltschutz und hat sich offen gegen die Expansionspläne meiner Familie gestellt.«

»Davon ist in den vergangenen Jahren ja einiges realisiert worden«, warf Anna ein. »Vier neue Hotels an Nord- und Ostseeküste. Und hier in St. Peter ist ein fünftes Haus geplant, wie ich gelesen habe, und in Eckernförde ebenfalls eines.«

Sophie nickte, ein Ausdruck von Stolz war in ihr Gesicht getreten. »Ja, meine Eltern haben da richtig was auf die Beine gestellt. Das war aber auch nötig angesichts dieser alten und vermieften Häuser an unseren Küsten, die den Tourismus nun wirklich nicht ankurbeln konnten.« Sie seufzte. »Leider hat mein Vater nicht mehr alles miterleben können, er ist 2012 verstorben. Für mich war es – im Gegensatz zu Nina – immer klar, dass ich bei *Küstenhotels* einmal das Ruder übernehmen würde. Nach meinem Studium in der Schweiz und Lehrjahren in zwei New Yorker Hotels und einem in Dubai bin ich wieder nach St. Peter zurückgekehrt, um neben meiner Mutter in der Geschäftsführung zu arbeiten. In meinen Auslandsjahren schlief der Kontakt zu Nina fast vollständig ein. Ich habe ihr häufiger Mails geschickt, auf die aber nur selten eine Antwort kam. Ich glaube nicht, dass sie von sich aus den Kontakt gesucht hätte. Nach meiner Rückkehr habe ich sie dann in ihrer Wohnung in Friedrichskoog aufgesucht, ich wusste ja, dass sie dort in der Seehundstation arbeitet. Aber das war meines Wissens nach nur eine ehrenamtliche Tätigkeit, und deshalb bin ich davon ausgegangen, dass sie in der Zwischenzeit einen Beruf ergriffen hätte.« Sophie schüttelte den Kopf und wirkte für einen Moment fassungslos. »Aber da habe ich mich gewaltig geirrt. Nina hatte mittlerweile zwar eine Festanstellung in der Station, allerdings nur halbtags, und ansonsten hat sie sich um alle möglichen Umweltprojekte gekümmert. Und das, obwohl sie ein Topabitur hatte. Ich kann das bis heute nicht verstehen.«

»Wie hat sie sich denn finanziell über Wasser gehalten?«, wollte Anna wissen. »Ihr Job dürfte ja nicht so viel einbringen. Hat sie Zuwendungen von Ihrer Mutter erhalten?«

»Nein, meine Eltern wollten immer, dass wir möglichst früh auf eigenen Beinen stehen. Während des Studiums gab es einen Zuschuss, danach war Schluss. Ich habe Nina gefragt, wie sie über die Runden käme, und sie meinte nur, dass sie nicht viel zum Leben brauchen würde. Wohlstand sei nur eine Last, es gäbe doch so viel Wichtigeres.« Sophie stieß ein ungläubiges Lachen aus. »Wir hatten uns schon länger auseinandergelebt, aber spätestens zu diesem Zeitpunkt ist mir bewusst geworden, dass wir nicht mehr auf einer Wellenlänge liegen und es auch keinen Weg zurück für uns geben würde. Mir ist Ninas Art zu leben vollkommen unverständlich, und sie hat mir ins Gesicht gesagt, dass sie mich für eine eiskalte Geschäftsfrau hält, für die Geld das Wichtigste ist.« Jetzt schimmerten Tränen in Sophies Augen. »Aber das stimmt nicht. Ich würde alles Geld verschenken, wenn ich dafür meine Schwester zurückbekäme. Aber sie will keinen Kontakt mehr zu mir, zu uns.« Sie zog ein Taschentuch aus der Hosentasche und schnäuzte sich. »Entschuldigen Sie bitte.«

»Das tut mir sehr leid«, sagte Anna. Sie war zwar ein Einzelkind, konnte Sophies Kummer aber nachempfinden. Trotzdem musste sie eine wichtige Frage stellen. »Gab es einen Grund für Ninas Entscheidung? Es ist ja nichts Ungewöhnliches, wenn Geschwister sich auseinanderleben, aber wenn ein Teil nun so gar keinen Kontakt mehr will, muss doch irgendetwas vorgefallen sein.«

Sophie schüttelte den Kopf. »Ich wüsste nicht, was das gewesen sein soll. Meine Eltern haben Nina immer wie ein leibliches Kind geliebt, da gab es keine Unterschiede, falls Sie darauf hinauswollen.«

Nach ihrem Besuch bei Constanze Brechtmann war sich Anna nicht sicher, ob sie diese Aussage glauben konnte. »Wir stellen uns die Frage, ob Nina womöglich entführt wurde«, sagte sie übergangslos. »Ist eine Lösegeldforderung bei Ihnen eingegangen?«

Sophie wirkte überrascht angesichts dieser Frage, aber keinesfalls erregt, wie es bei ihrer Mutter der Fall gewesen war. »Nein. Wie kommen Sie darauf?«

»Sie sind eine wohlhabende Familie.«

»Dann hätten wir uns doch aber sofort an die Polizei gewandt«, entgegnete Sophie entrüstet. »Haben Sie schon mit meiner Mutter darüber gesprochen?«

Anna nickte. »Ja. Sie hat diese Frage ebenfalls verneint.«

»Und ich habe auch nichts erhalten. Das sollten Sie uns jetzt schon glauben, Frau Wagner!«

Während Anna noch überlegte, warum Sophies Tonfall plötzlich so aggressiv geworden war, klopfte es an der Tür der

Suite. Sophie erhob sich, um zu öffnen, und als Anna sich umdrehte, sah sie einen Mann mittleren Alters im Türrahmen stehen, dessen Gesicht einen erbosten Ausdruck trug.

»Wieso gehst du nicht an dein Handy? Wir haben ein Meeting!« Als er Anna erblickte, zwang er ein Lächeln in sein Gesicht. »Entschuldigung.«

»Ich habe mein Handy auf lautlos gestellt, weil ich Besuch habe«, entgegnete Sophie mit scharfer Stimme. »Da werdet ihr eben noch einen Augenblick warten müssen!«

Der Mann runzelte die Stirn, drehte sich dann aber um und verschwand.

Anna stand ebenfalls auf. »Ich habe nur noch eine Frage, Frau Brechtmann, dann sind Sie mich erst mal los. Ist Ihnen irgendetwas über Ninas Freunde bekannt? Oder über einen Mann in ihrem Leben?«

Sophies Blick flackerte. Einen winzigen Moment nur, aber Anna hatte es trotzdem gesehen. »Nein, tut mir leid. Sie hat sich, als wir noch Kontakt hatten, immer nur mit diesen Umweltmenschen abgegeben, und die waren nun wirklich nicht mein Fall. Und ein Mann … keine Ahnung.«

»Okay«, sagte Anna und gab Sophie Brechtmann ihre Visitenkarte, wobei sie dieses Mal auf die handschriftlichen Nummern auf der Rückseite deutete. »Falls Ihnen noch etwas einfällt, können Sie mich unter diesen beiden Nummern erreichen.«

Sophie nickte abwesend und steckte die Karte ein. Anna verabschiedete sich. Sie beschloss, den Anruf bei Norberg auf später zu vertagen, jetzt musste sie erst einmal ihren Kopf frei bekommen, und das klappte am besten bei einem strammen Fußmarsch. Dazu musste sie allerdings auf den Deich oder, besser noch, den Strand ausweichen, denn hier im Ortskern von St. Peter-Bad mit seinen vielen Geschäften und Lokalitäten schoben sich gerade Menschenmassen durch die Gegend. Wochenende und dazu noch Bombenwetter, allem Anschein nach hatte es halb Deutschland nach St. Peter-Ording getrieben. Trotz des Gewusels nahm sie den Weg über die Seebrücke und atmete erleichtert auf, als sie endlich den Strand erreichte, wo sich die Menschen zum Glück auf der weiten Fläche verliefen.

Während sie forschen Schrittes Richtung Ording marschierte, fiel die Anspannung der letzten Tage langsam von ihr ab. Es war heute das zweite Mal seit ihrer Ankunft, dass sie sich tagsüber eine kurze Auszeit gönnte, und das Gefühl dieser grenzenlosen Freiheit im Angesicht von Himmel, Meer und dem unendlichen Strand überwältigte sie für einen Moment. Wie schön wäre es, für immer hierbleiben zu können, dachte sie sehnsuchtsvoll, und nicht nur für die Zeit, die zur Aufklärung des Vermisstenfalls benötigt wird. Hier den Wechsel der Jahreszeiten zu erleben, immer das Meer in der Nähe, ein Traum. Der sich aber leider nicht erfüllen würde.

Als die nächsten Pfahlbauten vor ihr auftauchten, zog sie ihr Smartphone aus der Tasche, um zu erkunden, wo sie sich eigentlich befand. Laut Google Maps musste das schon Ording sein. Sie überlegte, ob sie noch weitergehen und in einem der Restaurants, die es dort sicherlich gab, zumindest etwas trinken sollte, entschloss sich dann aber schweren Herzens, zur Polizeistation zurückzukehren. Schließlich gab es noch einiges zu tun.

13

Als Lasse um neunzehn Uhr noch immer nicht zu Hause war, verstärkte sich Norbergs Unruhe. Er hatte mit Finn zu Abend gegessen, der natürlich wissen wollte, wo sein Bruder war. Norberg hatte ihm eine Geschichte aufgetischt, dass Lasse bei einem Freund zum Lernen wäre. Finns Blick war skeptisch gewesen, der Stöpsel war plietsch, aber er hatte nicht nachgehakt, sondern weiter von dem tollen Tag geschwärmt, den er mit Daniel und seinem Vater am Strand verbracht hatte.

Bevor Norberg das schmutzige Geschirr in die Maschine stellte, rief er Corinna Heckler an. Er hatte sie mit Lasses Verschwinden nicht beunruhigen wollen, da sich sein Sohn aber nicht am Handy meldete und Norberg in mehreren nach dem Abendessen geführten Telefonaten erfahren hatte, dass Lasse bei keinem seiner Freunde aufgetaucht war, musste er ihn jetzt suchen gehen, und er wollte nicht, dass Finn allein zu Hause blieb. Seine Schwiegermutter versprach, umgehend zu kommen.

Finn hatte sich ins Wohnzimmer vor den Fernseher verzogen und blickte auf, als Norberg den Raum betrat. »Ich muss noch mal in die Dienststelle. Corinna passt so lange auf dich auf.« Ein unverdächtigerer Grund, das Haus zu verlassen, war ihm nicht eingefallen.

Finn zog einen Flunsch. »Auf mich muss keiner aufpassen, ich bin doch kein Kind mehr!«

Norberg setzte sich neben ihn und zerzauste sein Haar, was Finn mit einem unwilligen Ausruf quittierte. »Natürlich bist du das nicht, mein Großer! Aber du musst doch auch deinen alten Vater verstehen, dem es nun mal lieber ist, wenn du nicht allein zu Hause bist.«

Kurze Zeit später war das Klappen einer Autotür zu vernehmen, dann erfüllte der melodische Ton der Türklingel das Haus. Corinna besaß zwar einen Schlüssel, kam aber nie unaufgefordert herein, wenn sie ihn zu Hause wusste.

Norberg erhob sich und öffnete die Tür. »Danke, dass du gekommen bist«, sagte er leise im Flur. »Ich habe Finn gesagt, dass Lasse bei einem Freund zum Lernen ist und ich in die Dienststelle muss. Ich wollte ihn nicht beunruhigen.«

»Mach dir keine Sorgen«, sagte seine Schwiegermutter. »Lasse wird die Zeit vergessen haben, oder er wollte einfach allein sein.«

»Das ist er doch andauernd«, fuhr Norberg auf. »Er nimmt ja an überhaupt nichts mehr teil.« Er senkte seine Stimme wieder. »Hast du eine Ahnung, wo er stecken könnte?«

Corinna schüttelte den Kopf. »Ich habe mir den ganzen Weg über den Kopf zerbrochen, aber mir fällt nichts ein. Er ist ja häufig am Strand, vielleicht läuft er einfach nur herum.«

Norberg zählte die Namen von Lasses Freunden auf, die er angerufen hatte. »Sind dir noch andere bekannt?«

»Tut mir leid, aber in der Beziehung kann ich dir so gar nicht weiterhelfen. Da hat Lasse nie etwas erwähnt.«

Norberg blickte sie in stiller Verzweiflung an und verfluchte einmal mehr den Umstand, dass ihm der Beruf häufig so wenig Zeit für die Jungs gelassen hatte. Er musste sich eingestehen, dass er einen Großteil ihrer Erziehung Kathrin überlassen hatte, die nach der Geburt der beiden jeweils für einige Zeit zu Hause geblieben und dann wieder in ihren Job eingestiegen war. Ihr hatte eine Praxis für Physiotherapie in St. Peter gehört, die jetzt von einer ihrer ehemaligen Angestellten weitergeführt wurde. Norberg ging davon aus, dass seine Frau eine Reihe von Dingen nicht an ihn herangetragen hatte, was sich jetzt unter Umständen rächte, weil er gerade das Gefühl hatte, überhaupt nichts von seinem älteren Sohn zu wissen.

Finn tauchte in der Wohnzimmertür auf und sah sie neugierig an. »Wieso tuschelt ihr hier so rum?«

»Wir tuscheln nicht rum.« Norberg griff nach dem Haustürschlüssel. »Ich bin dann mal weg.«

»Warum trägst du keine Uniform, wenn du zur Dienststelle musst?«

Wieso, weshalb, warum …? Typisch Finn. Norberg drehte sich noch einmal zu seinem Sohn um und musste trotz seiner Sorgen lächeln. »Du bist ja ein echter Uniformfetischist, mein Sohn.«

»Hä?« Finn starrte zwischen ihm und Corinna hin und her. »Was ist das denn?«

»Lass dir das von deiner Oma erklären.« Norberg nickte Corinna kurz zu und verließ dann das Haus. Er hatte gerade den Wagen gestartet, als sein Smartphone zu klingeln begann. Er schaltete die Freisprechanlage an und meldete sich. »Norberg.«

»Anna Wagner.« Ihre Stimme aus dem Lautsprecher klang verzerrt. »Ich wollte ja Bescheid geben, wenn ich mit den Brechtmanns gesprochen habe. Passt es Ihnen gerade?«

»Nein, überhaupt nicht!«, gab er zurück. »Das müssen wir

auf morgen vertagen.« Da er sich keinen Einwänden stellen wollte, beendete er das Gespräch ohne ein weiteres Wort. Ein unprofessionelles Verhalten, das er normalerweise nicht an den Tag legte, aber das Einzige, woran er im Moment denken konnte, war Lasse.

Verdammt noch mal, wo steckte der Junge?

14

Nach dem Abendessen machte sich Hans Gräfsen zu seinem Verdauungsspaziergang auf. Normalerweise begleitete ihn seine Frau, aber heute hatte sie es abgelehnt mitzukommen.

Dass es ihr in den vergangenen Wochen nicht gut gegangen war, hatte er natürlich bemerkt. Darauf angesprochen, hatte sie stets abgewiegelt, und er war schließlich nicht weiter in sie gedrungen, in der Hoffnung, dass sie ihm irgendwann erzählen würde, was sie bedrückte. Aber das war nicht geschehen, und ihr Verhalten hatte ihn gekränkt, weil er immer der Meinung gewesen war, dass zwischen ihnen ein gutes Vertrauensverhältnis bestand und sie über alles miteinander sprachen.

Mittlerweile ging er davon aus, dass Juttas momentane Verfassung nur mit Nina und deren Rückzug zusammenhängen konnte. Er war überzeugt, dass dieser nicht nur damit zu tun hatte, dass Jutta nach Ninas Meinung zu sehr klammerte. Da musste etwas anderes, etwas Schwerwiegenderes geschehen sein.

Wie immer auf seinen Spaziergängen zog es ihn zum nahe gelegenen Deich, dessen lang gestreckte Rasenfläche sanft zur Promenade am Deichfuß abfiel und mit einer Vielzahl von Strandkörben bestückt war. An stürmischen Tagen wurde die Promenade von der Nordsee erobert. Da war er im Herbst und Winter so manches Mal pitschnass nach Hause gekommen, wenn die Gischt über die steinerne Befestigung gespritzt war und jeden, der sich bei diesem Wetter noch nach dort unten traute, in Windeseile durchnässte. Das Toben der Elemente, er liebte es und war unendlich froh, dass Jutta und er vor zehn Jahren den Entschluss gefasst hatten, von Neumünster nach Büsum zu ziehen. Der Hauskauf hatte sich als Glücksgriff erwiesen, auch wenn einiges an Renovierungsarbeiten angefallen war. Da sie aber beide in handwerklichen Dingen sehr geschickt waren, hatten sie fast alles in Eigenregie fertigstellen können.

Sein Jobwechsel war problemlos über die Bühne gegangen, weil in der hiesigen Gemeindeverwaltung gerade eine Stelle frei geworden war. Bei Jutta war es etwas schwieriger gewesen, da sie in Neumünster ihr eigenes kleines Blumengeschäft besessen hatte, hier in Büsum aber erst nach längerer Zeit wieder als Floristin arbeiten konnte. Und das auch nicht in ihrem eigenen Geschäft, sondern als Angestellte. Sie selbst pflegte jedoch zu sagen, dass sie das nicht störte, da sie so über mehr freie Zeit verfügte und sich um den Garten kümmern konnte, den sie in Neumünster nicht besessen hatten.

Auf der Deichspitze angekommen, ließ er den Blick nach rechts schweifen, um ihn gleich darauf wieder abzuwenden. Das Hochhaus, auch Büsum-Finger genannt, war knapp fünfundachtzig Meter hoch und bot den Bewohnern einen tollen Ausblick, aber es blieb nun einmal eine Bausünde aus den Siebzigerjahren, von denen es seiner Meinung nach ein paar zu viel an den schleswig-holsteinischen Küsten gab.

Der Ausblick nach links stimmte ihn wieder milde. Das neue Hotel am Deich war für sein Empfinden ein architektonischer Leckerbissen, auch im Inneren sollte es nur vom Feinsten sein. Er beschloss, Jutta in den nächsten Tagen in eines der drei Hotelrestaurants einzuladen.

Zum Glück war es am Deich mittlerweile leerer geworden, da sich das Gros der Touristen um diese Zeit in seine Unterkünfte und die Restaurants zurückgezogen hatte. Das war das Einzige, was ihn an Büsum störte, die Touris. Im Sommer fielen sie in Scharen ein, aber auch im Herbst und Winter war man mittlerweile nicht mehr vor ihnen sicher.

Er ließ sich in einem der Strandkörbe nieder und streckte die Beine aus. Die Abendsonne glitzerte über dem Watt und dem auflaufenden Wasser, es herrschte eine himmlische Ruhe, die nur hin und wieder von Möwengeschrei unterbrochen wurde.

Mit der Stille um ihn herum kehrten auch die Gedanken zurück.

Was hatte wirklich zum Bruch zwischen Jutta und Nina geführt? Und warum hatte Jutta die Probleme mit ihrer Tochter vor ihm verheimlicht? Er hatte sich immer gut mit Nina verstanden und hätte den Versuch unternehmen können, zwischen den beiden Frauen zu vermitteln.

Hing es womöglich damit zusammen, dass Jutta häufig überreagierte? Hatte sie sich zu etwas hinreißen lassen, was nicht wiedergutzumachen war? Sie hatte ihm einmal anvertraut, dass sie schon immer sehr jähzornig gewesen war, was im Alter von siebzehn Jahren zu einer Verurteilung aufgrund eines tätlichen Angriffs zu Sozialstunden geführt hatte, weil sie gegenüber einer anderen Jugendlichen ausgerastet war. Das war ein knappes Jahr nach Ninas Geburt gewesen, und Jutta war mit ihrer Entscheidung, die sie zu dem Zeitpunkt schon lange bereute, einfach nicht fertiggeworden.

Er hatte einen richtigen Ausraster nie erlebt, wohl aber in den letzten Jahren mitbekommen, dass sie teilweise bei der kleinsten Kleinigkeit aus der Haut fuhr, wenn sie sich, aus welchen Gründen auch immer, angegriffen fühlte. Mittlerweile legte sie diese Reaktion auch ihm gegenüber manchmal an den Tag, aber meistens traf es die anderen. Beim gemeinsamen Einkaufen zum Beispiel, wenn das gesuchte Produkt nicht im Regal stand, oder bei Querelen mit den Nachbarn, wenn diese ihrer Meinung nach zu häufig im Garten grillten, die Enkelkinder herumtobten oder die Musik bei einer Feier zu laut zu ihnen herüberdrang. Nichtige Kleinigkeiten, bei denen er stets zu schlichten versucht hatte. Nicht immer mit Erfolg, manche Wogen hatten sich nicht glätten lassen, da Jutta nichts vergaß und ein sehr nachtragender Mensch war.

Je mehr er darüber nachdachte, umso wahrscheinlicher erschien ihm die Möglichkeit, dass sie auch gegenüber Nina ausgerastet war und es nicht bei einer verbalen Auseinandersetzung geblieben war. Hatte sie die Hand gegen ihre Tochter erhoben, weil sie sich auch von dieser ungerecht behandelt fühlte? Oder gar Schlimmeres getan?

Seit dem Gespräch vom Vormittag bekam er diesen Gedanken nicht mehr aus dem Kopf, sosehr er sich auch bemühte …

15

Als die Dämmerung einsetzte, war Norberg noch kein Stück weitergekommen.

Er hatte seine Suche nach Lasse am Strand von Ording begonnen, weil er wusste, dass dieser Abschnitt immer ein Lieblingsort seines Sohnes gewesen war, der es liebte, den Kite- und Windsurfern zuzuschauen. Aber wie sollte man an einem kilometerweiten Strand einen einzelnen Menschen ausfindig machen? Norberg war nach Norden gelaufen, hatte irgendwann in der Ferne den Westerhever Leuchtturm im Blick gehabt, der von hier aus immer den Eindruck erweckte, als sei es kein allzu weiter Weg mehr dorthin. Je weiter er ging, umso weniger Menschen traf er, bis er sich schließlich eingestand, dass er so nicht weiterkam.

Die Suche in den Ortsteilen Bad und Dorf war ebenfalls erfolglos. Irgendwann war er wieder bei Jan und Gret angekommen, einem der Wahrzeichen von St. Peter-Dorf, wo er seinen Wagen auf der jetzt leeren Fläche des weitläufigen Marktplatzes abgestellt hatte.

Er wollte sich gerade auf den Weg nach Böhl machen, als sein Smartphone erneut zu klingeln begann. Als er Corinna Hecklers Worte vernahm, stieß er vor Erleichterung einen tiefen Seufzer aus.

Lasse war wieder zu Hause.

»Ich habe mir Sorgen gemacht! Himmel, geht das jetzt endlich mal in deinen Kopf?«

Norberg hatte sich vorgenommen, ruhig zu bleiben, weil Finn nichts mitbekommen sollte, aber die demonstrative Gleichgültigkeit, mit der sein ältester Sohn seinen Vorhaltungen begegnete, reizte ihn langsam bis aufs Blut. Er wünschte, dass Corinna noch etwas geblieben wäre, denn sie verstand sich gut darauf, die Wogen zu glätten.

Er habe allein sein wollen, hatte Lasse entgegnet, aber mit keinem Wort erwähnt, wohin ihn dieser Wunsch getrieben hatte.

Nach Norbergs Worten blickte Lasse auf. Im gedimmten Licht der beiden Stehlampen im Wohnzimmer meinte Norberg, einen Ausdruck von Verachtung darin zu erkennen, und die nächsten Worte seines Sohnes bestätigten diesen Eindruck.

»Sorgen? Du?« Lasse brach in ein gehässiges Lachen aus. »Dir war es doch bis zu Mamas Tod vollkommen egal, wie es uns ging.«

Norberg verschlug es die Sprache, schockiert starrte er Lasse an.

»Nie warst du da, wenn wir dich gebraucht haben, immer musste alles hinter deiner Arbeit zurückstehen!« Ein weiteres höhnisches Auflachen. »Wenn es darum ging, irgendwelchen Verbrechern hinterherzujagen, warst du immer an vorderster Front, aber wehe, es gab hier mal was zu regeln. Das hast du alles Mama überlassen.« Lasse ging zur Wohnzimmertür, drehte sich dort aber noch einmal um. »Ich habe das hier alles so satt. Morgen ziehe ich zu Oma und Opa.«

16

»Tut mir leid, Schatz, aber ich hatte noch einige Termine, die sich während des Kongresses ergeben haben.«

Bent Forsgren unterdrückte einen Seufzer und trat einige Schritte zur Seite, als ein Pärchen mit deutlicher Schlagseite den Bürgersteig entlangkam, dem er besser nicht im Weg stehen wollte. Copenhagen at night, um ihn herum brummte es.

»Ja, auch in Dänemark gibt es Menschen, die am Sonntag arbeiten!« Okay, das war jetzt entschieden zu patzig gewesen, aber scheiß drauf, Sophies ständige Nachfragen begannen ihn langsam tierisch zu nerven.

Warum er erst morgen zurückkäme. Warum er ihr nicht Bescheid gegeben hätte, sondern sie ständig hinter ihm hertelefonieren müsse. Mit wem er sich getroffen hätte.

Seitdem sie wieder ein Paar waren, hatte sich die Situation zwischen ihnen verändert. Waren sie sich einmal auf Augenhöhe begegnet, hatte Sophie jetzt Oberwasser. Ihm war bewusst, dass er in der Falle saß und stillhalten musste, wollte er nicht alles verlieren. So war er froh über jeden Tag, an dem er sich ihr entziehen konnte.

Er hatte heute Termine gehabt, nur am Vormittag, und wieder ohne Ergebnis, *fuck*, und hätte somit ohne Weiteres noch zurückfliegen können. Aber der Gedanke, ein paar weitere Stunden ohne Sophie zu verbringen, war einfach zu verlockend gewesen. Er hatte sich mit seinem besten Freund Rasmus getroffen, der ihn am Abend in diese neue und extrem angesagte Bar in Vesterbro geschleppt hatte, vor der er jetzt gerade stand. Und bevor sie demnächst endgültig versacken würden und er seine Stimme nicht mehr unter Kontrolle hätte, war er ins Freie gegangen, um wenigstens einmal am heutigen Tag auf die unzähligen Nachrichten von Sophie zu reagieren.

Keine gute Idee, wie ihm jetzt klar wurde, als sie fragte, was denn das für eine Geräuschkulisse im Hintergrund sei. Er entschloss sich zu einer halben Wahrheit. »Ich bin mit ein paar Kollegen noch einen trinken gegangen.«

Sophie hatte Rasmus einmal kennengelernt, und es war Abneigung auf den ersten Blick gewesen – beidseitig. Da musste sie nicht wissen, dass er mit seinem Kumpel auf die Piste gegangen war. Bevor sie zu einer Erwiderung ansetzen konnte, beendete Forsgren das Gespräch mit einem knappen »Wir sehen uns morgen«. Er stellte das Smartphone aus und steckte es zurück in die Hosentasche.

»Ich begreife nicht, warum du zu dieser Frau zurückgekehrt bist«, sagte Rasmus, nachdem Forsgren wieder an den Ecktisch gekommen war, an dem sich der Geräuschpegel in Grenzen hielt, sodass man ein Gespräch führen konnte. »Du warst doch so glücklich mit dieser Nina, warum hast du sie denn jetzt abserviert?«

Forsgren hatte seinem Freund bisher noch nichts von den Hintergründen erzählt, da er vier Monate nicht in Kopenhagen gewesen war und die Angelegenheit nicht am Telefon ausbreiten wollte. »Ich hab den Malmö-Auftrag verloren.«

Rasmus sah ihn fassungslos an. »Das Einkaufszentrum? Ach du Scheiße! Hat ihn jetzt doch jemand anderer bekommen?«

Forsgren schüttelte den Kopf. »Nein, die Stadt hat den Bau zurückgestellt.« Er seufzte und trank einen Schluck Whisky. »Vielleicht wird er auch gar nicht realisiert, du weißt ja, dass es sich im Vorfeld schon so hingezogen hat. Im Moment ist jedenfalls alles wieder offen.« Er zuckte mit den Schultern, war aber lange nicht so gleichgültig, wie er sich den Anschein zu geben versuchte. Als er Rasmus ansah, las er Begreifen und aufglimmenden Zorn in dessen Blick.

»Das ist der Grund?«, fragte sein Freund entgeistert. »Du bist wegen der Hotelaufträge zu Sophie zurückgekehrt, die du nach der Auflösung eurer Verlobung verloren hast? Das darf doch nicht wahr sein!«

Erbitterung stieg in Forsgren auf. Rasmus war ebenfalls Architekt, aber seiner Firma ging es glänzend. »Mit Malmö hätte ich die Verluste, die in Schleswig-Holstein entstanden wären, auffangen können. Ich muss doch auch an meine vier Mitarbeiter denken. Drei von ihnen haben bereits für meinen Vater gearbeitet, und sie hätten auf der Straße gestanden, weil sie aufgrund ihres Alters nirgendwo mehr eine Anstellung finden würden.« Er starrte auf das Glas in seinen Händen und versuchte sich der Ohnmacht zu erwehren, die ihn wieder ergriffen hatte. »Drei verlorene Aufträge würden meiner Firma das Genick brechen. Und zwar nicht nur finanziell, das muss ich dir doch nicht sagen. Man würde sich fragen, was da los ist, und immer die Schuld bei mir suchen. Mein Ruf wäre ruiniert, ich würde nie wieder irgendwo ein Bein an Land kriegen.«

Und die Firma, die Papas Lebenswerk gewesen war und die er mir auf seinem Sterbebett zu treuen Händen übergeben hatte, in den Abgrund reißen.

Er konnte bis heute nicht sagen, was schlimmer für ihn gewesen wäre.

Sophie wusste nichts von dem Malmö-Auftrag, da sich dieses Projekt bereits seit Jahren hinauszögerte und er ihr nichts davon erzählt hatte. Warum er mit dieser Info hinter dem Berg gehalten hatte, konnte er selber nicht sagen. Im Nachhinein hatte er sich zu dieser Entscheidung beglückwünscht, weil sie so keinen Zusammenhang herstellen konnte, dass dies einer der beiden Gründe für seine Rückkehr war. Auch im Netz gab es keinen Hinweis, der ihn mit dem Malmö-Auftrag in Verbindung brachte. Bisher hatte er jedenfalls keinen gefunden, und er hoffte, dass das auch so blieb.

»Und deshalb gibst du die Frau, die angeblich die große Liebe deines Lebens ist, wieder auf?« Rasmus schüttelte den Kopf. Die Verachtung in seinem Blick tat Forsgren weh. »Ich fass es nicht, Bent. Was bist du doch für ein mieses Schwein! Beiden Frauen gegenüber!«

»Hör auf, verdammt!« Forsgren schlug mit der Faust auf den Tisch, dass die Gläser klirrten und die drei Frauen am Nebentisch zu ihnen herübersahen. »Sophie ist schwanger. Ich mag in deinen Augen zwar ein mieses Schwein sein, aber eine Frau, die von mir schwanger ist, lasse ich nicht im Stich!«

Der zweite Grund für seine Rückkehr.

17

Montag, 29. Juni

Hendrik Norberg hatte eine schlechte Nacht mit nur wenig Schlaf hinter sich, keine guten Voraussetzungen für seinen heutigen Dienstantritt. Er frühstückte allein wie meistens in den Ferien, wenn die Jungs oft ewig brauchten, bis sie aus ihren Betten kamen.

Corinna Heckler erschien zum Glück schon um kurz nach sieben, so hatte er vor seinem Aufbruch noch Zeit, mit ihr über Lasses Vorwürfe und seine Ankündigung zu reden, die ihm immer noch in den Knochen saßen.

»Ach herrje«, sagte seine Schwiegermutter, nachdem sie sich einen Kaffee eingeschenkt und am Küchentisch Platz genommen hatte. »Mir ist ja bewusst, dass Lasse zurzeit in keiner guten Verfassung ist, aber dass er jetzt über dich herfällt, hätte ich nicht gedacht.«

»Er hat ja recht mit seinen Vorwürfen«, sagte Norberg mutlos. »Ich habe Kathrin mit vielen Dingen alleingelassen, da will ich mich gar nicht rausreden.« Er blickte Corinna an. »Vielleicht ist es wirklich das Beste, wenn Lasse ein bisschen Abstand bekommt. Ich will mich nicht drücken, aber was hältst du davon, wenn er für einige Zeit in euer Ferienhaus zieht? Du hattest doch erwähnt, dass eure Gäste kurzfristig abgesagt haben.« Nachdem er die Worte ausgesprochen hatte, wurde ihm bewusst, dass er genau das gerade wieder versuchte. Sich drücken.

Corinna schüttelte bedauernd den Kopf. »Das stimmt, aber wir sind schon wieder belegt.« Ein Lächeln erhellte ihr Gesicht. »Ich habe das Haus an deine neue Kollegin vermietet. Eine sehr nette Frau, wie ich finde.«

Verwirrt blickte Norberg seine Schwiegermutter an. »Wieso das denn? Claas Hoyer hatte doch eine Ferienwohnung für sie angemietet.«

»Ja, aber die ist Frau Wagner zu klein.«

Norberg stieß ein Schnauben aus. »Also wirklich! Sie hat hier einen Job zu machen, da ist sie doch sowieso nur zum Schlafen in der Wohnung. Und wenn der Fall schnell aufgeklärt ist, was ich sehr hoffe, ist ihre Arbeit hier erledigt.«

Corinna schwieg einen langen Augenblick, dann schaute sie ihn mit diesem Röntgenblick an, mit dem er sich schon immer schwergetan hatte. »Das sollte sie ja wohl selbst entscheiden, oder? Ich muss sagen, dass ich deine Einstellung ziemlich anmaßend finde. Kann es sein, dass du etwas gegen Frau Wagner hast?«

»Mir will nicht in den Kopf, warum Claas Hoyer sie geholt hat. Ihre Stelle ist im LKA, wieso bearbeitet sie den Fall nicht von Kiel aus?«

»Also wirklich, Hendrik, ich verstehe dich nicht! Es ist für Frau Wagner doch viel einfacher, wenn sie hier vor Ort ist und nicht jeden Tag hin und her fahren muss. Das sind mindestens anderthalb Stunden pro Strecke.« Corinna nahm ihn noch intensiver ins Visier. »Siehst du in ihr womöglich eine Konkurrentin? Weil sie als Kripobeamtin in deiner Dienststelle arbeitet und du dich degradierst fühlst, weil du jetzt wieder als Schutzpolizist Dienst tust?«

»Quatsch!« Das war heftiger herausgekommen als beabsichtigt. Mit ihrer zweiten Frage hatte Corinna nämlich den Nagel auf den Kopf getroffen, da musste er gar nicht lange nachdenken. Ja, verdammt noch mal, er fühlte sich degradiert, aber in diesem Moment fragte er sich, ob sie auch mit ihrer ersten Vermutung recht gehabt hatte. Sah er in der neuen Kollegin eine Konkurrentin? Blödsinn, sagte er sich dann energisch. Ich bin der Dienststellenleiter, und wenn mir etwas nicht passt, bekommt diese Anna Wagner eine klare Ansage.

In Corinnas Blick lag jetzt offener Zweifel, aber ihre nächste Bemerkung zeigte, dass sie das Thema nicht vertiefen wollte. »Ich würde Lasse natürlich zu uns ins Haus nehmen, aber du weißt ja, dass Peter aus Kathrins Kinderzimmer sein Büro gemacht hat. Daraus kann und will ich ihn nicht vertreiben. Eventuell ergibt sich eine Möglichkeit im Partykeller, den wollte Peter schon länger umbauen. Bis jetzt hat er das aber noch nicht in Angriff genommen. Ich kläre das mal.« Sie trank noch einen Schluck Kaffee. »Und nachher spreche ich mit Lasse. Vielleicht renkt sich alles wieder ein.«

Auf der Dienststelle waren bis auf Nils Scheffler alle ausgeflogen. Norberg hatte sich eigentlich als Erstes mit Anna Wagner zusammensetzen wollen, um in Erfahrung zu bringen, was die Gespräche mit Constanze und Sophie Brechtmann ergeben hatten. Er verspürte den Anflug eines schlechten Gewissens, dass er sie gestern am Telefon abgewimmelt hatte, aber er würde ihr mit Sicherheit nicht den Grund dafür nennen. Die Kollegen dürften ihr zwar vom Tod seiner Frau erzählt haben, aber alles Weitere ging sie nichts an. Das ging niemanden etwas an.

Scheffler teilte ihm mit, dass die Kollegin zum Jugendamt nach Husum gefahren sei. Den Hintergrund dieses Besuchs kenne er nicht, sie hätte lediglich kurz am Telefon Bescheid gegeben.

Auf dem Herweg hatte Norberg noch einmal über Corinnas Frage nachgedacht, ob er in Anna Wagner eine Konkurrentin sah, und sich schließlich eingestanden, dass seine Schwiegermutter mit ihrer Mutmaßung ins Schwarze getroffen hatte. Aber er würde sich nicht von diesem Gefühl vereinnahmen lassen, und außerdem dürfte der Aufenthalt der Kollegin in St. Peter sowieso nur von kurzer Dauer sein.

Norberg tauschte seine Zivilkleidung gegen die Uniform und bat anschließend Nils Scheffler in sein Büro, um sich über die Einsätze der Nachtschicht informieren zu lassen.

Es waren nur zwei angefallen. Beim ersten hatten die Kollegen eine aus dem Ruder gelaufene Party am Ordinger Strand auflösen müssen, bei der es zu einer vorübergehenden Festnahme gekommen war. Am frühen Morgen waren Sachbeschädigungen an mehreren Pkw gemeldet worden. Zerkratzter Lack, abgebrochene Außenspiegel, eine für St. Peter eher ungewöhnliche Serie.

»Das müssen wir im Auge behalten«, meinte Scheffler und erhob sich. »Dann will ich mal wieder.« Als er den Raum verlassen hatte, waren durch die geöffnete Bürotür Schritte auf dem Flur zu vernehmen. »Das ging ja schnell«, hörte Norberg den Kollegen sagen.

»Wenn Nachbarn streiten, muss man auch mal 'ne klare Ansage machen«, gab eine barsche Männerstimme zur Antwort. Dann, in etwas gemäßigterem Ton: »Ist der Neue schon da?«

»In seinem Büro.«

Sekunden später klopfte ein kräftig gebauter Mann an den Rahmen von Norbergs Tür. Neben ihm tauchte der Kollege auf, mit dem er offensichtlich gerade von einer Streifenfahrt zurückgekehrt war. Sören Rohde und Lars Klüver, Norberg hatte die beiden während der Übergabezeit bereits kennengelernt.

»Moin«, grüßte Rohde. »Haben Sie einen Augenblick Zeit für uns?«

Norberg bat sie herein und sah mit Verwunderung, wie Klüver die Tür hinter sich schloss. In den zurückliegenden Wochen hatten die Türen stets offen gestanden, also schienen die beiden etwas auf dem Herzen zu haben, was in diesem Raum bleiben sollte.

»Es geht um den Unfall mit Fahrerflucht vor einer Woche«, begann Rohde, nachdem auch sein Kollege Platz genommen hatte. »Darüber hat Claas Hoyer Sie doch sicher informiert.«

»Ja, aber nur oberflächlich, weil der Fall von den Husumer Kripokollegen bearbeitet wird.«

Rohde zögerte einen Moment und wechselte einen kurzen Blick mit seinem Kollegen. »Wir würden uns aber trotzdem gerne wieder einschalten. Also, der Lars und ich.«

»Wieso das?«

Rohde seufzte. »Sie wissen ja vielleicht, dass wir die beiden Toten während einer Streifenfahrt aufgefunden haben. Die Sache beschäftigt uns beide immer noch, es war ein fürchterlicher Anblick, wie sie dort auf der Straße lagen. Wir wollten die Kripokollegen unterstützen, weil Eiderstedt nun mal unser Revier ist und wir uns hier am besten auskennen. Die waren allerdings überhaupt nicht erpicht auf unsere Mitarbeit, was wir aber ignoriert haben, bis Claas uns vor drei Tagen weitere Ermittlungen untersagt hat.«

»Und jetzt hoffen Sie, dass ich das anders sehe?«

»Der Junge ist in meinen Armen gestorben! Er war erst zehn Jahre alt!« Klüvers Stimme klang heiser, er räusperte sich mehrere Male. »Und dieses Schwein, das die beiden auf dem Gewissen hat, läuft immer noch frei herum.«

Norberg blickte die beiden nachdenklich an. Er konnte nachvollziehen, dass ihnen die Angelegenheit noch immer naheging und es sich falsch für sie anfühlte, nicht mehr an den Ermittlungen beteiligt zu sein. »Wissen Sie denn, was es mittlerweile an Ergebnissen gibt? Oder ist unsere Dienststelle jetzt ganz außen vor?«

»Im Moment sind wir ganz außen vor«, sagte Rohde. »Ich hab aber ’nen guten Draht zu einem der Kripokollegen, der mich auf dem Laufenden hält.«

»Um wen handelt es sich bei den Opfern?«

»Das waren ein zwanzigjähriger Mann und sein zehnjähriger Bruder aus Tating. Jörg und Felix Petersen. Felix war auf der Geburtstagsfeier eines Freundes, der im Tümlauer Koog wohnt, und sollte eigentlich dort übernachten. Dann ging es ihm aber nicht gut, und er wollte nach Hause. Sein Bruder sollte ihn mit dem Auto abholen, das ist aber nicht angesprungen, also hat er das Mofa genommen. Die beiden leben zusammen mit ihren Eltern auf einem Bauernhof etwas außerhalb von Tating.«

»Was war todesursächlich?«

»Jörg hat einen Genickbruch erlitten, sein Bruder ist an inneren Blutungen gestorben.«

»Und was hat die Husumer Kripo bisher herausgefunden?«

»Nicht viel, obwohl sie natürlich das große Besteck aufgefahren haben. Am Unfallort wurden Reifenspuren gesichert, da hat es aber bisher keinen Treffer gegeben. Weiterhin wurden am Mofa und an der Kleidung der beiden Opfer metallicblaue Lackspuren gefunden.«

Hier hakte Norberg ein. »Ist schon bekannt, um was für einen Wagentyp es sich gehandelt hat?«

»Bis jetzt anscheinend noch nicht, ich hab nämlich seit gestern nichts Neues gehört.« Rohde schlug die Beine übereinander und stülpte seine Uniformmütze über das Knie. »Der Unfall soll laut Rechtsmedizin eine halbe bis maximal eine Stunde vor unserem Eintreffen geschehen sein. Es hatte zu regnen begonnen, so ein feiner Sprühregen, und die Straße war durch den Staub teilweise rutschig wie Schmierseife. Wir vermuten, dass der Fahrer das Mofa zu spät gesehen hat. Die Rücklichter funktionierten nicht, die können allerdings auch durch den Aufprall kaputtgegangen sein, das lässt sich nicht mehr feststellen. Die Eltern der beiden Opfer konnten uns in der Beziehung nicht weiterhelfen. Falls der Fahrer das Mofa rechtzeitig gesehen hat, kann er natürlich auch zu einem Überholmanöver angesetzt haben und ist dabei ins Schleudern gekommen. Die Spuren am Unfallort lassen hier keinen eindeutigen Schluss zu.«

»Die Kollegen aus Husum haben alle Einwohner im Umkreis gecheckt und deren Autos unter die Lupe genommen«, fuhr Klüver fort. »Weiterhin haben sie alle Autowerkstätten auf Eiderstedt abgeklappert und eine Vielzahl von Privatpersonen, auch Touristen, befragt, aber das ist natürlich wie die Suche nach der Nadel im Heuhaufen.«

»Wo würden Sie denn ansetzen?« Norberg blickte von einem zum anderen. »Oder besser gefragt, wo haben Sie angesetzt? Denn bis vor drei Tagen waren Sie ja noch an der Sache dran, wie Sie eben gesagt haben.«

»Wenn jemand von hier, also von Eiderstedt, den Unfall verursacht hat, wird er den Wagen natürlich nicht irgendwohin zur Reparatur bringen. Er wird ihn auch nicht in seiner Garage verstecken oder in seiner Scheune, falls er einen Bauernhof besitzt«, sagte Klüver. »Der wird sich einen abgelegenen Ort suchen und warten, bis Gras über die Sache gewachsen ist. Ich hätte den Wagen zum Beispiel in irgendeiner verlassenen Scheune versteckt, die abseits liegt, und würde versuchen, den Schaden selbst zu beheben.«

»Die Idee hatten die Husumer Kollegen doch aber sicher auch«, wandte Norberg ein und dachte, dass das keine Antwort auf seine Frage gewesen war.

»Ja, aber die wissen doch überhaupt nicht, wo sie hier suchen sollen, weil sie die Leute und die ganze Gegend nicht kennen. Im Gegensatz zu uns.« Klüver deutete auf seinen Kollegen. »Lars und ich sind hier geboren und kennen Eiderstedt wie unsere Westentasche. Wir arbeiten seit zwölf Jahren auf diesem Revier und sind die dienstältesten Beamten. Seit zehn Jahren fahren wir zusammen Streife, wir sind hier so was wie die Dorfsheriffs. Wir kennen die Leute und sie uns. Das ist hier nicht wie in der Stadt, hier haben die Menschen noch Vertrauen in ihre Polizei. Da bekommt man auch schon mal den einen oder anderen Tipp. Und das bedeutet, dass wir ganz andere Möglichkeiten haben als die Kollegen aus Husum. Zumal die bei ihren Befragungen zum Teil ziemlich arrogant rübergekommen sein sollen. Damit gewinnt man keinen Blumentopf. Schon gar nicht bei dem hier ansässigen Menschenschlag.«

»Das ist mir klar«, sagte Norberg und hoffte, dass die Kollegen endlich auf den Punkt kommen würden. »Deshalb wiederhole ich jetzt noch einmal meine Frage: Wo haben Sie bereits angesetzt?«

»Wir kennen von unseren Streifenfahrten einige verlassene Gehöfte und eine Reihe alter Scheunen«, übernahm Rohde. »Bisher haben wir das Gebiet südlich der B202 bis nach Tönning abgegrast, sind aber noch nicht fündig geworden. Als Nächstes würden wir uns dann den nördlichen Teil vornehmen.«

Norberg musterte die beiden Oberkommissare. Wie er den Personalakten entnommen hatte, war Klüver zweiundvierzig Jahre alt, Rohde ein Jahr jünger. Beide waren verheiratet und hatten Kinder. Sie waren keine Heißsporne, sondern langjährige und erfahrene Polizisten, die ihren Job sehr ernst nahmen. Klüver war für seinen Geschmack ein bisschen zu sabbelig, aber niemand war vollkommen. Beide Kollegen waren von Hoyer für eine Beförderung vorgeschlagen worden. »Okay«, sagte Norberg entschlossen. »Ihre Argumentation ist einleuchtend. Sie werden weiter in diesem Fall ermitteln.«

Die Überraschung der beiden entging ihm nicht. Offensichtlich hatten sie nicht mit einer für sie positiven Entscheidung gerechnet – oder jedenfalls nicht mit einer so schnellen. Vielleicht hatten sie sich auch auf einen Kampf eingestellt, denn sie machten auf ihn den Eindruck, dass sie nicht aufgaben, wenn ihnen eine Sache am Herzen lag.

Rohde fand als Erster die Sprache wieder. »Prima. Sollen wir es unter der Hand machen oder offiziell?«

»Offiziell natürlich. Immerhin ist der Unfall in unserem Bereich passiert. Da hat uns überhaupt keiner reinzureden.«

»Und die Husumer Kollegen?«, wandte Klüver ein.

»Werde ich über meine Entscheidung in Kenntnis setzen.«

Norberg blickte den Kollegen hinterher, als sie sein Büro verließen, immer noch verwundert über das Verhalten seines Vorgängers. Hoyer war ein gestandener Polizist und die letzten zwanzig Jahre Leiter dieser Dienststelle gewesen. So jemand hielt doch jedem Druck von Kripokollegen stand. Denn dass die Husumer Beamten Druck ausgeübt hatten, um die Ermittlungen allein durchführen zu können, stand für Norberg außer Frage. Er kannte derlei Vorgehensweisen, auch wenn er selber nie zu ihnen gegriffen hatte. Die Kripo rückte in die erste Reihe, und die Schutzpolizei, die den Ersten Angriff und Folgemaßnahmen durchgeführt hatte, musste zurück ins zweite Glied. Aber mit ihm würde das nicht so laufen, und je schneller die Kollegen in Husum das begriffen, desto besser.

18

Der Besuch im Husumer Jugendamt war erfolgreich gewesen: Nach einer halben Stunde hatte Anna erfahren, dass Nina Brechtmanns leibliche Mutter unter einer neuen Adresse gemeldet war.

Jutta Gräfsen, wohnhaft in der Otto-Johannsen-Straße in Büsum.

Anna hatte die Adresse in das Navi eingegeben und erreichte ihr Ziel innerhalb einer guten Stunde. Sie war dankbar, dass die Autos heutzutage über Klimaanlagen verfügten, denn auch an diesem Tag brannte die Sonne wieder von einem wolkenlosen Himmel. Von Landwirtschaft hatte sie zwar keine Ahnung, aber die Felder und Äcker zu beiden Seiten der Straße sahen für ihr Empfinden trotz der anhaltenden Hitze noch relativ fruchtbar aus.

Als rechter Hand wieder eine Abzweigung erschien und sie auf das Hinweisschild mit dem Namen Oldenswort aufmerksam wurde, schmunzelte sie. Irgendwie endete auf der Halbinsel jeder zweite Ortsname auf »-wort« oder »-büll«. Ungewöhnlich. Und bei der Frage, ob es nun auf oder in Eiderstedt hieß, schieden sich die Gemüter, wie sie von Claas Hoyer erfahren hatte. Tja, wenn sich nicht einmal die Einheimischen sicher waren, was sollte sie als Zugereiste dann erst sagen?

Das Haus, in dem Jutta Gräfsen und ihr Mann wohnten, entpuppte sich als ein ansehnlicher Bungalow älteren Baujahrs mit einer weißen Außenfassade und einem grauen

Schieferdach. Anna parkte ihren Wagen am Straßenrand und ging zur Pforte in dem halbhohen dunkelbraunen Holzzaun, der ein schmales und sehr gepflegtes Gartenstück zum Fußweg hin begrenzte. Da sie keine Klingel an der Pforte entdecken konnte, betrat sie das Grundstück, schritt den mit Schieferplatten ausgelegten Weg zum Haus entlang und läutete an der hölzernen Eingangstür, zu der drei Stufen emporführten, die auf beiden Seiten von üppig bepflanzten Keramikschalen flankiert wurden. Als sich die Tür nach kurzer Zeit öffnete, sah sie sich einer Frau gegenüber, die sie mit unsicherem Ausdruck musterte. Mittelgroß, mollige Figur, Typ graue Maus.

»Jutta Gräfsen?«

Als die Frau nickte, zückte Anna ihren Dienstausweis und stellte sich vor. Jutta Gräfsen zuckte fast unmerklich zusammen.

»Darf ich reinkommen, Frau Gräfsen?«

Die Frau sah sie aus ängstlichen Augen an. »Worum … Worum geht es denn?«

»Das würde ich ungern an der Haustür mit Ihnen besprechen.«

»Ist etwas mit meinem Mann?«, fragte Jutta Gräfsen, plötzlich aufgeregt.

»Nein«, sagte Anna. »Es geht um Ihre Tochter Nina.«

Die Augen der Frau verdunkelten sich, aber nach einem letzten Zögern bat sie Anna ins Haus. Sie folgte ihr durch einen lang gestreckten schummrigen Flur in ein Wohnzimmer, das aufgrund der dunklen und altmodischen Holzpaneele an den Wänden und an der Zimmerdecke düster und beengt wirkte. Die gleichfarbige Auslegeware aus Sisal war mit Sicherheit äußerst strapazierfähig, verhalf dem Raum aber ebenfalls zu keinem wohnlichen Ambiente. Was auch für die mit einem braun-beigen Cordstoff bezogenen Sessel mit den hölzernen Lehnen galt, die genauso unbequem waren, wie sie aussahen, wie Anna feststellen musste, als sie der Aufforderung, doch Platz zu nehmen, nachkam.

Jutta Gräfsen setzte sich auf das Sofa ihr gegenüber. »Was ist mit Nina?« Ihre Stimme klang belegt.

»Ihre Tochter ist vor fünf Tagen nicht aus dem Urlaub an ihren Arbeitsplatz zurückgekehrt, woraufhin ihre Kollegen sie vermisst gemeldet haben. Nina hatte angegeben, dass sie sich mit ihrer Familie treffen wollte.«

Anna erzählte, dass sie mit Ninas Adoptivmutter und deren leiblicher Tochter gesprochen und so von der Adoption erfahren hätte.

»Nina ist nicht bei den beiden Frauen aufgetaucht, und deshalb fragen wir uns jetzt, ob sie vielleicht einen Besuch bei Ihnen gemeint hat.« Anna nannte den Zeitraum von Ninas Urlaub.

Jutta Gräfsen war bleich geworden. Als keine Antwort kam, hakte Anna nach.

»Hat Nina Sie während dieser Tage besucht, Frau Gräfsen?«

Die Frau räusperte sich, wich Annas Blick aber nicht aus. »Nein.«

Anna hegte Zweifel an dieser Aussage, da die Körpersprache von Jutta Gräfsen mittlerweile auf einen Zustand größter Erregung hindeutete. Ein flackernder, unsteter Blick, Hände in ständiger Bewegung, ein Körper, der eindeutig unter Strom stand.

Warum?

Anna beschloss, das Pferd von der anderen Seite aufzuzäumen. »Frau Gräfsen, hatten Sie zu irgendeinem anderen Zeitpunkt Kontakt zu Nina?«

Es dauerte einen Augenblick, bis Jutta Gräfsen nickte. »Ja«, sagte sie leise. »Nina hat sich vor vier Jahren bei mir gemeldet.«

Anna verkniff sich trotz ihrer Ungeduld weitere Fragen. Manchmal half Schweigen, um den anderen zum Reden zu bringen. Ihre Taktik ging auf.

»Sie stand plötzlich vor unserer Tür und sagte, dass sie mich endlich kennenlernen wolle. Ich war vollkommen perplex, denn es ist immer mein größter Traum gewesen, dass sie einmal Kontakt zu mir aufnimmt. Ich wusste ja nicht, an wen sie vermittelt worden war, also konnte ich keine Nachforschungen anstellen. Nachdem dann ihr sechzehnter Geburtstag vorbei war und die folgenden Jahre noch immer nichts passierte, hatte ich die Hoffnung aufgegeben. Ich bin davon ausgegangen, dass ihre Adoptiveltern Nina nichts von der Adoption erzählt hatten oder falls doch, dass sie nicht daran interessiert war, mich kennenzulernen.« Tränen schossen in Jutta Gräfsens Augen und liefen die geröteten Wangen herunter. »Und dann war sie auf einmal da.«

Anna ließ ihr Zeit, sich wieder zu fangen. Jutta Gräfsen zog ein Taschentuch aus ihrer Hosentasche und wischte sich die Tränen vom Gesicht.

»Sie müssen sehr glücklich gewesen sein.«

»Oh ja, das war ich. Jedenfalls am Anfang.« Die Tränen begannen wieder zu fließen.

»Was ist passiert?«

Jutta Gräfsen schniefte. »Es war keine einfache Beziehung. Nina konnte ihr Misstrauen mir gegenüber nicht ablegen, und mein Mann und ich haben uns häufig gefragt, warum sie den Kontakt überhaupt gesucht hat. Sie hat nie viel rausgelassen, aber es war doch offensichtlich, dass das Verhältnis zu ihrer Adoptivmutter und Schwester nicht das beste war.«

Als ein längeres Schweigen folgte, fragte Anna nach. »Wie oft haben Sie sich gesehen?«

»Nicht so oft, wie ich es mir gewünscht habe. Ich wollte Nina nicht bedrängen, aber offensichtlich habe ich es doch getan, da sie den Kontakt vor anderthalb Monaten mit der Begründung abgebrochen hat, dass ich klammern und sie erdrücken würde.« Jutta Gräfsen bot jetzt ein Bild des Jammers, und Anna fühlte Mitleid in sich aufsteigen.

»Haben Sie Nina danach noch einmal gesehen oder gesprochen?«

»Ich bin nach Friedrichskoog gefahren, weil ich eine Aussprache wollte. Aber sie war nicht zu Hause. Vielleicht hat sie auch einfach nicht geöffnet, ich weiß es nicht. Ich bin auch in der Seehundstation gewesen, aber da hieß es immer, sie hätte gerade keinen Dienst. Außerdem habe ich sie angerufen, auf dem Festnetz und dem Handy, aber ich bin immer nur auf irgendwelchen Anrufbeantwortern gelandet. Und meine Bitten um einen Rückruf hat Nina ignoriert. Irgendwann habe ich es aufgegeben.« Sie schluchzte auf. »Ich wünsche mir so sehr, dass es nur eine vorübergehende Phase ist und sie wieder zu mir zurückfindet.«

»Haben Sie eine Ahnung, wo sich Nina aufhalten könnte? Vielleicht bei Ihren Eltern, Frau Gräfsen?«, fragte Anna.

»Meine Eltern leben nicht mehr.«

»Hat Nina einmal Freunde erwähnt oder einen Mann, mit dem sie zusammen ist? Wir wissen, dass sie sich sehr im Umweltschutz engagiert, ist Ihnen da Näheres bekannt? Oder haben Sie irgendeine Ahnung, warum sie verschwunden sein könnte?« Anna wollte jeden Hinweis auf ein mögliches Verbrechen vermeiden, da die Frau vor ihr schon aufgeregt genug war. Aber Jutta Gräfsen kam auch von allein darauf.

»Glauben Sie, dass ihr etwas passiert ist? Dass ihr jemand etwas angetan hat?«, fragte sie und schlug eine Hand vor den Mund.

»Nein, davon gehen wir im Moment nicht aus«, versuchte Anna sie zu beruhigen, auch wenn ihre Gedanken sehr wohl in diese Richtung gingen. »Also«, nahm sie einen erneuten Anlauf, »haben Sie vielleicht ein paar Namen für mich, die Nina bei irgendeiner Gelegenheit genannt hat?«

Jutta Gräfsen furchte die Stirn. »Sie hat mal einen Freund erwähnt. Kai Hellmer. Er ist so eine Art Lokalreporter, der für unterschiedliche Zeitungen in der Region schreibt. Irgendwann später sagte sie dann, dass sie sich von ihm getrennt hätte, weil sie sein ewiges Selbstmitleid nicht mehr ertragen könne und es leid sei, als seine Klagemauer herzuhalten. Dieser Hellmer scheint jemand zu sein, dessen Leben von Misserfolgen geprägt ist. Außerdem hatte Nina jemand anderen kennengelernt. Dessen Namen hat sie aber nie erwähnt.«

»Und weitere Personen?«

»Nein, tut mir leid.« Jutta Gräfsen sah Anna mit einem ängstlichen Ausdruck an. »Wie geht es denn jetzt weiter? Sie werden Nina doch finden, oder?«

»Wir tun alles, was in unserer Macht steht, Frau Gräfsen«, sagte Anna, und ihr wurde bewusst, dass weder Constanze noch Sophie Brechtmann diese Frage gestellt hatten. Selbst wenn Jutta Gräfsen unmittelbar betroffen war, konnte sie ihr keinen Einblick in die Ermittlungsarbeit geben, sondern sie nur mit einer der üblichen Phrasen zu beruhigen versuchen.

»Vielleicht hat sie sich einfach eine Auszeit mit ihrem neuen Freund genommen«, mutmaßte Ninas Mutter beim Abschied, wohl auch in dem Bemühen, sich selber Trost zuzusprechen. »Wenn wir bloß seinen Namen wüssten!«

Im Anschluss an das Gespräch suchte Anna Hans Gräfsen in der Gemeindeverwaltung auf, der ihr erzählte, warum er bei der Hochzeit auf Bitten seiner Frau ihren Namen angenommen hatte.

»Jutta hat ja immer gehofft, dass Nina sich irgendwann mit ihr in Verbindung setzt, und da wollte sie es ihr so leicht wie möglich machen, indem sie den in den Adoptionsunterlagen vermerkten Namen behält.«

Was Ninas neuen Freund anbelangte, konnte auch Hans Gräfsen nicht weiterhelfen. Anna hatte gehofft, dass sie von ihm vielleicht Dinge erfahren würde, über die Nina nicht mit ihrer Mutter gesprochen hatte, aber Fehlanzeige. Obwohl Jutta Gräfsen auf das enge Verhältnis zwischen Nina und ihrem Mann hingewiesen und zugegeben hatte, dass sie manchmal eifersüchtig gewesen war, konnte auch er nichts vorbringen, was Anna weitergeholfen hätte.

Aber zumindest hatte sie durch das Gespräch mit Jutta Gräfsen jetzt einen Namen, bei dem sie ansetzen konnte.

Kai Hellmer.

19

Nils Scheffler verbrachte den Vormittag mit dem Schreiben von Berichten. Eine Arbeit, die weder er noch seine Kollegen liebten, die aber nun einmal notwendig war.

Er speicherte eine weitere Datei und beschloss dann, eine kurze Pause einzulegen, um sich vor der Tür die Füße zu vertreten. Stundenlanges Sitzen war nichts für ihn, deshalb verbrachte er als Ausgleich zum Job einen großen Teil seiner Freizeit auf dem Surfboard. 1997, im zarten Alter von fünf Jahren, hatte er seine erste Begegnung mit dem Surfsport gehabt, und auch wenn er damals noch ein Knirps gewesen war, hatte sich ihm dieses Ereignis tief eingeprägt. Es war bei den Dreharbeiten zu der Surferserie »Gegen den Wind« gewesen, der erfolgreichsten Vorabendserie der ARD, wie er später gelesen hatte. In jenem Jahr hatten die Dreharbeiten der letzten Folgen stattgefunden, und wann immer seine Mutter Zeit gehabt hatte, war sie mit ihm an die Drehorte gefahren. Vorzugsweise ans Wasser, wo er voller Begeisterung beim Drehen der Surfszenen zugesehen hatte. Das wollte er auch lernen. Eins mit den Wellen und dem Wind, das musste das Paradies sein. Sobald er alt genug gewesen war, hatte er mit dem Unterricht begonnen. Mittlerweile ging er fast ausschließlich zum Kitesurfen an den Ordinger Strand und war natürlich auch immer vor Ort, wenn dort im August die Kitesurf Masters ausgetragen wurden.

Er liebte St. Peter, war hier geboren und hatte sich bis vor Kurzem nicht einmal ansatzweise vorstellen können, diesen

Ort zu verlassen und irgendwo anders seinen Dienst zu verrichten. Natürlich hatte er weiterkommen wollen, aber nach Möglichkeit in seiner Dienststelle hier vor Ort. Nach der Ankunft von Hendrik Norberg hatte sich diese Einstellung begonnen zu verändern. Nils fand es spannend, dass jetzt ein ehemaliger Mordermittler ihr Dienststellenleiter war, der laut Hörensagen großes Ansehen im Itzehoer K1 genossen hatte, was auch für seine vorherige Position als Einsatzleiter eines SEK-Trupps gegolten hatte. Von so einem Mann konnte er einiges lernen.

Wenn Norberg ihn ließ. Sie hatten in dessen Einarbeitungszeit kaum Kontakt gehabt, und der neue Chef machte auch keinen allzu umgänglichen Eindruck. Was aber vielleicht mit dem Tod seiner Frau zusammenhing. Trotzdem würde Nils alles daransetzen, so oft wie möglich mit ihm Streife zu fahren. Natürlich war Norberg in seiner Position mehr an die Dienststelle gefesselt als seine Kollegen, aber Nils konnte sich nicht vorstellen, dass er sich zu einem reinen Schreibtischtäter entwickeln würde.

Wenn er das hinbekam, hätte er gleich zwei Fliegen mit einer Klappe geschlagen. Weil er dann auch endlich Paulsen von der Backe bekäme, mit dem Hoyer ihn in der letzten Zeit immer häufiger rausgeschickt hatte. Nils war das ziemlich gegen den Strich gegangen, da er den Kollegen, der stets den Großkotz rauskehrte und im Umgang mit Frauen einen auf dicke Hose machte, vom ersten Moment an abgelehnt hatte. Es war ihm ein Rätsel, wieso Hoyer Paulsens Versetzung in ihre Dienststelle zugestimmt hatte, denn ihm mussten doch auch die Gerüchte zu Ohren gekommen sein, die über den Mann im Umlauf waren.

»Was stehst du hier rum? Hast du nichts zu tun?«

Nils unterdrückte einen Seufzer. Wenn man vom Teufel sprach! Oder, besser gesagt, an ihn dachte. Paulsen kam den Deichgrafenweg entlangspaziert, als hätte er alle Zeit der Welt. Er hatte nur kurz tanken wollen, aber als Nils jetzt einen verstohlenen Blick auf seine Armbanduhr warf, sah er, dass bereits über eine Stunde verstrichen war. Dabei lagen die nächsten Tankstellen nur bummelige fünf Fahrminuten entfernt. Außerdem … Wo war der Streifenwagen? »Wo hast du den Wagen gelassen?«

Paulsen trat neben ihn, und Nils musste sich zwingen, nicht einen Schritt zurückzutreten. Der Kollege hatte offensichtlich noch nie etwas von der Distanzzone gehört, da er allen Menschen zu dicht auf die Pelle rückte, egal ob Mann oder Frau.

»An der Tanke, da war so ein komisches Klopfgeräusch am Motor. Knut und ich haben auf den ersten Blick nichts gefunden, deshalb habe ich den Wagen dagelassen. Wenn's nichts Größeres ist, kann ich ihn nachher wieder abholen.«

Nils blickte Paulsen hinterher, als dieser lässigen Schrittes die Dienststelle betrat. Er war sich nicht sicher, ob er dessen Aussage glauben konnte. Gut möglich, dass Paulsen wieder was am Laufen hatte, wie er sich auszudrücken pflegte, wenn er wieder eine Frau aufgerissen hatte. In solchen Zeiten nahm er sich die Freiheit, immer mal wieder für eine Stunde zu verschwinden, mit der Entschuldigung, dass er tanken oder den Wagen waschen lassen müsse, dass die Getränke- oder Naschvorräte in der Dienststelle einer Auffrischung bedürften oder Ähnliches. Glauben tat ihm das niemand mehr, aber Claas Hoyer hatte es ihm durchgehen lassen, und die Kollegen hatten nicht aufgemuckt. Ja, auch er nicht, diesen Schuh musste Nils sich anziehen.

Höchste Zeit, dass das endlich aufhörte! Norberg würde schnell begreifen, wie der Hase lief, und dem Ganzen einen Riegel vorschieben. Davon war Nils überzeugt.

20

Gegen Mittag landete Bent Forsgren in Hamburg. Sophie hatte seit ihrem letzten Gespräch eine weitere Nachricht geschickt, in der sie ihm mitteilte, dass um dreizehn Uhr eine Besprechung angesetzt worden sei, bei der er auf jeden Fall dabei sein müsse. Die Arbeiten am Hotelneubau in St. Peter-Ording sollten demnächst beginnen und hielten viele in Atem, fast tägliche Sitzungen waren mittlerweile die Regel. Trotzdem empfand Forsgren diesen kurzfristigen Termin als Schikane, die ihn so dermaßen erbost hatte, dass er Sophie eine Antwort schuldig geblieben war.

Der Vorabend hatte in einem bösen Streit mit Rasmus geendet, der trotz des Wissens um Sophies Schwangerschaft nicht mit Vorhaltungen gespart hatte. Deshalb müsse man doch heutzutage nicht mehr heiraten, was für ein Bullshit, man befände sich doch nicht mehr im vergangenen Jahrtausend. Rasmus war nicht davon abzubringen gewesen, dass dies nicht der Hauptgrund für seine, Bents, Rückkehr zu Sophie gewesen wäre. Ein Wort hatte das andere gegeben, und als sich Rasmus mit der Aussage verabschieden wollte, dass er ihn jetzt erst mal eine längere Zeit nicht sehen wolle und darüber nachdenken müsse, was ihre Freundschaft ihm noch wert sei, hatte Forsgren ihm in seiner Hilflosigkeit einige böse Worte an den Kopf geworfen. Wer die Schlägerei, die schließlich zu ihrer beider Rauswurf aus der Bar geführt hatte, begonnen hatte, konnte er selbst bei seiner Ankunft in

Hamburg nicht sagen, da der Restalkohol seinen Kopf noch immer vernebelte.

Normalerweise wäre er in diesem Zustand nicht in seinen Wagen gestiegen. Aber in seinem Leben war nichts mehr normal, also war es auch schon egal. Er holte den BMW aus dem Parkhaus und bretterte die Ausfahrt hinunter, wobei es ihn zweimal um ein Haar fast aus der Kurve getragen hätte.

Der Gedanke, Sophie in zwei Stunden wieder gegenüberzustehen, setzte ihm zu. Hatte er sie eigentlich jemals geliebt? Oder nicht viel eher den Gedanken, in diese angesehene Hoteliersfamilie einzuheiraten, mit deren Geld er seine Träume von außergewöhnlichen Hotelbauten endlich verwirklichen konnte? Zweckbauten wie das Einkaufszentrum in Malmö waren wichtig für den Erhalt der Firma, ebenso Geschäfts- und Wohnhäuser, und Bent hatte auch nie die Absicht gehabt, solche Aufträge nicht mehr anzunehmen. Aber er hatte sich nicht wie sein Vater ausschließlich mit solchen Projekten zufriedengeben wollen. Seinem Vater hatten immer die Visionen gefehlt, Bent hingegen besaß sie im Überfluss. Allerdings hatte es ihm stets an den Auftraggebern gemangelt, mit denen er sie teilen und vor allen Dingen umsetzen konnte.

Bis er Constanze Brechtmann kennengelernt hatte. Sie war vom ersten Augenblick an von seinen Ideen begeistert gewesen und hatte ihm einmal anvertraut, dass sie sich mit den Hotelbauten, die ihr verstorbener Mann errichtet hatte, niemals hatte identifizieren können. Viel zu bieder, Nullachtfünfzehn-Gebäude ohne jegliche Fantasie, wie man sie an vielen Orten im Überfluss fand. Sophie teilte die Ansichten ihrer Mutter, auch ihr stand der Sinn nach einer Neuausrichtung. Es hätte also alles perfekt sein können, wenn Nina nicht in sein Leben getreten wäre …

Während er die Eiderbrücke bei Tönning überquerte und einen Blick auf die kleine Hafenstadt mit dem weithin sichtbaren Barockturm der St. Laurentius Kirche warf, überkam ihn trotz aller Anspannung zum ersten Mal ein Gefühl von Nachhausekommen. Was vollkommen widersinnig war, denn in den vergangenen Wochen hatte er nur noch weggewollt. Nein, korrigierte er sich, das stimmte nicht ganz. Er hatte die Menschen hinter sich lassen wollen, nicht aber die Landschaft, die ihn immer wieder auf eine ganz seltsame Weise berührte. Eine Empfindung, die sich auch dieses Mal während der Fahrt über die Halbinsel Eiderstedt einstellte, beim Blick auf das Marschland zu beiden Seiten der Strecke, die Schaf- und Kuhherden, die dort grasten, die kleinen Ortschaften, die er passierte. Er war diese Strecke zum ersten Mal vor bald zwei Jahren gefahren, nachdem ihn die Mail von *Küstenhotels* erreicht hatte, in der man ihm mitteilte, dass sein Entwurf für ein neues Hotel in St. Peter-Ording in die engere Wahl gekommen sei und die Hoteliersfamilie ihn gerne kennenlernen würde.

St. Peter-Ording hatte ihn begeistert. Der weite Himmel und das Licht, das ihm an manchen Tagen fast magisch erschien, der endlose Strand, an dem man selbst im Hochsommer nie das Gefühl bekam, dass er demnächst wegen Überfüllung geschlossen werden müsste. Davor hatte er an der nordfriesischen Küste nur die Insel Sylt von zwei Besuchen gekannt, bei denen er mit dem Flieger angereist war. Es waren Wochenendtrips gewesen, die Recherchezwecken gedient hatten, weil er in Erfahrung bringen wollte, was im Hotelbereich aber auch bei Wohnhäusern an Projekten in den einzelnen Ortschaften anstand und wie es mit Ausschreibungen aussah. Nachdem er sich dann allerdings mit der desaströsen Anreisesituation über den Hindenburgdamm vertraut gemacht hatte, hatte er Abstand von der Überlegung genommen, sich an den Ausschreibungen für zwei kleinere Hotelneubauten in Kampen und Rantum zu beteiligen. Die Insel hing auf Gedeih und Verderb von diesem Damm und der Deutschen Bahn ab, die sich nach allem, was er herausgefunden hatte, mittlerweile zu einem Hochrisikofaktor entwickelt hatten. Dann doch lieber auf dem Festland bleiben, wo sich St. Peter-Ording mehr und mehr zu einem Hotspot entwickelte.

Wie immer, wenn er sich dem Badeort näherte, hielt er Ausschau nach dem rechter Hand gelegenen Leuchtturm Westerheversand, dessen Spitze man bei guter Sicht hinter dem Deich erkennen konnte. Heute bekam er ihn allerdings nicht zu Gesicht, da es zu diesig war. Der Turm mit den Leuchtturmwärterhäusern an beiden Seiten hatte ihn auf den ersten Blick fasziniert, und als Sophie seinerzeit vorgeschlagen hatte, sich dort oben trauen zu lassen, hatte er ohne Zögern zugestimmt. Mittlerweile hatte sie sich erneut um einen Termin bemüht, und er hoffte, dass es noch dauern würde, da diese Termine rar und äußerst begehrt waren. Er hatte das Gefühl, dass die Falle, in der er saß, mit der Heirat endgültig zuschnappen würde.

Der Grund, weshalb Sophie dieses Mal Eile an den Tag legte, war offensichtlich. Sie wollte kein Risiko eingehen, dass er sich ein zweites Mal von ihr abwandte. Obwohl sie diesbezüglich überhaupt nichts zu befürchten hatte, da ihre Mutter ihm in aller Deutlichkeit klargemacht hatte, was ihm blühen würde, sollte er Sophie noch ein einziges Mal wehtun.

Endgültiger Verlust der Hotelaufträge sowie eine Reihe einschlägiger Artikel, die auch in dänischen Zeitungen erscheinen würden und nach denen er kein Bein mehr auf den Boden bekäme. Er wusste, dass Constanze über die besten Kontakte verfügte und diese Drohung wahr machen würde. Des Weiteren hatte sie ihm erklärt, dass er sein Kind niemals zu Gesicht bekommen würde. Er hatte sich immer Kinder gewünscht, und dieser Punkt hatte mindestens ebenso schwer wie die berufliche Perspektive gewogen.

Im Ortsteil Bad bog er in den Strandläuferweg ein, in dem er vor einem Jahr ein Zweizimmerappartement in einem Mehrfamilienhaus mit insgesamt acht Wohneinheiten gekauft hatte. Im Sommer war er nicht gerne hier, da die anderen Appartements ausnahmslos als Ferienwohnungen vermietet wurden. Es war ihm zu laut im Haus und auch in der dicht bebauten Umgebung, in der es in der Hochsaison vor Menschen wimmelte. Sophie hatte ihm eine Suite im Hotel angeboten und, nachdem sie ein Paar geworden waren, das Gästezimmer in ihrem Haus, aber er hatte einen Rückzugsort gebraucht, an dem er ungestört arbeiten konnte.

Bent parkte den Wagen auf seinem Parkplatz neben dem Haus und brachte den Trolley in seine Wohnung hinauf, bevor er sich auf den Weg ins Hotel machte.

Sophie befand sich noch immer in der Sitzung, die aber bald zu Ende sein müsse, wie er an der Rezeption erfuhr, wo man ihm die Keycard für die Suite aushändigte. Er lief die Treppe hinauf und begab sich im Wohnraum zielstrebig zur gut bestückten Bar, weil er dringend einen Whisky benötigte.

Mit dem Glas in der Hand trat er auf den Balkon hinaus und kippte die golden schimmernde Flüssigkeit in einem Zug hinunter. Ein zweites Glas folgte, aber auch dieses trug nicht zur Beruhigung seiner aufgewühlten Emotionen bei, sondern nährte die unterschwellig immer vorhandene Aggressivität. Er starrte in den Himmel, an dem sich mittlerweile dunkle Wolken türmten, und registrierte, dass der Wind zugenommen hatte. Im Wetterbericht auf der Fahrt hierher war von einem Gewitter die Rede gewesen.

Als sich unvermittelt Arme um ihn schlangen, schrak er zusammen und fuhr herum. Das Glas fiel zu Boden. »Sophie!«

Sie drängte sich an ihn, ihre Lippen verschlossen seinen Mund. Er spürte ihre Brüste, die Hitze ihres Körpers, ihre Hand in seinem Schritt, und obwohl er sich dagegen wehrte, übermannte ihn auf einmal ein übermächtiges Verlangen. An den Sex mit ihr, der so oft auch Kampf war, weil sie die Führungsrolle, die sie beruflich mittlerweile innehatte, auch im Bett nicht aufgeben wollte. Sie hatte ihn in den letzten Wochen häufig auf Distanz gehalten, eine Strafmaßnahme für seinen Fehltritt, und er fragte sich jetzt mit jäher Wut, wieso er sich das eigentlich hatte gefallen lassen. Ja, er war zu Kreuze gekrochen, aber das bedeutete nicht, dass er sich unter Sophies Herrschaft begeben würde. Je eher sie das begriff, desto besser.

»Bent!« Sophie japste erschrocken auf, als er in den Ausschnitt ihres Kleides griff und es mit einem einzigen Ruck zerriss. Grob drängte er sie ins Zimmer, auf den Boden, und zerrte ungeduldig ihren Slip herunter, bevor er sich seiner Hose entledigte. Als er in sie eindrang, stieß sie einen Schrei aus. Sie wand sich unter seinen Stößen, schlang die Beine um seine Hüften. Ihre Augen standen weit offen, ihr Gesicht war in einer Mischung aus Ekstase und Schmerz verzerrt. Er vernahm ihr Keuchen und stieß noch härter zu, einzig getrieben von dem Willen, ihr zu zeigen, wer hier das Sagen hatte. Ihre Arme griffen nach ihm, aber sie stieß ihn nicht von sich, sondern zog ihn noch näher heran.

Als es vorbei war, ließ er sich zur Seite fallen. Sein Atem ging schwer, in seinen Ohren rauschte es. Er brauchte einen Augenblick, bis er seinen Körper zum Aufstehen zwingen konnte. Er warf keinen Blick auf Sophie, sondern richtete seine Kleidung, dann verließ er die Suite.

21

Nachdem Norberg seine Entscheidung getroffen hatte, hatten sich Sören Rohde und Lars Klüver sofort in ihren Streifenwagen gesetzt und die erneute Suche nach dem Unfallwagen begonnen. Sie hatten den Bereich nördlich der B202 aufgeteilt und wollten sich am heutigen Tag die Strecke bis nach Garding und dann hoch Richtung Poppenbüll vornehmen. Die Rückfahrt sollte über den Tümlauer Koog erfolgen. Für den kommenden Tag war der Bereich zwischen Westerhever und Osterhever eingeplant.

Sie hatten die Kollegen der beiden anderen Eiderstedter Polizeistationen in Garding und Tönning darüber informiert, dass sie auf der Suche nach einem Fahrzeug ein wenig in ihren Revieren wildern würden. Der Kontakt war gut, schon allein aufgrund der Tatsache, dass nachts und am Wochenende häufig nur eine der drei Stationen besetzt und somit für ganz Eiderstedt zuständig war, und deshalb immer ein reger Austausch erfolgte.

Die Suche war auch dieses Mal zeitaufwendig. Von der B202 ging eine Reihe von Nebenstraßen ab, von denen wiederum Landwirtschaftswege in das Marschland mit seinen unzähligen Gräben abzweigten. Manche dieser Wege waren so schmal, dass zwei Autos nicht aneinander vorbeigekommen wären.

Der Tag war bisher ergebnislos verlaufen. Sie hatten zwar einige verlassene Scheunen inspiziert, den gesuchten Wagen aber nicht gefunden.

Gegen vierzehn Uhr legten sie in Poppenbüll auf dem Parkplatz Achter de Kark eine kurze Mittagspause ein, um ihre mitgenommenen Brote zu verzehren. Nachdem sie über viele Jahre die Pausen an irgendwelchen Imbissen verbracht hatten, waren ihre Frauen übereingekommen, dass eine gesündere Ernährung hermusste. Seitdem bekamen sie Vollkornbrot mit gesundem Belag, Salatblatt, Gurke und Tomate sowie unterschiedliches Obst mit und fühlten sich an manchen Tagen wie Schuljungs auf einem Ausflug, wenn sie sich über den Inhalt der liebevoll gepackten Brotdosen hermachten.

»Was gibt's heute bei dir?«, fragte Klüver und warf einen Blick in Rohdes Dose.

Dieser verzog gequält das Gesicht, nachdem er den Belag der Brote inspiziert hatte. »Bierschinken und Emmentaler. Dabei hab ich Frauke schon hundertmal gesagt, dass sie mir das endlich ersparen soll.«

»Es ist aber auch ein bisschen schwierig, wenn man einen Gourmet zum Mann hat«, grinste Klüver.

»Ich bin überhaupt kein Gourmet, ich mag bloß einige Sachen nicht.«

»Du magst eine ganze Reihe von Sachen nicht.« Klüver reichte dem Kollegen seine Dose rüber. »Salami und Camembert, das entspricht doch eher deinem Geschmack, oder?«

Rohde grinste, nahm die Brotdose entgegen und reichte Klüver die seine. Es war nicht das erste Mal, dass sie tauschten, und es würde mit Sicherheit auch nicht das letzte Mal sein.

»Hätte ich ja nicht gedacht, dass Norberg sein Okay gibt. Oder jedenfalls nicht so schnell«, sagte Klüver und schraubte eine Wasserflasche auf.

»Ich hab doch gesagt, dass der Mann frischen Wind bei uns reinbringt.« Rohde kaute mit vollen Backen. »Der ist ein anderes Kaliber als Claas, der bei manchen Dingen viel zu schnell eingeknickt ist, weil er keinen Ärger wollte. Das Problem scheint Norberg nicht zu haben, als Mordermittler darfst du allerdings auch nicht zimperlich sein.«

Klüver nahm einen großen Schluck und nickte gedankenvoll. Er blickte die Straße entlang, auf der zwei Jungen angefangen hatten zu bolzen. Als sie den Streifenwagen bemerkten, verloren sie jedoch sehr schnell das Interesse am Kicken und kamen neugierig näher.

»Moinsen«, sagte der jüngere der beiden, ein vielleicht zehnjähriger Blondschopf mit neugierigen Augen und einem aufgeweckten Gesicht. »Is' was passiert?«

»Nö«, entgegnete Klüver, »was soll denn passiert sein?«

»Na ja, weil Sie hier stehen. Hier ist doch eigentlich tote Hose.«

Die beiden Polizisten grienten. »Und deshalb hättet ihr jetzt gerne ein bisschen Action, oder wie?«, meinte Rohde.

»Jo!«, sagte der ältere, der sich bisher im Hintergrund gehalten hatte. Aber auch ihm stand die Neugierde ins Gesicht geschrieben. »Haben Sie 'ne Leiche gefunden?«

»Nee, haben wir nicht«, antwortete Klüver.

»Schade«, sagte der Blondschopf.

»Jetzt hör dir diese Gören an.« Rohde schüttelte den Kopf und bemühte sich krampfhaft, ein Grinsen zu unterdrücken.

»Und warum sind Sie dann hier?« Der Blondschopf ließ nicht locker.

Klüver hielt die Brotdose hoch. »Auch starke Männer müssen mal was essen.«

Wie aufs Stichwort erschien eine Frau auf der Straße, die die beiden Jungen zum Mittagessen rief. Grinsend blickten die beiden Polizisten ihnen hinterher, als sie von dannen trotteten, sichtlich enttäuscht, dass sie nun nicht mehr erfahren würden, was zwei Streifenpolizisten nach Poppenbüll geführt hatte.

22

Am frühen Nachmittag kehrte Anna zur Polizeistation zurück und ging sofort in das kleine Büro, das Claas Hoyer ihr mit einem Schmunzeln und dem Hinweis auf ihren *Sonderstatus* zugewiesen hatte. Sie war sehr froh, dass sie in einem Einzelbüro arbeiten konnte, und hoffte, es auch nach Norbergs Amtsantritt weiterhin nutzen zu können. Denn schließlich war sie hier ja nur zu Gast.

KüstenFreunde SH hatte bisher weder auf ihre Mail noch die Nachricht auf dem Anrufbeantworter reagiert. Auf der Website war keine ladungsfähige Anschrift vermerkt, obwohl dies gesetzlich vorgeschrieben war. Mit etwas Glück konnte ihr hier Kai Hellmer weiterhelfen, der sich als Lokalreporter ja auskennen dürfte.

Anna brachte Hellmers Adresse in Erfahrung und machte sich anschließend auf den Weg in Norbergs Büro. Mal sehen, ob er heute etwas umgänglicher als bei ihrem gestrigen Telefonat war und ein Ohr für sie hatte.

Das Büro war leer. Als sie sich auf die Suche machen wollte, wäre sie in der Tür fast mit Norberg zusammengeprallt. Er sah zornig aus, während er sich an ihr vorbeidrängte, und als sie durch die offen stehende Eingangstür blickte, durch die er anscheinend gerade hereingekommen war, sah sie Michael Paulsen im Freien stehen, auf dessen Gesicht ebenfalls eine Gewitterfront lag. Kein gutes Zeichen, wenn die beiden gleich am ersten Tag aneinanderrasselten. Sie ging wieder in

Norbergs Zimmer zurück. »Wie sieht es denn jetzt mit Ihrer Zeit aus?«

Er wies auf den Stuhl vor seinem Schreibtisch. »Nur noch ein Telefonat, dann können wir reden.«

Während des kurzen Telefongesprächs musterte sie ihn. Das kurz geschnittene braune Haar zeigte erste Anzeichen von Grau, und um die dunklen Augen in dem markanten Gesicht lagen tiefe Schatten, die von Erschöpfung und zu wenig Schlaf über einen längeren Zeitraum sprachen. Die Uniform stand ihm gut, seine schlanke Figur deutete auf einen Menschen hin, der viel Sport trieb oder vielleicht auch nur über gute Gene verfügte.

Er beendete das Gespräch und blickte sie entschuldigend an. »Tut mir leid, dass ich gestern so kurz angebunden war.« Er deutete auf die Kaffeekanne, die auf dem Schreibtisch stand. »Möchten Sie auch einen Kaffee?«

Anna schüttelte den Kopf. »Danke, nein. Ich bin Teetrinkerin.«

Norberg füllte seinen Becher wieder auf. »Passt ja auch besser hierher. Wir haben einige schöne Teeläden im Ort.«

Sein Hinweis gab ihr die Gelegenheit für eine private Frage. »Leben Sie schon immer hier?«

»Seit achtzehn Jahren.« Sein Gesichtsausdruck signalisierte, dass er keine weiteren Fragen in diese Richtung beantworten würde. Ihm dürfte bewusst sein, dass die Kollegen sie über den Tod seiner Frau und die Umstände seiner Versetzung nach St. Peter informiert hatten. Aber sie scheute sich zu kondolieren, da sie damit rechnen musste, dass er dies als einen aufdringlichen Versuch empfinden könnte, auf diesem Wege mehr über sein Privatleben zu erfahren. Also schwenkte sie wieder zum dienstlichen Bereich zurück und erzählte von den Besuchen bei Constanze und Sophie Brechtmann sowie dem bei Jutta Gräfsen und ihrem Mann. »Angeblich hat Nina keine der drei Frauen in ihrem Urlaub besucht.«

»Angeblich? Dann hatten Sie den Eindruck, dass die Aussagen nicht der Wahrheit entsprachen?«

Anna nickte. »Ich hatte bei allen das Gefühl, dass sie mir etwas verheimlichen.«

»Und was war mit dem Ehemann von Jutta Gräfsen? Wenn Nina Brechtmann ihre leibliche Mutter besucht hätte, müsste er das doch wissen. Aber er hat doch ebenfalls angegeben, dass kein Besuch stattgefunden hätte.«

»Jutta Gräfsen kann ihre Tochter ohne sein Wissen getroffen haben. Sie hat ja zugegeben, dass sie immer wieder versucht hat, Nina zu erreichen, nachdem diese den Kontakt abgebrochen hatte. Vielleicht ist es in diesem Urlaub doch zu einem Treffen gekommen. Da kann etwas eskaliert sein, und das dürfte Frau Gräfsen ihrem Mann wohl eher nicht erzählt haben.«

»Wollen Sie damit andeuten, dass die Frau ihrer Tochter etwas angetan haben könnte?«

»Ich schließe im Moment überhaupt nichts aus. Jutta Gräfsen war laut ihrer Aussage überglücklich, als sich Nina bei ihr gemeldet hat. In dem Bemühen, alles wiedergutzumachen, klammert sie zunehmend, was Nina ihr ja auch vorgeworfen hat. Nina bricht den Kontakt ab, und Jutta Gräfsen verliert ihre Tochter zum zweiten Mal. Das kann sie nicht ertragen und rastet aus.«

Norberg sah sie mit einem nachdenklichen Blick an. »Ja«, sagte er nach einer Weile, »das ist nicht von der Hand zu weisen.«

»Mein Problem ist, dass ich noch immer niemanden aus Nina Brechtmanns sozialem Umfeld gefunden habe. Ich hatte ja schon erwähnt, dass ihre Kollegen sie diesbezüglich als sehr verschlossen bezeichnet haben, aber ich finde es merkwürdig, dass sie so überhaupt nichts wussten. Bei den Brechtmanns würde mir das ja einleuchten, wenn es wirklich stimmen sollte, dass sie seit Jahren keinen Kontakt mehr hatten.« Anna seufzte. »Jedenfalls war Jutta Gräfsen die Einzige, die mir zumindest ein Stück weiterhelfen konnte. Sie hat einen Mann erwähnt, mit dem Nina zusammen war. Kai Hellmer, ein freier Journalist, der in Friedrichskoog wohnt. Ich wollte ihn nach unserem Gespräch aufsuchen und hoffe, dass er mir auch etwas über Ninas Umweltaktivitäten erzählen kann.« Sie erzählte Norberg von den bisher vergeblichen Kontaktversuchen zu *KüstenFreunde SH*. »Inwieweit kann ich mit Unterstützung von Ihrer Seite rechnen? Falls notwendig?«

Norberg runzelte die Stirn. »Was meinen Sie mit ›falls notwendig‹?«

»Wenn ich Namen erfahre, werden Befragungen notwendig sein. Die kann ich natürlich auch allein durchführen, aber ich muss Ihnen ja nicht sagen, dass ich dann sehr viel Zeit verliere.« Sie entschloss sich, ihre größte Sorge offen auszusprechen. »Ich habe Angst, dass ich zu spät kommen könnte. Ich hatte in München vor einigen Jahren den Fall eines verschwundenen Mannes, der sich letzten Endes als Entführungsfall herausstellte. Seine Eltern waren sehr reich und hatten sich an die Forderung der Entführer gehalten, die Polizei nicht einzuschalten. Als sie es endlich zugegeben haben, war viel kostbare Zeit verstrichen. Wir konnten erst dann gezielt suchen, haben aber nur noch seine Leiche gefunden.« Sie schloss die Augen, für einen Moment von der Erinnerung an ihren bisher schlimmsten Fall übermannt. Als sie sie wieder öffnete, sah sie Norbergs Blick auf sich gerichtet.

»Vermuten Sie bei Nina Brechtmann denn ebenfalls einen Entführungsfall?«

»Wie gesagt, ich schließe im Moment nichts aus. Ich habe sowohl Constanze als auch Sophie Brechtmann darauf angesprochen, und beide haben verneint, eine Lösegeldforderung erhalten zu haben.«

»Nun gut, aber wir wissen ja, dass das nichts heißen muss.«

»Genau. Constanze Brechtmann wurde nämlich sichtlich nervös bei dieser Frage.«

Norberg schüttelte den Kopf, als er ihren Blick sah. »Vergessen Sie's. Wir können die beiden Frauen nicht aufgrund eines vagen Verdachts rund um die Uhr überwachen lassen, weil sie vielleicht gelogen haben und es irgendwann zu einer Geldübergabe kommen könnte. Für eine solche Aktion habe ich nicht genug Leute.«

»Das ist mir klar«, räumte Anna ein. Obwohl Claas Hoyer sie darauf hingewiesen hatte, dass sie bei ihren Ermittlungen weitestgehend auf sich allein gestellt sein würde, wollte sie nichts unversucht lassen, um Norbergs Interesse für diesen Fall zu wecken. Er war ein erfahrener Mordermittler, dessen Unterstützung sie gut gebrauchen konnte. Sie war immer eine Teamplayerin gewesen und würde es auch gerne bleiben.

»Dann ist es ja gut«, erwiderte er. Seine Worte waren zwar etwas barsch herausgekommen, aber sie sah in seinen Augen, dass sie ihn am Haken hatte. »Und wegen eventueller

Befragungen sprechen wir dann noch mal, wenn Sie weitergekommen sind.«

Anna erhob sich. »Dann werde ich jetzt mal diesen Kai Hellmer aufsuchen.«

Norberg nickte und wandte sich einem Papierstapel auf seinem Schreibtisch zu. Sie hatte sein Zimmer schon fast verlassen, als sie noch einmal seine Stimme hörte.

»Halten Sie mich auf dem Laufenden!«

Der Satz war Norberg, ohne zu überlegen, herausgerutscht, und er fragte sich, wie das jetzt weitergehen sollte. Dass sein Vorgänger Anna Wagner nach St. Peter-Ording geholt hatte, fand noch immer nicht sein uneingeschränktes Einverständnis, auch wenn er dem Argument bezüglich der täglichen Fahrzeiten zustimmte. Bis zu diesem Gespräch war er unentschlossen gewesen, ob er ihre Anwesenheit für diesen einen Fall akzeptieren oder darauf dringen sollte, dass sie nach Kiel zurückkehrte und den Fall von dort aus bearbeitete. Aber das gerade geführte Gespräch hatte eine Wende in ihm herbeigeführt. Weil es den schon fast vergessenen Jagdinstinkt in ihm wachgekitzelt hatte, der so viele Jahre maßgeblich für sein berufliches Leben gewesen war. Er hatte ihn schmerzlich vermisst in all den Monaten fernab seiner Arbeitsstätte, und ihm wurde bewusst, dass er nicht länger auf ihn verzichten konnte. Nicht länger auf ihn verzichten *wollte*, weil er einen großen Teil seiner Person ausmachte und ihm zu einer Reihe von Erfolgen verholfen hatte. Er wusste, dass ihn die Arbeit als Schutzpolizist niemals so erfüllen würde wie seine bisherige. Aber er hatte seine Entscheidung getroffen, und er würde sie nicht rückgängig machen. Wenn er allerdings so wie jetzt die Möglichkeit bekäme, an etwas mitzuarbeiten, was sehr nah an seiner alten Arbeit war, würde er die Chance ergreifen.

23

Argwöhnisch starrte Kai Hellmer die Frau an, die vor seiner Wohnungstür stand. »Polizei? Was wollen Sie von mir?«

Sie konnten es nicht herausgefunden haben. Oder hatte womöglich doch jemand gequatscht?

Die Frau, die sich als Oberkommissarin Anna Wagner vorgestellt hatte, ließ sich von seinem unfreundlichen Ton nicht abschrecken, sondern machte eine Geste ins Innere seiner Wohnung. »Das würde ich ungern hier im Hausflur besprechen. Darf ich reinkommen?«

Nein, darfst du nicht, wäre es ihm beinah rausgerutscht, aber er konnte sich im letzten Moment beherrschen und machte widerstrebend den Weg frei. Die Wohnung war ein Saustall, aber im Moment war es ihm scheißegal, was das über ihn aussagen musste. Die Absagen von zwei großen Hamburger Tageszeitungen, die er am Morgen aus dem Briefkasten geholt hatte, hatten ihm jegliche Energie geraubt und dafür gesorgt, dass er den restlichen Tag in der Wohnung rumgehangen und sich weder um die längst fällige Wäsche noch das Aufräumen der Küche gekümmert hatte.

Und jetzt war das alles sowieso nicht mehr wichtig, denn wenn sie …

Hör auf, dich verrückt zu machen, warte doch erst mal ab, was eigentlich los ist!

Er ging voraus ins Wohnzimmer und sah, wie die Polizistin den Raum nach ihrem Eintreten aufmerksam musterte, bevor sie sich auf den angebotenen Sessel setzte und ohne Umschweife zur Sache kam.

»Herr Hellmer, ist es richtig, dass Sie mit Nina Brechtmann befreundet waren?«

Kai fühlte, wie ihm der Schweiß ausbrach. »Ja … wieso?«

»Frau Brechtmann ist nicht aus ihrem Urlaub zurückgekehrt und wurde vor einigen Tagen vermisst gemeldet. Können Sie uns irgendwelche Hinweise geben, was geschehen sein könnte, oder wissen Sie vielleicht, wo sie sich aufhält?«

Kai hatte das Gefühl, als wäre sein Körper innerhalb weniger Sekunden zu einem Eisblock erstarrt. Er stierte die Frau vor sich an, unfähig zu einer Erwiderung. Jetzt würden sie ihn nicht mehr vom Haken lassen.

»Herr Hellmer?« Die Stimme drang wie durch Watte zu ihm.

Reiß dich zusammen, verdammt!

»Nein, tut mir leid!« Er musste sich mehrmals räuspern, bis er seine Stimme wieder unter Kontrolle hatte. »Wir haben uns schon vor Monaten getrennt und hatten seitdem keinen Kontakt mehr.«

Der Blick der Kommissarin war argwöhnisch geworden. »Was hat zu der Trennung geführt?«

Er stieß ein höhnisches Lachen aus, und die Erbitterung, die ihn bei diesem Thema stets überkam, brachte Leben in seinen Körper zurück und minderte für einen Augenblick die aufgestiegene Angst. »Das, was meistens zu einer Trennung führt. Nina hatte einen anderen Mann kennengelernt und mich abserviert.«

»Kennen Sie den Namen dieses Mannes?«

Abwesend strich er sich über die Stirn. »Das ist irgendso 'n dänischer Architekt. Bent Forsgren. Er soll den Auftrag für einen Hotelneubau in St. Peter-Ording erhalten haben.«

»Hat Nina Ihnen den Namen genannt?«

»Ja.« Nina hatte ihm überhaupt nichts gesagt, er hatte den Namen von einem Freund erfahren, der die beiden in Friedrichskoog gesehen hatte und den Architekten von einer Veranstaltung in St. Peter-Ording her kannte.

»Haben Sie Herrn Forsgren einmal kennengelernt?«

»Wie kommen Sie denn darauf? Glauben Sie, ich guck mir den Kerl an, der mir meine Freundin ausgespannt hat?«

Die Kommissarin machte eine weitere Notiz in dem kleinen Block, den sie zu Beginn ihres Gesprächs aus der Tasche gezogen hatte.

»Kam es zu Streitigkeiten zwischen Ihnen und Frau Brechtmann bei Ihrer letzten Begegnung? Oder gar zu Handgreiflichkeiten?«

Wieder erschien der letzte Abend vor seinem geistigen Auge, und für einen Moment übermannte ihn die Erinnerung. Er blickte auf und begegnete dem Blick der Kommissarin. »Nein, weder noch. Wir sind wie zivilisierte Menschen auseinandergegangen. Ich gehöre nicht zu den Männern, die Frauen schlagen!«

Die Kommissarin schaute ihn einen Moment lang schweigend an, und Kai hatte das verrückte Gefühl, dass sie bis auf den Grund seiner Seele blicken konnte. »Wie sieht das mit Ninas Freundeskreis aus, Herr Hellmer? Können Sie uns da Namen nennen?«

Er schüttelte den Kopf. »Nein. Ich habe mich manchmal gefragt, ob sie überhaupt Freunde hat, denn sie hat nie welche erwähnt.« Es gibt Menschen, die sind sich selbst genug, hatte er häufig gedacht. Weil sie in sich ruhen und vollkommen in dem aufgehen, was sie tun. Weil sie mit den kleinen Dingen des Lebens glücklich sind und nicht ständig irgendeinem Erfolg hinterherhetzen. Manchmal hatte er Nina um diese Einstellung beneidet.

»Nina hatte sich unseres Wissens nach der Umweltgruppe *KüstenFreunde SH* angeschlossen. Ist die Ihnen bekannt?«, wollte die Kommissarin wissen.

»Ja, Nina hatte mich mal gebeten, einen Artikel über die zu schreiben, damit sie in den Fokus der Öffentlichkeit rücken. Hab aber keinen Abnehmer gefunden, deshalb habe ich die Arbeit wieder eingestellt.«

»Dann ist Ihnen doch sicher deren Adresse bekannt, oder? Auf ihrer Website ist nämlich keine angegeben.«

Kai zog sein Smartphone aus der Hosentasche, erleichtert darüber, dass sich das Interesse der Kommissarin nicht mehr ausschließlich auf ihn konzentrierte. »Die müsste ich noch hier drin haben.« Er suchte einen Augenblick, dann hatte er die Adresse gefunden und gab sie und den Namen, den er seinerzeit eingetragen hatte, an Anna Wagner weiter. »Die Leiterin der Gruppe heißt Ria Herzog. Ich hatte mich damals mit ihr unterhalten, mir allerdings mehr von dem Gespräch erhofft.«

»Inwiefern?«

»Na ja, ich denke, dass sie mit einigem hinterm Berg gehalten hat. Da war immer nur die Rede davon, dass sie und ihre Mitstreiter demonstrieren und auch mal Sitzblockaden veranstalten, aber vor allen Dingen mit den Menschen ins Gespräch kommen wollen. Das konnte ich mir nicht so richtig vorstellen, ich denke, dass die auch radikale Aktionen durchgeführt oder zumindest geplant haben. Und das ist genau das, was die Leser haben wollen. Ordentlich Action.«

»Aha … Und wie sollte die Ihrer Meinung nach aussehen?«

»Na ja, Dächer erklimmen, sich irgendwo anketten oder so 'n Zeug. Action halt.«

»Dann hätten Sie also nichts dagegen, wenn es bei diesen Aktionen auch zu Gewaltanwendungen durch eine solche Gruppe käme?«

»Nein, nein, das habe ich nicht gesagt. Legen Sie mir jetzt nicht irgendwelche Worte in den Mund.« Der Blick der Kommissarin gefiel ihm nicht.

»Haben Sie bei Ihrer Recherche noch andere Mitglieder dieser Gruppe kennengelernt?«

»Wir haben uns damals in deren Büro getroffen, und da liefen noch andere rum. Da hat diese Ria mir aber keine Namen genannt.«

»Gibt es bestimmte Zeiten, zu denen die Truppe in ihrem Büro erreichbar ist?«

Er warf einen weiteren Blick auf sein Smartphone. »Dienstags und donnerstags, jeweils von vierzehn bis sechzehn Uhr. Das hatte Nina jedenfalls gesagt.«

Die Kommissarin blickte ihn an. »Danke, Herr Hellmer, diese Auskünfte haben mir weitergeholfen.« Sie strich sich eine Haarsträhne hinter das Ohr. »Kommen wir noch einmal auf Nina Brechtmann zurück. Wie lange waren Sie beide zusammen?«

»Zwei Jahre.«

»Gab es in der Zeit einmal Auffälligkeiten in Frau Brechtmanns Verhalten? Depressionen vielleicht oder Angstzustände oder irgendetwas, was jetzt zu einem Suizid geführt haben könnte? Oder hat sie mal davon gesprochen, sich abzusetzen und irgendwo ein neues Leben zu beginnen? Denken Sie bitte nach, alles ist wichtig für uns.«

Kai schüttelte den Kopf. »Nein, da war nichts.« Die Kommissarin wirkte nicht überzeugt, aber schließlich stand sie auf und verabschiedete sich.

Sein Magen stülpte sich um, als er die Wohnungstür hinter ihr geschlossen hatte. Er schaffte es auf die letzte Sekunde ins Bad, wo er sich in einem Schwall in die Toilettenschüssel erbrach.

24

Am späten Nachmittag kehrte Anna Wagner zur Polizeistation zurück und kam ein weiteres Mal in Norbergs Büro. Er war mittlerweile ausgesprochen schlechter Laune, weil er einen erneuten Disput mit Michael Paulsen hinter sich gebracht hatte, der sich zu der völlig widersinnigen Äußerung hatte hinreißen lassen, dass ihm die Leitung der Station zustehen würde, da er an Jahren ja schließlich der Älteste der Truppe sei. Wenn die nachfolgende Auseinandersetzung nicht so unerfreulich gewesen wäre, hätte Norberg laut gelacht. Den niedrigsten Dienstrang aufweisen, aber nach der Leitung greifen, mehr Realitätsferne gab es ja wohl nicht. Nach dem Gespräch hatte Norberg Claas Hoyer angerufen und sich nach Feierabend mit ihm verabredet, weil er nun doch wissen wollte, welche Umstände dazu geführt hatten, dass Paulsen auf der untersten Stufe stehen geblieben war. Einen Grund musste es ja geben, und er war überzeugt, dass er nichts Erfreuliches zu hören bekäme.

Wenn man der Münchner Kollegin etwas zugutehalten konnte, dann war es die Tatsache, dass sie sofort zur Sache kam. »Nina Brechtmann hat Kai Hellmer wegen eines dänischen Architekten verlassen, der hier in St. Peter ein Hotel bauen soll. Bent Forsgren. Ist Ihnen der Name zufällig schon mal untergekommen?«

Norberg überlegte und schüttelte dann den Kopf. »Tut mir leid.«

»Wie ich gelesen habe, soll der geplante Hotelneubau der

Brechtmanns von einem dänischen Architekturbüro durchgeführt werden. Das könnte doch diesem Forsgren gehören. Oder stehen hier vor Ort noch weitere Neubauprojekte an?«

»Da fragen Sie den Falschen.«

»Aber Sie leben hier, da hat doch bestimmt mal was in der Zeitung gestanden.«

Norberg reagierte schroffer als beabsichtigt auf ihre ungeduldige Bemerkung. »Das mag wohl sein, nur hatte ich in den letzten Monaten keine Zeit zum Zeitunglesen!«

Anna Wagner ließ sich nicht aus der Ruhe bringen. »Dann werde ich jetzt mal das Netz durchforsten, ob ich irgendwo auf diesen Bent Forsgren stoße. Welche Tageszeitungen erscheinen denn hier?«

»Die *Husumer Nachrichten* und die *Dithmarscher Landeszeitung*. Die dürfte aber wohl kaum über ein Hotelprojekt in St. Peter-Ording berichten.« Oder waren es noch mehr Zeitungen? Er musste sich eingestehen, dass er auch das nicht wusste, aber ihm kam ein Gedanke, und er griff zum Telefonhörer. »Wenn uns da jemand weiterhelfen kann, dann meine Schwiegermutter.«

Corinna nannte dieselben Namen, und er fragte sie bei der Gelegenheit, ob sie etwas von einem dänischen Architekten namens Bent Forsgren in Zusammenhang mit einem Hotelneubau in St. Peter gelesen oder gehört habe. Das hatte sie in der Tat, und sie versorgte ihn auch gleich mit weiteren Informationen.

»Bent Forsgren war mit Sophie Brechtmann verlobt und hat die Verlobung Anfang des Jahres gelöst«, sagte Norberg nach Ende des Gesprächs.

Anna Wagner blickte ihn überrascht an. »Das kann dann doch nur damit zusammenhängen, dass er sich in Nina verliebt hat.«

»Meine Schwiegermutter hat mir noch mehr erzählt.« Norberg war wieder einmal überrascht, wie gut Corinna in St. Peter vernetzt war. Obwohl das bei etwas mehr als viertausend Einwohnern nun auch wieder nicht *so* ungewöhnlich war. »Nach der Trennung hat Forsgren den Hotelauftrag hier im Ort und einen weiteren in Eckernförde verloren, der ebenfalls von den Brechtmanns realisiert werden sollte. Das alles wusste sie jedoch nur vom Hörensagen, in unseren hiesigen Zeitungen hat sie nichts darüber gelesen.«

»Na ja, so eine geplatzte Verlobung und deren Folgen hängt man ja auch nicht an die große Glocke. Dafür dürften die Brechtmanns gesorgt haben, dass nichts an die Öffentlichkeit gedrungen ist.« Anna erhob sich. »Mal sehen, wo dieser Bent Forsgren gemeldet ist und was das Internet über ihn hergibt. Hellmer kannte übrigens die Adresse von *Küsten-Freunde SH* und hat mir auch den Namen der Leiterin genannt. Ria Herzog. Sagt Ihnen der etwas?«

Norberg dachte kurz nach und schüttelte dann den Kopf. »Nie gehört.«

»Okay«, sagte Anna und machte sich auf den Weg zur Tür. »Dann lege ich mal los.«

»Wenn Sie wollen, kann ich mich mit dem GZ Padborg in Verbindung setzen, um Forsgrens dänischen Hintergrund abzuchecken.«

Das Gemeinsame Zentrum der deutschen und dänischen Polizeibehörden. Gute Idee. Anna klopfte kurz an den Türstock und nickte mit einem dankbaren Lächeln. »Gerne!«

Norberg blickte ihr nach, als sie sein Zimmer verließ. Zum ersten Mal konnte er sich tatsächlich mit ihrer Anwesenheit in seiner Dienststelle anfreunden. Sie schnackte nicht lange, sondern packte die Dinge an und arbeitete zielorientiert. Jemanden wie sie hätte er sich seinerzeit im K1 in Itzehoe gewünscht, wo er sich bei manchen Kolleginnen und Kollegen gefragt hatte, wie sie es eigentlich in eine Mordkommission geschafft hatten.

Er loggte sich in das System ein und stellte fest, dass es über Bent Forsgren einen Eintrag vom vergangenen Jahr gab, als der Architekt wegen überhöhter Geschwindigkeit von einer Radarfalle erfasst worden war und ein einmonatiges Fahrverbot erhalten hatte. Forsgren war unter einer Adresse im Strandläuferweg gemeldet. Da sein Hauptwohnsitz allerdings in Dänemark sein dürfte, schickte Norberg trotzdem eine Anfrage an die Kollegen in Padborg. Die Antwort brachte dann die Bestätigung: Hauptwohnsitz Kopenhagen. In strafrechtlicher Hinsicht war der Mann in Dänemark ein unbeschriebenes Blatt, und auch in Deutschland war außer dem Fahrverbot nichts weiter angefallen. Allerdings erinnerte sich der dänische Kollege daran, dass er vor einiger Zeit einen Beitrag über Forsgren und dessen Firma im Fernsehen gesehen hatte, in dem unter anderem die Rede von finanziellen Schwierigkeiten gewesen war. Der Kollege versprach, sich umgehend schlauzumachen. Norberg erhob sich und ging in Annas Büro.

Die Suche nach Ria Herzog war ergebnislos verlaufen. Im System war keine Frau mit diesem Namen vermerkt, und auch eine kursorische Suche im Internet hatte nichts gebracht. Kein Eintrag im Telefonbuch, keine Artikel, in denen sie auftauchte, und die Suche in den sozialen Netzwerken war auch von keinem Erfolg gekrönt gewesen, da Anna nicht wusste, wie Ria Herzog aussah, und die wenigen Profile, die sie gefunden hatte, keinen Aufschluss über die dahinterstehenden Personen gaben.

Die Internetsuche nach Bent Forsgren war hingegen ergiebiger gewesen. Bevor sie damit fortfuhr, beschloss Anna, eine kurze Pause einzulegen und sich einen Tee zu machen. Da klopfte es an ihrer Tür.

»Ja?« Sie massierte ihren verkrampften Nacken und stöhnte unwillkürlich auf, als sie den schmerzenden Punkt erreichte, der sie mittlerweile schon nach kurzer Zeit am Bildschirm malträtierte. Als sie aufschaute, sah sie Norberg im Türrahmen stehen.

»Sieht aus, als könnten Sie eine Massage gebrauchen.«

Anna lächelte gequält. »Eine? Ich brauche ein ganzes Paket, damit mein Rücken wieder in Ordnung kommt. Aber ich habe wenig Hoffnung, dass ich hier auf die Schnelle irgendwo einen Termin bekomme. Gute Physiotherapeuten sind doch auf Monate ausgebucht.«

Norberg runzelte die Stirn und schien zu überlegen, dann deutete er auf den Post-it-Block, der vor ihr lag. »Darf ich?«

Sie schob ihm den Block hinüber und sah zu, wie er etwas auf den obersten Zettel schrieb, diesen abriss und ihr reichte. »Wenn Sie wollen, kann ich hier einen Termin in den nächsten Tagen für Sie ausmachen.«

Erstaunt blickte sie ihn an. »In den nächsten Tagen schon? Das würde ja an Hexerei grenzen.«

Sein Gesicht blieb ausdruckslos. »Die Praxis hat meiner verstorbenen Frau gehört.«

Anna nickte und vermied es, auf seine Bemerkung einzugehen. »Dann würde ich Ihr Angebot gerne annehmen.«

Norberg ließ sich auf dem Besucherstuhl vor ihrem Schreibtisch nieder. »Wie sind Sie vorangekommen?«

»Über Ria Herzog habe ich noch nicht das Geringste herausgefunden.« Anna blickte auf ihren vollgeschriebenen Notizblock. »Was Forsgren anbelangt, konnte ich zumindest ein bisschen in Erfahrung bringen. Social-Media-mäßig scheint er nicht unterwegs zu sein, er hat aber natürlich eine Website, die allerdings kaum Privates preisgibt. Nur dass er 1982 in Kopenhagen geboren wurde und wie seine Ausbildung aussah. Kein Hinweis auf eine Familie. Darüber hinaus habe ich einige Artikel gefunden, die in Zusammenhang mit seiner Arbeit stehen. Ein paar davon sind in hiesigen Zeitungen erschienen, in denen geht es um den Hotelneubau der Brechtmanns. Die anderen Artikel stammen aus dänischen Zeitungen.« Sie griff nach einigen DIN-A4-Blättern, die neben dem Telefon lagen. »Da müssten wir einen Übersetzer bemühen.«

Norberg schüttelte den Kopf. »Die können Sie mir geben. Ich bin ein bisschen mit der Sprache vertraut.«

Anna händigte ihm die Zettel aus und schaute wieder in ihren Block. »Ansonsten wird auf der Website erwähnt, dass Forsgren seit dem Tod seines Vaters vor sieben Jahren dessen Firma *Forsgren Arkitekt* weiterführt. Die Projekte auf der Website sind nicht besonders spektakulär. Wohn- und Geschäftshäuser, aktuelle Bauten waren nicht zu finden.«

»Da scheint irgendwas mit der Firma zu sein«, sagte Norberg. »Der dänische Kollege erinnerte sich an einen Fernsehbeitrag, in dem die Rede von finanziellen Schwierigkeiten gewesen sein soll. Er will sich noch einmal melden. Forsgren hat seinen Hauptwohnsitz übrigens in Kopenhagen, besitzt aber auch hier in St. Peter eine Wohnung.« Er horchte in Richtung der offen stehenden Tür und sprang dann auf. »Das hört sich nach meinem Telefon an. Vielleicht ist das ja schon Padborg.«

Als Norberg einige Minuten später zurückkam, lag ein zufriedener Ausdruck auf seinem Gesicht. »Forsgrens Firma hat vor drei Monaten den Auftrag für ein großes Einkaufszentrum in Malmö verloren. Deshalb steht die Vermutung einer bevorstehenden Insolvenz im Raum.«

»Das ist ja interessant. Zuerst gehen ihm die beiden Hotelaufträge flöten und dann auch noch der in Schweden.« Anna krauste die Nase. »Dazu könnte ich ihn bei der Gelegenheit dann auch gleich befragen.« Sie erhob sich. »Vielleicht treffe ich ihn ja in seiner Wohnung an.«

Norberg stand ebenfalls auf. »Ich würde gerne mitkommen.«

»Klar, warum nicht!«

Auf ihr Klingeln erfolgte keine Reaktion. Doch als sie den Strandläuferweg zurück zum Streifenwagen gingen, den Norberg in einer Parkbucht auf der gegenüberliegenden Straßenseite abgestellt hatte, kam ihnen der Mann entgegen, den sie suchten. Anna hatte sein Gesicht in den letzten Stunden mehrere Male auf Fotos gesehen, sie erkannte ihn sofort und trat ihm in den Weg.

»Bent Forsgren?«

Er stoppte abrupt und musterte sie mit misstrauischem Blick, vor allem Norberg in seiner Uniform. »Ja?«

Anna stellte Norberg und sich selbst vor und zeigte ihren

Dienstausweis. »Wir müssen mit Ihnen sprechen. Es geht um Nina Brechtmann.«

»Ich verstehe nicht.« Jetzt wirkte er nervös.

Anna deutete in Richtung des Hauses, von dem sie gerade gekommen waren. »Können wir uns in Ihrer Wohnung unterhalten?«

Es war unübersehbar, dass Forsgren dieser Vorschlag missfiel, aber ihm schien klar zu sein, dass eine Weigerung einen schlechten Eindruck machen würde. »Meinetwegen.«

Das Treppenhaus machte ebenso wie das Äußere des Gebäudes einen ansprechenden Eindruck. Viel Marmor, hellgrau gestrichene Wände und Wohnungstüren in einem dunkleren Grauton mit mattierten länglichen Glaseinsätzen im Mittelbereich. In Forsgrens Wohnung schien ebenfalls die Farbe Grau zu dominieren, die nur sehr sparsam von einigen Farbtupfern aufgelockert wurde, welche sich in mehreren großformatigen abstrakten Bildern im Flur und im Wohnzimmer fanden, in das Forsgren sie jetzt führte. Während sie seiner Aufforderung, Platz zu nehmen, nachkamen, musterte Anna den Architekten unauffällig. An die eins fünfundachtzig groß, durchtrainierte Figur, ein gut geschnittenes Gesicht mit kurzen blonden Haaren und blauen Augen; Forsgren ließ sich in die Rubrik »Frauentyp« einordnen. Sein Deutsch hatte den typischen Akzent der Dänen, der immer so charmant klang, wie Anna fand. Mit Charme schien Forsgren allerdings wenig am Hut zu haben. Er bot ihnen nichts zu trinken an, sondern fragte nur, weshalb sie gekommen wären.

»Sie erwähnten Nina Brechtmann. Was ist mit ihr?«

»Sie wird vermisst«, sagte Anna. »Und wir hoffen, dass Sie uns in dieser Angelegenheit weiterhelfen können.«

Forsgrens Augen weiteten sich. »Vermisst?« Sein Blick flog zwischen ihnen hin und her, die Nachricht hatte ihn sichtlich bestürzt. »Seit wann?«

»Das wissen wir nicht genau«, sagte Anna. »Nina ist nach einer Urlaubswoche nicht an ihren Arbeitsplatz zurückgekehrt und wurde von ihren Kollegen am 25. Juni vermisst gemeldet. Die Kollegen haben erwähnt, dass Nina wohl den Plan hatte, sich in ihrem Urlaub mit ihrer Familie zu treffen. Laut Aussagen von Constanze und Sophie Brechtmann ist Nina aber nicht bei ihnen gewesen. Und auch ihre leibliche Mutter gibt an, dass Nina nicht bei ihr war.« Sie suchte seinen Blick. »Ich gehe davon aus, dass Sie von der Adoption wissen.«

Forsgren erhob sich und ging mit keinem Wort auf ihre Frage ein. Anna sah, dass seine Hände zitterten, als er einige Zeitschriften auf dem Couchtisch zusammenschob. »Entschuldigung, ich habe Ihnen noch gar nichts angeboten. Möchten Sie vielleicht ein Wasser? Ich kann auch schnell einen Kaffee oder Tee machen.«

»Nein danke!« Norberg kam Annas Ablehnung zuvor. Hatte Forsgren bis jetzt den Eindruck erweckt, dass er sie so schnell wie möglich loswerden wollte, versuchte er jetzt ganz offensichtlich, Zeit zu schinden, weil ihre Nachricht ihn komplett aus der Fassung gebracht zu haben schien. Das hatte natürlich auch Norberg bemerkt.

»Aber ich möchte einen Schluck Wasser.« Forsgren verschwand, und einen Augenblick später waren aus der Küche Geräusche zu vernehmen.

Anna warf einen Blick zu Norberg, der mit ausdruckslosem Gesicht neben ihr saß. Sie überlegte, wie sie bei der Befragung vorgehen sollten. In München waren sie und ein Kollege ein eingespieltes Team gewesen, aber wie Norberg die Dinge anging, wusste sie natürlich noch nicht. Es blieb allerdings keine Zeit für eine Absprache, da sie Forsgren zurückkommen hörte. Er hielt ein halb volles Wasserglas in der Hand, das er auf dem Tisch abstellte, bevor er wieder ihnen gegenüber Platz nahm. »Wieso kommen Sie in dieser Angelegenheit zu mir?«, fragte er. Er war immer noch blass unter seiner Sonnenbräune, schien sich aber wieder gefangen zu haben.

»Weil Sie unseres Wissens nach eine Beziehung mit Nina Brechtmann haben«, sagte Norberg.

Forsgrens Blick flackerte für einen kurzen Moment. »Wer behauptet das?«

»Der Exfreund von Frau Brechtmann«, antwortete Anna. »Er hat ausgesagt, dass Nina ihn Ihretwegen verlassen hätte.«

Forsgren schwieg einen Augenblick, dann setzte er sich aufrecht hin und verschränkte die Hände im Schoß. »Der Exfreund ist nicht auf dem neuesten Stand. Nina und ich hatten eine Beziehung, das ist richtig. Wir haben aber sehr schnell festgestellt, dass es nicht mit uns passt, und uns wieder getrennt.«

»Wann war das?«

»Vor vier Monaten oder so. Das genaue Datum hab ich nicht mehr im Kopf.«

Er trauert, dachte Anna. Der Ausdruck seiner Augen, die Körpersprache, nichts stimmte überein mit seiner Aussage, die in einem gleichgültigen Tonfall erfolgt war, so als spräche er von einer vollkommen belanglosen Angelegenheit. Er hatte seinerzeit die Beziehung mit Sophie Brechtmann beendet, obwohl er davon ausgehen musste, dass er die beiden Hotelaufträge dadurch verlieren würde. Aber Nina war es ihm wert gewesen, also mussten doch große Gefühle im Spiel gewesen sein. Warum dann diese Trennung nach so kurzer Zeit?

»Wann haben Sie Nina Brechtmann das letzte Mal gesehen?«, fragte Norberg.

»Am Tag unserer Trennung.«

»Deren Datum Sie vergessen haben.«

Forsgren ließ Norbergs Provokation unbeantwortet.

»Wie hat Frau Brechtmann die Trennung aufgenommen?«, wollte Anna wissen.

»Wie gesagt, wir haben festgestellt, dass es mit uns nicht passt, und uns einvernehmlich getrennt. Da waren keine großen Emotionen im Spiel.«

»Also nichts, was Ursache für Frau Brechtmanns Verschwinden sein könnte?«, hakte Anna nach.

»Was meinen Sie damit?«

»Ich denke, dass bei Trennungen immer Emotionen im Spiel sind, Herr Forsgren. Selbst wenn man nur kurze Zeit zusammen war. Vielleicht hat sich Frau Brechtmann die Trennung mehr zu Herzen genommen, als sie es sich hat anmerken lassen.«

»Das glaube ich nicht.« Seine Stimme klang rau.

»Ist Frau Brechtmann ein labiler Typ?«, fragte Norberg.

»Falls Sie damit andeuten wollen, dass sie sich etwas angetan haben könnte, kann ich nur sagen, nein. Das kann ich mir beim besten Willen nicht vorstellen.«

»Hatten Sie nach der Trennung irgendwann noch Kontakt? Persönlich, schriftlich, telefonisch?«

Forsgren schüttelte den Kopf. »Nein.«

»Wie sieht es mit Freunden von Nina aus? Können Sie uns da Namen nennen?«, fragte Anna.

Auch diese Frage verneinte Forsgren.

»Sagen Sie, Herr Forsgren, bevor Sie mit Nina Brechtmann zusammenkamen, waren Sie doch mit ihrer Schwester Sophie verlobt.«

»Was hat das eine mit dem anderen zu tun?« Jetzt war er auf der Hut, seine Stimme hatte einen aggressiven Tonfall angenommen.

Anna ließ sich nicht beirren und führte ihren Gedanken aus. »Und nachdem Sie die Verlobung gelöst haben, wurde Ihnen der Auftrag für die beiden Hotelneubauten der Brechtmanns entzogen.« Mal sehen, wie er auf diese Bemerkung reagiert, dachte Anna, denn immerhin war nichts davon öffentlich gemacht worden. Es wird ihm bestimmt nicht gefallen, wenn er sieht, dass wir unsere Hausaufgaben gemacht haben. »Außerdem haben Sie den Auftrag für den Neubau eines großen Einkaufzentrums in Malmö verloren. Drei geplatzte Aufträge in kürzester Zeit. Das muss für Ihre Firma doch ein herber Schlag gewesen sein.«

Forsgren wirkte für einen Moment schockiert, dann verhärteten sich seine Gesichtszüge. »Ich weiß wirklich nicht, was Sie damit andeuten wollen. Außerdem gehen Sie meine beruflichen Belange nichts an, und ich verwahre mich dagegen, dass Sie mir hinterherspionieren!« Er warf einen demonstrativen Blick auf seine Armbanduhr. »Und jetzt müssen Sie mich entschuldigen, ich habe einen Termin.«

Anna zückte noch einmal ihren Kugelschreiber. »Ich benötige Ihre Kontaktdaten, falls wir Sie ein weiteres Mal behelligen müssen.«

Forsgren zog sein Portemonnaie aus der Hosentasche und reichte ihr eine Visitenkarte.

»Danke. Bleiben Sie in der nächsten Zeit in St. Peter-Ording?«

»Das kann ich Ihnen nicht sagen.«

Anna holte ebenfalls ihre Visitenkarte heraus und legte sie vor Forsgren auf den Tisch. »Auf der Rückseite stehen meine Dienst- und meine Handynummer. Falls Ihnen noch etwas einfallen sollte.« Sie erhob sich und lächelte ihn an. »Es wäre gut, wenn Sie noch eine Weile hierblieben. Ich denke nämlich, dass wir weitere Fragen an Sie haben werden.«

»Und? Was halten Sie von ihm?«, fragte Anna auf dem Rückweg zum Streifenwagen.

»Schwer zu sagen.« Norberg entriegelte die Autotüren, stieg aber nicht ein, sondern legte die Arme auf dem Dach des Wagens ab und starrte nachdenklich Richtung Deich, von dem aus sich mehrere Touristen näherten, die zwei große Bollerwagen mit mehreren Kleinkindern und Spielzeug hinter sich herzogen. Die Gruppe hielt auf das Haus zu, aus dem sie gerade gekommen waren. Anna fragte sich, wie viele Ferienwohnungen es wohl in St. Peter gab und ob man hier überhaupt noch ein Mehrfamilienhaus fand, in dem man eine Wohnung kaufen oder mieten konnte, ohne ständig wechselnde Nachbarn zu haben. Das wäre jedenfalls nichts für sie. Als sie einen Blick auf ihre Armbanduhr warf, stellte sie fest, dass es bereits nach siebzehn Uhr war.

»Ich denke jetzt mal laut«, sagte sie. »Forsgren verlässt Sophie für ihre Schwester und verliert dadurch die beiden Hotelaufträge. Das hätte seiner Firma wohl noch nicht das Genick gebrochen, denn sonst wäre er dieses Risiko ja nicht sehenden Auges eingegangen. Aber dann platzt als Nächstes der Auftrag in Malmö, der vom Volumen her um einiges größer gewesen sein dürfte. Ein Einkaufszentrum ist schließlich kein Pappenstiel. Danach folgt dann die Trennung von Nina.« Sie richtete einen intensiven Blick auf Norberg. »Was, wenn er zu Sophie zurückgekehrt ist, weil er sich zumindest die zwei Aufträge hier zurückholen wollte, um seine Firma vor dem Konkurs zu retten? Nina akzeptiert die Trennung nicht, macht Stress und wird von ihm aus dem Weg geräumt.« Die Überlegung ergab ihrer Meinung nach Sinn, wollte aber nicht so recht zu dem passen, was sie in seiner Körpersprache wahrgenommen hatte. Da waren eindeutig der Schock über Ninas Verschwinden und Schmerz zu sehen gewesen. Sie wollte diesen Gedanken aber noch für sich behalten, da sie aus Erfahrung wusste, dass männlichen Kollegen häufig der Draht für solche Empfindungen fehlte.

»Dachte ich mir, dass Sie mit Ihrer Bemerkung darauf abgezielt haben«, erwiderte Norberg. »Aber eine Antwort haben Sie doch bestimmt nicht erwartet, oder?«

Puh, den letzten Satz hätte er sich wirklich verkneifen können, dachte Anna. Sie hatte zwar nicht seine Erfahrung, aber deppert war sie nun auch nicht. »Nein, natürlich nicht! Ich wollte ihm zeigen, dass wir ihn auf dem Schirm haben, was das Verschwinden von Nina Brechtmann anbelangt, und zwar unabhängig davon, was er uns erzählt. Ein bisschen Aufschrecken kann nie schaden.« Sie blickte Norberg grübelnd an. »Wir sollten die dänischen Kollegen noch mal um Amtshilfe bitten, damit sie Forsgrens Mitarbeiter befragen. Dass strafrechtlich bisher nichts gegen ihn vorliegt, muss ja nicht bedeuten, dass er eine blütenweiße Weste hat. Vielleicht erfahren wir auf diesem Weg noch ein bisschen mehr über ihn.«

»Ich kümmere mich darum, wenn wir zurück sind.« Norberg stieg in den Streifenwagen, und Anna nahm auf dem Beifahrersitz Platz. »Wollen Sie heute noch nach Friedrichskoog zu diesen Umweltleuten?«, fragte er und startete den Motor.

»Ja. Hellmer hat mir zwar gesagt, dass die nur dienstags und donnerstags zwischen vierzehn und sechzehn Uhr in ihren Büroräumen anzutreffen sind, aber wer weiß, ob diese Aussage zutrifft! Ich will nichts unversucht lassen.«

Bevor er an diesem Abend nach Hause fuhr, war Norberg mit Claas Hoyer verabredet, der ihn zu sich eingeladen hatte. Hoyer und seine Frau bewohnten einen gemütlichen Bungalow in der Badallee, und bei seiner Ankunft nahm der ehemalige Dienststellenleiter Norberg mit auf die Terrasse, wo behagliche Sitzmöbel auf sie warteten.

»Wo drückt denn der Schuh?«, wollte Hoyer wissen, nachdem Norberg das angebotene Bier abgelehnt und stattdessen um ein Glas Wasser gebeten hatte. Ihm stand noch ein Gespräch mit Lasse bevor, da brauchte er einen klaren Kopf.

Norberg nahm einen großen Schluck und seufzte. »Es geht um den Kollegen Paulsen.« Er sah, dass sich Hoyers Augenbrauen hoben.

»Gibt es Stress mit ihm?«

»Das kann man wohl sagen. Er hat Probleme, Anweisungen entgegenzunehmen, und mir vorhin an den Kopf geknallt, dass er mich nicht als neuen Vorgesetzten akzeptiert, weil *ihm* der Posten zustünde. Schließlich sei er an Jahren der Älteste in der Station.«

»Ach herrje«, rutschte es Hoyer heraus.

»Was ist mit dem Mann, dass er mit fünfzig noch Polizeimeister ist? Da müssen doch Dinge vorgefallen sein, denn normalerweise hat man in dem Alter doch einen höheren Dienstrang.«

»Ich hatte überlegt, ob ich es dir sage, aber du wolltest ja unbelastet auf die Kollegen zugehen und dir selber ein Bild machen.« Hoyer setzte sein Bierglas ab. »Paulsen ist als Querulant verschrien, der gerne mal Extratouren hinlegt. Außerdem soll es auf seinen vorherigen Dienststellen auch immer wieder Anzüglichkeiten und sexuelle Avancen gegenüber Kolleginnen gegeben haben. Es kam zwar nie zu irgendwelchen Meldungen, aber einige dieser Frauen haben sich versetzen lassen. In unserer Polizeistation ist er jetzt seit fünf Jahren und hat bisher noch keine Probleme gemacht. Nun haben wir hier aber viele Jahre auch keine Kolleginnen mehr gehabt. Deshalb hatte man mich gebeten, ihn zu nehmen. Ich gebe zu, dass ich nicht ganz glücklich mit seiner Versetzung war, aber ich wollte ihm jetzt auch nicht die letzte Chance nehmen, im Job zu bleiben.«

Aber jetzt haben wir eine Kollegin in der Station, dachte Norberg, wenn auch nur kurz, aber trotzdem musste verhindert werden, dass Paulsen Anna Wagner zu nahe trat. Nach Norbergs Einschätzung dürfte sie zwar in der Lage sein, sich zu wehren, aber solche Dinge mussten von Anfang an unterbunden werden. Er beschloss, sie gleich am nächsten Morgen zu fragen, ob in dieser Hinsicht bereits etwas vorgefallen war. Was die Auflehnung gegen ihn anbelangte, musste er sich seine Vorgehensweise überlegen. »Wie sieht es fachlich mit Paulsen aus? Ist er ein guter Polizist?«

Hoyer nickte. »Da kann ich ihm nichts vorwerfen, Extratouren hat er hier auch noch nicht gefahren.«

»Okay.« Norberg leerte sein Glas und erhob sich. »Danke für die Aufklärung.«

»Willst du schon los? Meine Frau hat heute Morgen Matjes geholt und macht gerade ihre berühmten Bratkartoffeln. Du bist herzlich eingeladen.«

Norberg schüttelte den Kopf. »Danke für das Angebot, aber ich muss nach Hause. Meine Schwiegermutter kümmert sich tagsüber um die Jungs, aber die will ja auch mal Feierabend haben.«

Corinna Heckler hatte es sich mit einem Buch im Strandkorb auf der Terrasse gemütlich gemacht. Als Norberg sich zu ihr setzte, wollte sie wissen, wie sein Tag gewesen war.

»Frag nicht.« Er erzählte ihr von Paulsens Dreistigkeit, erwähnte aber auch, dass er sich in den Vermisstenfall eingeschaltet hatte, den Anna Wagner bearbeitete. »Fühlt sich ein bisschen wie früher an.«

Corinna sah ihn einen Augenblick lang nachdenklich an. »Das wird, Hendrik. Wenn du dich erst mal in deiner neuen Position eingewöhnt hast, wird sie dir auch Spaß machen.«

Das bezweifelte Norberg, aber er widersprach Corinna nicht. Sie gab sich jetzt seit Monaten alle erdenkliche Mühe, ihn aufzurichten und in jeder Hinsicht zu unterstützen, obwohl sie doch selber Trost nötig hatte. Da durfte er sich nicht hängen lassen. »Hast du mit Lasse gesprochen?«

»Ja, aber er hat auch bei mir dichtgemacht. Ich habe ihm erklärt, warum er nicht in unser Ferienhaus ziehen kann, was er wortlos hingenommen hat. Nach dem Mittagessen hat er sich auf sein Fahrrad geschwungen und ist abgehauen. Um sechs ist er zurückgekommen.«

»Hast du ihn gefragt, wo er war?«

»Nein.« Corinna seufzte, als sie seinen Blick sah. »Hendrik, der Junge ist dreizehn. Wir dürfen ihn nicht wie ein Kleinkind behandeln und ständig versuchen rauszukriegen, wo er sich gerade aufhält. Zumindest tagsüber nicht. Ich glaube, dass es das Beste ist, wenn wir ihn einfach mal eine Zeit lang in Ruhe lassen.«

»Vielleicht hast du recht.« Norberg war sich nicht sicher, aber Corinna war eine lebenserfahrene Frau, auf deren Rat er vertraute. »Wo ist eigentlich Finn?«

»Der ist wieder mit Daniel und seinem Vater unterwegs, wird aber spätestens um zwanzig Uhr zurückgebracht.«

»Alles klar.« Norberg war seinem Freund sehr dankbar, dass er Finn mit zu den Ausflügen nahm und dem Stöpsel so ein bisschen Ablenkung verschaffte.

Corinna klappte ihr Buch zusammen und stand auf. »Im Kühlschrank ist noch ein Rest Gemüseauflauf von heute Mittag. Ich habe aber auch Fischsalate besorgt, falls du darauf Hunger hast.«

Norberg drückte ihr einen Kuss auf die Wange. »Danke Corinna! Wenn ich dich nicht hätte …«

Seine Schwiegermutter lachte. »Ja, ja, und die dicken Kartoffeln.«

Nachdem Corinna gegangen war, warf Norberg einen Blick in Lasses Zimmer. Sein Sohn saß wie so häufig vor dem Computer und klickte das Geschehen auf dem Bildschirm sofort weg, als er hörte, dass sich die Tür öffnete. Wieder einmal wurde Norberg bewusst, dass er auch nicht die geringste

Ahnung hatte, was sein Sohn im Internet trieb. Ihm war klar, dass er dieses Problem mit vielen Eltern teilte, und es widerstrebte ihm, Lasse hinterherzuspionieren, aber er konnte in dieser Hinsicht keine Vogel-Strauß-Politik betreiben. »Hallo«, sagte er und setzte sich aufs Bett, da der einzige Stuhl von Klamotten übersät war. »Was guckst du dir denn Spannendes an?«

Lasse sah ihn nicht an, seine rechte Hand spielte mit der Computermaus. »Nichts Besonderes«, sagte er nach einer Weile.

»Ich muss mir doch keine Sorgen machen, was deine Internetaktivitäten betrifft, oder?«

Jetzt sah Lasse ihn an, und der Ausdruck in seinen Augen schmerzte Norberg. »Du hast dir doch sonst auch nie Sorgen um uns gemacht.«

»Lasse, bitte. Können wir nicht vernünftig miteinander reden?«

»Ich wüsste nicht, worüber.« Lasse drehte sich wieder zur Seite.

Krampfhaft überlegte Norberg, wie er die Situation auflockern konnte. Sollte er Lasse von seinem ersten Arbeitstag erzählen? Nein, entschied er dann, das würde nichts bringen. Lasse hatte sich im Gegensatz zu Finn nie groß für seinen Beruf interessiert und dürfte ihn nach seinen harschen Worten vom Vortag jetzt endgültig ablehnen. Norberg blickte seinen Sohn an und verspürte eine grenzenlose Hilflosigkeit. Was konnte er tun, um die Sprachlosigkeit zwischen ihnen zu überwinden und die Wut zu mildern, die Lasse offensichtlich gegen ihn empfand? Er wusste es nicht, also stand er auf. »Sehen wir uns morgen beim Frühstück?«

Auch dieses Mal ließ sich Lasse mit einer Antwort Zeit. »Nein, es sind Ferien«, brachte er schließlich heraus, und es war ihm deutlich anzumerken, dass er wieder allein sein wollte. Mit einem unterdrückten Seufzer verließ Norberg den Raum.

25

Nach Feierabend hatten sich Sören Rohde und Lars Klüver in Absprache mit Norberg noch einmal auf den Weg gemacht, weil ihnen die Angelegenheit keine Ruhe ließ. Sie waren die Koogstraße Richtung Tümlauer Koog hochgefahren und hatten einen Abstecher zum Tümlauer Hafen gemacht, bevor sie ihre Fahrt dann in südlicher Richtung fortsetzten.

»Lass uns hier noch mal ein Stück weiterfahren«, sagte Klüver, als die Koogstraße in die Straße Norderdeich überging. »Da hab ich vor einem Jahr ein paar Jugendliche bei einem nächtlichen Saufgelage in einer heruntergekommenen Scheune erwischt, die zu einem aufgegebenen Hof gehört. Der Bauer ist vor fünf Jahren verstorben, Erben gibt es keine. Und wie es aussieht, hat auch niemand Interesse daran gehabt, den Hof zu kaufen. Die Scheune würde ein schönes Versteck abgeben.«

»Da war ich ja gar nicht dabei«, wunderte sich Rohde.

»Nee, du warst zu der Zeit ja auch im Urlaub.«

Die Straße war eher ein schmaler Landwirtschaftsweg, der dringend einer Sanierung bedurft hätte und ein zügiges Fahren unmöglich machte. Nach kurzer Zeit passierten sie den erwähnten Bauernhof, mehrere Hundert Meter dahinter kam eine Scheune in Sicht.

»Wieso liegt die nicht direkt am Hof?«, fragte Rohde.

Klüver zuckte mit den Schultern und parkte den Wagen auf einem mit Gras überwucherten Sandweg, der kaum noch als solcher zu erkennen war. »Frag mich nicht.«

Sie stiegen aus und nahmen das Äußere der Scheune in Augenschein, wobei Klüver feststellte, dass sie maroder war als in seiner Erinnerung. Zwar hatten die dunklen Holzwände der Witterung bis heute standgehalten, das vermooste Ziegeldach wies allerdings mehrere unterschiedlich große Löcher auf. Die Scheune war von Buschwerk und wild wucherndem Unkraut umgeben, das teilweise kniehoch stand und aus dem vereinzelte Mohnblumen ihre leuchtenden Blüten ins Licht streckten. Eine friedliche Stille umgab die abendliche Szenerie, nur hin und wieder war das Rauschen des Windes zu vernehmen, der ihre erhitzten Gesichter angenehm kühlte.

»Haben wir es nicht schön hier?«, fragte Rohde in einem Anflug von Sentimentalität und drehte sich einmal um die eigene Achse.

»Plattes Land und 'ne alte Scheune. Find ich jetzt nicht so bemerkenswert.« Klüver winkte ab und ging auf das Scheunentor zu.

Rohde folgte ihm grinsend. Er wusste, dass sein Freund und Kollege Eiderstedt ebenso liebte wie er und niemals auf die Idee käme, diesen Landstrich zu verlassen. Aber das Ausdrücken von Emotionen war nicht so sein Ding.

Das Tor war mit einem länglichen, ziemlich verrosteten Metallgriff versehen, und das darunter befindliche Schloss erweckte nicht den Eindruck, als würde sich irgendein Schlüssel darin herumdrehen lassen. Kurz entschlossen drückte Klüver den Griff herunter und zog einmal kräftig an der Tür. Die Scharniere ächzten, aber die Tür ließ sich ohne große Probleme öffnen. »Na, guck mal an«, sagte er, »das hätte ich jetzt nicht gedacht.«

Das Innere der Scheune lag im Halbdunkel, und ihre Augen brauchten einige Sekunden, um sich an die Lichtverhältnisse zu gewöhnen. Ausrangierte landwirtschaftliche Geräte waren zu beiden Seiten aufgereiht, die Luft roch abgestanden und muffig. Im hinteren Bereich waren Heuballen aufgestapelt, und als Rohde näher ging und den Strahl seiner Taschenlampe auf deren Rückseite richtete, stieß er einen Pfiff aus. »Ja, was haben wir denn hier?«

Klüver trat neben ihn und grinste über das ganze Gesicht, als er sah, was sich da vor ihnen befand. »Na, wenn das kein Auto ist!«

Hochbefriedigt klatschten sie sich ab. Wo die Kripo versagte, mussten eben die Dorfsheriffs ran.

»Dann lass uns mal anpacken«, ordnete Rohde an.

Sie schlüpften in Schutzanzüge und streiften Handschuhe über, und nach kurzer Zeit hatten sie die Heuballen beiseitegerückt und einen metallicblauen Opel Corsa älteren Datums freigelegt, an dem im Licht ihrer Taschenlampen ein Lackschaden auf der Motorhaube sowie eine eingedellte Stoßstange zu erkennen waren. Die beiden Kennzeichenschilder fehlten.

»Dann fahren wir mal lieber das große Besteck auf«, sagte Rohde und griff zu seinem Smartphone.

Eine Stunde später war das große Besteck, das aus den ermittelnden Kollegen aus Husum, der dortigen Spurensicherung sowie Hendrik Norberg bestand, vor Ort. Letzterer war aufgrund des kürzesten Anfahrtsweges schon kurze Zeit nach Klüvers Anruf eingetroffen und hatte ihnen als Erstes seine Anerkennung für ihre Arbeit ausgesprochen. Die Geste hatte sie schon ein wenig stolz gemacht, nachdem sie von den Husumer Kripokollegen wie die letzten Hiwis behandelt worden waren und ihr ehemaliger Dienststellenleiter sie aufs Abstellgleis geschoben hatte.

Als dann endlich auch der Ermittlungsleiter aus Husum eintraf, hatte bereits die Dunkelheit eingesetzt. Der Kollege schaute sich erst einmal im Licht der von der Spurensicherung installierten Halogenleuchten um, bis er schließlich auf Norberg zuging. Die schmallippige Art, die er bei der kurzen Begrüßung an den Tag legte, ließ den Schluss zu, dass ihm dieser am Vortag eine deutliche Ansage gemacht hatte, als es um den Wiedereinstieg ihrer Dienststelle in diesen Fall gegangen war.

»Die Kollegen stehen da drüben«, hörten sie Norberg sagen. »Sie haben diesen Fund gemacht, nicht ich. Also sollten Sie auch mit Ihnen sprechen.«

Norberg kam zwar mit dem mittlerweile ziemlich ungehalten aussehenden Ermittlungsleiter zu ihnen herüber, mischte sich aber nicht in das Gespräch ein. Auch dieses Verhalten kannten sie von seinem Vorgänger nicht.

»Nun ja«, sagte der Husumer Kollege nach Abschluss ihrer Erklärungen. »Der Wagen scheint zwar einen Unfall gehabt zu haben, aber es muss ja nicht der sein, den wir suchen.« Unwillig blickte er auf, als ein SpuSi-Mitarbeiter neben sie trat. »Was ist denn?«

»Wir konnten den Halter anhand der Fahrgestellnummer ermitteln«, sagte dieser, offenbar vollkommen unbeeindruckt von der ruppigen Art des Kollegen. »Der Wagen gehört einer Nina Brechtmann.«

26

Um einundzwanzig Uhr war Anna endlich zu Hause. Ihre Laune war auf einem Tiefpunkt angelangt, da Hellmers Aussage bezüglich der Öffnungszeiten der *KüstenFreunde SH* zugetroffen hatte: Als sie um achtzehn Uhr dreißig vor der Tür des unscheinbaren Gebäudes gestanden hatte, war diese verschlossen gewesen. Nachbarn, die sie hätte befragen können, gab es keine, da sich das Haus auf einem kleinen Industriegelände befand, auf dem um diese Zeit niemand mehr anzutreffen war. Sie war also nach St. Peter-Ording zurückgefahren und hatte, wie schon auf der Hinfahrt, die Route über die L305 genommen. Allerdings war sie dort in einen durch einen Unfall verursachten Stau vor dem Eidersperrwerk geraten. Dieser Umstand hatte ihren Plan, den mit nur zwei Joghurts bestückten Kühlschrank in ihrem Ferienhaus aufzufüllen, zunichtegemacht. Ihr Magen knurrte heftig, und da sie keine Lust verspürte, jetzt noch irgendwo etwas essen zu gehen, und ihre Dauerdiät ihr gerade so was von wurscht war, bestellte sie eine Pizza, die sie mit auf die Terrasse nahm. Es war ein lauer Abend, dessen friedliche Stille plötzlich von einer aufgebrachten Stimme durchbrochen wurde, die aus dem Haus der Hecklers zu ihr herüberdrang. Anna wollte nicht lauschen, aber sie konnte nicht umhin, die Worte mitzubekommen.

»Ich will nicht, dass du jeden Tag rübergehst. Du bist doch nicht Hendriks Haushälterin.« Peter Heckler, eindeutig.

Die Antwort seiner Frau war nicht zu verstehen.

»Nein, Corinna! Wenn Hendrik Stress mit Lasse hat, muss er das allein auf die Reihe kriegen. Da kannst du dich nicht ständig einmischen. Das ist eine Sache zwischen Vater und Sohn.«

Auch dieses Mal folgte eine für Anna unverständliche Erwiderung.

»Du brauchst mich nicht daran zu erinnern, dass Lasse mein Enkel ist. Ich liebe den Jungen, aber du musst doch zugeben, dass es noch nie leicht mit ihm war. Er gerät viel zu sehr nach Hendrik, das habe ich immer gesagt. Das gleiche unzugängliche Verhalten, die gleiche Sturheit in vielen Dingen, da könnte ich eine ganze Reihe von negativen Eigenschaften aufzählen.«

An diesem Punkt entschied Anna, ins Haus zurückzugehen. Es wäre ihr peinlich gewesen, wenn nebenan jemand herausgekommen und sie hier gesehen hätte, außerdem ging sie das Gesagte nichts an. Neugierde hin oder her, es gehörte sich einfach nicht, jetzt noch weiter zu lauschen.

Sie verspeiste den Rest der Pizza und setzte sich anschließend vor ihr Notebook, um die privaten Mails zu checken. Einige Freunde aus München hatten geschrieben, dass sie ihnen fehlen würde, weiterhin war eine Mail von ihrer besten Freundin Ilona gekommen, die in München ihre Nachbarin gewesen war. »Dein Ex ist jetzt wieder solo«, lautete die erste Zeile, gefolgt von einer Reihe Tränen lachender Smileys. Ilona hatte Ralf nie besonders gemocht, aber nachdem er sie, Anna, mit einer seiner Mitarbeiterinnen betrogen hatte, wünschte ihm Ilona die Pest an den Hals. Schließlich war diese Affäre von seiner Seite etwas Ernstes gewesen und hatte zur Trennung und einer schmutzigen Scheidung geführt. Einen Schlussstrich zu ziehen war Anna noch immer nicht vergönnt gewesen, da er sich nach wie vor weigerte, aus dem Haus, ihrem Elternhaus, auszuziehen. Sie ging bereits seit Monaten juristisch gegen ihn vor, aber ihr Anwalt hatte sie darauf vorbereitet, dass sich die Angelegenheit in die Länge ziehen könne.

Im weiteren Verlauf der Mail lästerte Ilona weiter über Ralf und berichtete von dem neuesten Klatsch und Tratsch, der sich in ihrem gemeinsamen Freundeskreis zugetragen hatte. Anna vermisste ihre Freundin sehr, die vertrauten Gespräche, aber auch das einvernehmliche Schweigen, das mit den wenigsten Menschen möglich war. Wenigstens hatte Ilona angekündigt, im kommenden Februar zur Biike nach St. Peter-Ording zu kommen, die hatte sie nämlich schon immer mal erleben wollen.

Eine plötzliche Traurigkeit überfiel Anna bei dem Gedanken, dass sie dann nicht mehr hier arbeiten würde, sondern ebenso wie ihre Freundin nur auf ein paar Urlaubstage herkommen könnte. Wenn ihr diese überhaupt genehmigt wurden.

In dieser Nacht schlief sie zum ersten Mal durch. Das fiel ihr die ersten Nächte in einem fremden Bett immer schwer, aber der wieder einmal lange Arbeitstag forderte seinen Tribut, und die Hitze tat ein Übriges. Als sie am Morgen ihr Smartphone suchte, fand sie es nicht an seinem angestammten Platz auf dem kleinen Stuhl neben dem Bett. Sie runzelte die Stirn und stieg ins Erdgeschoss hinunter, wo es auf der Arbeitsplatte am Ladekabel hing. Bei seinem Anblick kam die Erinnerung zurück: Sie hatte das Gerät, müde, wie sie war, am Ladekabel hängen gelassen und war nach dem Zähneputzen direkt ins Bett gewankt. Als sie jetzt das Smartphone zum Leben erweckte und die eingegangenen Nachrichten abrief, traute sie ihren Augen kaum. »Zefix!«

Wagen von Nina Brechtmann gefunden. Habe ihr Foto in die Fahndung gegeben. Morgen früh um sieben in meinem Büro.

Die Mail war am Vorabend um kurz vor dreiundzwanzig Uhr eingegangen. Eine Stunde vorher war eine Sprachnachricht von Norberg gekommen.

Noch mal verdammt, warum hatte sie blöde Kuh das Handy in der Küche liegen gelassen? Sie schlug sich gegen die Stirn. »Damisches Weib, damisches!«

27

Dienstag, 30. Juni

»Tut mir leid, was gestern geschehen ist.« Bent trat neben Sophie, aber er vermied es, sie zu berühren. »Ich hätte mich nicht so gehen lassen dürfen, ich weiß auch nicht, was da über mich gekommen ist.«

Sophie ergriff seine Hand und legte sie auf ihren Bauch. »Es hat ihm nicht geschadet.« Sie strich zärtlich über sein Gesicht. »Und ich mag es gerne wild, das weißt du doch.«

Er ging nicht auf ihre letzte Bemerkung ein. »Ihm? Du hattest doch gesagt, dass du das Geschlecht nicht vorher wissen willst.«

»Will ich auch nicht. Ist nur so ein Gefühl.« Sie lächelte ihn an und hauchte einen Kuss auf seine Wange.

Vor zehn Minuten hatte er an die Tür ihrer Suite geklopft, nachdem er sich am Vortag nicht mehr hatte blicken lassen. Der Besuch der Polizei hatte ihn so aufgewühlt, dass er für den Rest des Tages zu nichts mehr fähig gewesen war. Zum Glück hatte ihn Sophie dieses Mal nicht mit Nachrichten gequält.

»War die Polizei auch bei dir?«, fragte sie jetzt.

Er blickte sie fahrig an. »Du meinst wegen Ninas Verschwinden?«

Sie nickte.

»Ja, sie waren bei mir.«

»Und was hast du ihnen gesagt?«

»Dass ich ihnen nicht weiterhelfen kann, weil ich mich vor drei Monaten von Nina getrennt habe.« Er fühlte wieder diesen elenden Druck auf der Brust und stemmte sich mit aller Kraft gegen das Gefühl der Angst, das ihn seit gestern nicht mehr aus den Klauen ließ. »Die Polizei hat gesagt, dass sie sich in ihrem Urlaub mit ihrer Familie treffen wollte, aber nicht bei euch war. Kannst du dir das erklären?«

»Vielleicht hat sie damit ihre leibliche Mutter gemeint.« Sophie trat ganz nah an ihn heran und sah ihm in die Augen. »Das Thema Nina ist für mich erledigt.« Ihr Blick wurde hart. »Und für dich sollte es das auch sein. Diese Frau hat nichts mehr in unserem Leben verloren.« Ihr Kuss war besitzergreifend, aber als sie wieder von ihm abließ und sich bei ihm unterhakte, verschwand die kurzfristig offenbarte Aggression von einer Sekunde auf die andere. Ein strahlendes Lächeln lag jetzt auf ihrem Gesicht, und er war wieder einmal irritiert, wie abrupt sich ihre Stimmung ändern konnte. Sie zog ihn mit sich zum Schreibtisch, wo sie einen Brief aufhob. »Lass uns von etwas anderem reden, mein Schatz.« Sie wedelte mit dem Blatt Papier vor seiner Nase herum, und ihr Lächeln vertiefte sich. »Unser Hochzeitstermin steht fest.«

Dass es so schnell gehen würde, hatte er nicht erwartet, und es kostete ihn Mühe, sein Erschrecken nicht deutlich werden zu lassen. »Ich dachte, es dauert, bis man einen Termin auf dem Leuchtturm bekommt.«

Sie kicherte. »Ich habe meine Beziehungen spielen lassen.«

Er räusperte sich und brachte das nächste Wort nur mit Mühe hervor. »Wann?«

»Am Donnerstag.«

Sein Hals wurde eng. »So schnell schon?«

Sie hatte sich abgewandt und den Brief auf den Schreibtisch zurückgelegt, und er war dankbar für diesen kurzen Moment, da er fürchtete, seine Gesichtszüge nicht unter Kontrolle zu haben.

»Ich konnte nicht mehr warten.«

»Aber du wolltest groß feiern. Da reicht die Zeit doch überhaupt nicht für die Vorbereitungen«, wandte er in seiner Hilflosigkeit ein.

»Das ist alles schon geklärt, Liebling.« Sie kam zu ihm zurück und schmiegte sich an ihn. »Freust du dich?«

»Ja … natürlich …« Er drückte einen flüchtigen Kuss auf ihre Stirn und schob sie von sich. »Aber jetzt musst du mich entschuldigen. Ich habe eine wichtige Videokonferenz mit meinem Büro.«

»Hat sich auf dem Kongress eigentlich etwas ergeben?«

»Sieht ganz danach aus.« Er wollte sie in dem Glauben wiegen, dass er auch noch andere Projekte in Aussicht hatte und das Wohl und Wehe seiner Firma nicht ausschließlich von den Aufträgen abhing, die er von *Küstenhotels* erhielt. Aber war das mittlerweile nicht egal?

Donnerstag.

Das Wort hämmerte in seinem Kopf.

»Und worum handelt es sich?«, fragte sie, und er sah an ihrem Blick, dass seine Aussage ihr nicht gefallen hatte.

»Sorry, Schatz, aber über ungelegte Eier spreche ich nicht. Da bin ich abergläubisch.« Er versuchte die Bemerkung mit einem Lächeln abzumildern, das sie allerdings nicht erwiderte.

»Dann komm zurück, wenn du fertig bist. Aber beeil dich! Constanze wollte heute mit uns frühstücken.«

28

Norberg hatte eine Nachricht auf dem Küchentisch hinterlassen, dass er bereits ins Büro gefahren sei und Corinna heute erst um zehn Uhr kommen würde, weil sie zum Zahnarzt müsse.

Am Vorabend hatte er Lasse Bescheid gegeben, dass er noch einmal dienstlich unterwegs sei, Finn hatte bereits geschlafen. In Lasses Blick hatte ein unausgesprochener Vorwurf gelegen, der ihn bis jetzt verfolgte.

Wenigstens habe ich mich in einer Beziehung zu einem vorbildlichen Vater entwickelt, dachte Norberg jetzt, als er den Frühstückstisch für seine Söhne vorbereitete. Als Hausmann bin ich langsam unschlagbar. Wenn ich denn mal zu Hause bin!

Anna Wagner traf fast gleichzeitig mit ihm in der Polizeistation ein. Sie gingen sofort in sein Büro, wo sie sich mit einem zerknirschten Gesichtsausdruck auf einen der beiden Besucherstühle vor seinem Schreibtisch fallen ließ.

»Tut mir leid, dass ich nicht auf Ihren Anruf und die Mail reagiert habe. Ich hatte das Handy in der Küche am Ladekabel hängen lassen und so tief geschlafen, dass ich es nicht gehört habe.«

Das war also die Erklärung. »Und ich hatte mich schon gewundert, dass ich nichts von Ihnen höre, denn ich war mir sicher, dass Sie dabei sein wollten.«

»Ja, natürlich! Ich könnte mich in den Hintern treten für diese Schusseligkeit! Das ist so was von unprofessionell.«

»Nun gehen Sie mal nicht zu hart mit sich ins Gericht«, versuchte er sie zu beruhigen. »So etwas ist doch jedem von uns schon mal passiert.«

»So etwas darf aber nicht passieren!«, brauste sie auf.

Er sparte sich eine weitere Erwiderung, denn es hatte für ihn den Anschein, dass sie noch etwas Zeit benötigen würde um sich ihr Missgeschick zu verzeihen. Ein Wesenszug, den er nur allzu gut von sich selbst kannte. Also unterrichtete er sie über die Ereignisse der vergangenen Nacht und den Unfall vor einer Woche, von dem sie noch nichts wusste, da es bisher keinen Zusammenhang gegeben hatte. »Die SpuSi hat die Nacht durchgearbeitet, und es steht jetzt eindeutig fest, dass der Wagen von Nina Brechtmann den Unfall verursacht hat. Die Kollegen sind noch nicht fertig, haben mir aber zumindest schon einige Ergebnisse mitgeteilt. Die Reifenabdrücke vom Unfallort stimmen mit den Reifen an dem Wagen überein, ebenso die Lackspuren, die an der Kleidung der Opfer gefunden wurden. Im Kofferraum haben die Kollegen einen Blutfleck entdeckt, der Abgleich läuft. Außerdem lag der Terminkalender von Nina Brechtmann unter dem Beifahrersitz, der muss ihr aus der Tasche gefallen sein. Ein Kollege ist mit dem Teil bereits zu uns unterwegs. Eine Tasche oder Ähnliches befand sich nicht im Wagen.«

»Puh«, sagte Anna und sah ihn kopfschüttelnd an. »Was soll man denn jetzt davon halten? Dass sich Nina Brechtmann doch abgesetzt hat, weil sie für den Unfall verantwortlich war?«

»Es kann aber auch jemand anderes den Wagen gefahren haben«, gab Norberg zu bedenken. »Entweder war Nina Beifahrerin, oder sie hat den Wagen verliehen. Aber selbst im letzten Fall hätte sie ja von dem Unfall erfahren. Vielleicht will sie jemanden decken?«

»Merkwürdig«, sagte Anna. »Das wird ja immer verworrener.«

»Ach, übrigens«, sagte Norberg, »in den Ausdrucken der dänischen Zeitungen stand nichts Relevantes. Nur kurze Berichte über Ausschreibungen, an denen Forsgren sich beteiligt hat, und über eine größere Charityparty, die er besucht hat.«

Durch das geöffnete Fenster war die Ankunft eines Wagens zu vernehmen, und kurze Zeit später steckte ein junger Mann seinen Kopf zur Tür herein. »Clemens Hellrodt, Kripo Husum. Wo finde ich den Kollegen Norberg?«

»Sitzt vor Ihnen.« Norberg streckte die Hand nach dem braunen Umschlag aus, den Hellrodt in der Hand hielt. »Ist das der Organizer?«

Hellrodt nickte und drückte ihm den Umschlag in die Hand.

»Gibt es sonst noch Neuigkeiten, die wir wissen sollten?«

Der Kollege schüttelte den Kopf. »Nein, ich hatte nur die Anweisung, Ihnen den Fund so schnell wie möglich zu bringen.« Er tippte sich an die Stirn. »Dann will ich mal wieder. Schönen Tag noch!«

Nachdem er gegangen war, packte Norberg den Organizer aus und reichte ihn Anna. »Ihr Fall.«

Sie erhob sich und rückte mit ihrem Stuhl neben ihn. »Ich hatte mittlerweile den Eindruck, dass es unser Fall ist.«

Die Aussage freute ihn, aber er erwiderte nichts, sondern öffnete den Organizer und begann darin zu blättern.

Eine Reihe von Terminen, Sparkasse, Zahnarzt, Jutta Gräfsen, Kai Hellmer – und häufiger Abkürzungen, die ihnen auf den ersten Blick nichts sagten. Ab Januar dann immer wieder ein Name.

Bent.

»Forsgren hat doch ausgesagt, dass er sich vor vier Monaten von Nina getrennt hat«, sagte Norberg, als er weiterblätterte und schließlich auf den letzten Eintrag aufmerksam wurde, der vom 18. Juni stammte. »Wieso ist sein Name in der Zeit danach dann immer noch hier vermerkt, und wieso hat er sich noch sieben Tage, bevor sie vermisst gemeldet wurde, mit ihr getroffen?«

»Sieben Tage vorher?«, fragte Anna erstaunt und zog den Organizer zu sich herüber. »Das wäre dann ja in ihrem Urlaub gewesen.«

»So ist es«, sagte Norberg und erhob sich. »Dazu sollten wir ihn jetzt mal ganz schnell befragen.« Seine Laune stieg zunehmend, denn der Fall wurde immer interessanter. Er hinterließ eine kurze Nachricht für Scheffler, dass die morgendliche Dienstbesprechung auf den späten Vormittag oder sogar Mittag verlegt werden würde, dann machten er und Anna sich auf den Weg.

Bent Forsgren schien sich nicht in seiner Wohnung aufzuhalten, jedenfalls reagierte niemand auf ihr Klingeln, woraufhin Anna ihn anrief.

»Er behauptet, in Hamburg zu sein, und gibt an, dass er erst in drei Tagen zurückzukommt«, sagte sie, nachdem sie aufgelegt hatte.

»Und das glauben Sie ihm nicht?«

»Nein, denn ich kenne die Musik, die bei ihm im Hintergrund lief. Die war nämlich bei meinem Besuch im *Seaview* in der Lobby zu hören. Diese chillige Loungemusik, Sie wissen schon.«

»Die wird es in Hamburger Hotels ja auch geben.«

»Er hat aber behauptet, in einem Meeting zu sein, und so etwas dürfte ohne Musikbegleitung stattfinden.« Sie ging neben Norberg auf den Streifenwagen zu, den er in Ermangelung anderer Parkmöglichkeiten neben einem Restaurant an der Ecke des Strandläuferwegs geparkt hatte.

Aber sie stieg nicht ein, sondern blickte auf die Bimmelbahn, die gerade auf der Einbahnstraße Im Bad für einen Stau sorgte und wie immer einiges Aufsehen bei den Touristen erregte. Die in Gelb, Weiß und Blau gestrichene Außenlackierung erstrahlte in der Sonne.

»Was ist das denn?«, fragte Anna mit glänzenden Augen. »Die ist ja schnuckelig.«

»Das ist der Hitzlöper. Der macht unterschiedliche Touren durch den Ort bis hin zum Westerhever Leuchtturm.«

»Hitzlöper … witziger Name. Was bedeutet er?«

Norberg bemühte sich, verschüttetes Wissen an die Oberfläche zu holen. »Hitz ist friesisch und bedeutet weiß, wenn ich mich recht entsinne, und Löper ist ein Läufer.«

»Weißläufer?«, lachte sie.

»Nein, hinter den beiden Begriffen verbirgt sich etwas. Das kriege ich jetzt aber nicht zusammen. Müssen Sie mal googeln.«

»Das mache ich.« Sie blieb noch einen Augenblick stehen und blickte dem Gefährt hinterher.

Fünf Minuten später hatten sie das Hotel erreicht. Anstatt es jedoch durch den Haupteingang zu betreten, bugsierte

Norberg seine Kollegin zur Terrasse auf der Rückseite des Hauses, wo eine offen stehende Flügeltür ins Restaurant führte, in dem bereits einige Hotelgäste ihr Frühstück einnahmen.

»Wenn man durch die Hintertür reingeht, erfährt man häufig mehr«, sagte er und sah, dass sie grinste. Ihre Blicke glitten über die Anwesenden, aber Forsgren war nicht zu entdecken. Als sie die Lobby betraten, vernahm Norberg die von Anna erwähnte Musik. Eine Reihe mannshoher Zimmerpalmen in großen Pflanzkübeln schirmte einen Bereich der Lobby ab, und als sie näher kamen, waren dahinter Stimmen zu hören. Abrupt blieb Anna stehen und legte einen Finger auf den Mund. Sie lauschte einen Moment und blickte ihn dann an. »Das ist Forsgren«, flüsterte sie, »und wenn mich nicht alles täuscht, auch Constanze und Sophie Brechtmann.« Vorsichtig teilte sie das Grün mit den Händen, und obwohl sich Norberg schon ein bisschen lächerlich vorkam angesichts des konspirativen Verhaltens, das sie beide hier gerade an den Tag legten, riskierte auch er einen Blick.

Es war tatsächlich Bent Forsgren, der sich dort mit Sophie und Constanze Brechtmann unterhielt, deren Gesichter Norberg mittlerweile aus dem Internet kannte. Forsgren und Sophie saßen nebeneinander auf einer Ledercouch. Sie wirkten sehr vertraut miteinander, einmal griff Sophie sogar nach seiner Hand und legte sie auf ihren Bauch. Sie lachte, und Norberg meinte, das Wort »Baby« vernommen zu haben. Constanze Brechtmann saß den beiden gegenüber und verzog keine Miene.

Anna Wagner drehte sich zu ihm um, ihr Blick drückte Überraschung aus. »Hat sie gerade ›Baby‹ gesagt?«

Norberg nickte. »Das habe ich auch gehört.«

»Na, guck mal einer an.« Sie richtete sich auf, und in ihren Mundwinkeln zuckte es. »Dann lassen wir die Bombe doch mal platzen.«

Das Erstaunen der drei war groß, als Anna und Norberg an ihren Tisch traten.

»Herr Forsgren.« Anna mimte die Überraschte. »Hatten Sie mir nicht vor zwanzig Minuten am Telefon gesagt, dass Sie sich in Hamburg aufhalten?«

Forsgrens Gesicht verzerrte sich vor Ärger. Anzeichen von Verlegenheit: Fehlanzeige. Und eine Antwort erhielten sie auch nicht, dafür klatschte er ihnen einen Vorwurf an den Kopf. »Wie kommen Sie dazu, meine Mitarbeiter nach mir auszufragen? Das ist ja wohl das Allerletzte!«

Die dänischen Kollegen waren wieder einmal schnell gewesen, aber die Befragungen von Forsgrens Mitarbeitern hatten nichts ergeben. Alle hatten ihn als einen guten Vorgesetzten geschildert, dem die von seinem Vater geerbte Firma sehr am Herzen lag. Sie arbeiteten gerne für ihn.

»Das ist reine Routine, Herr Forsgren«, entgegnete Anna.

»Routine, dass ich nicht lache!«, giftete er.

»Wieso haben Sie mich am Telefon bezüglich Ihres Aufenthaltsortes angelogen?«, hakte sie nach.

»Ich habe Ihnen bereits alles gesagt, was ich weiß, und hätte jetzt gerne meine Ruhe vor Ihnen! Da greift man schon mal zu einer Notlüge.«

»In Notlügen scheinen Sie mir ja ganz erfahren«, entgegnete Anna gelassen und warf einen Blick in die Runde, gespannt auf die Reaktionen der beiden Brechtmann-Frauen ob dieser Bemerkung. Sophie wirkte irritiert, Constanze hingegen wachsam.

»Was wollen Sie damit sagen?« Forsgren war lauter geworden. Sophie griff beruhigend nach seiner Hand, aber er schüttelte sie ab.

Constanze Brechtmann hatte sich im Sessel aufgerichtet und blickte sie aus zusammengekniffenen Augen an. »Was soll das, Frau Wagner? Wenn Sie irgendetwas gegen Herrn Forsgren vorzubringen haben, sollten Sie damit herausrücken, anstatt sich in Andeutungen zu ergehen.«

»Das hatte ich vor.« Anna wandte sich wieder an Forsgren. »In unserem gestrigen Gespräch hatten Sie ausgesagt, dass Sie sich vor vier Monaten oder so – an den genauen Termin konnten Sie sich ja leider nicht mehr erinnern – von Nina Brechtmann getrennt haben.« Anna warf einen Blick zu Sophie und Constanze. »Ich gehe davon aus, dass Sie von der Beziehung zwischen Herrn Forsgren und Nina wussten.« Als keine Reaktion erfolgte, fuhr Anna fort. »Die Kollegen haben gestern den Wagen von Nina gefunden, der am 20. Juni auf der Koogstraße einen Unfall verursacht hat, bei dem zwei Menschen zu Tode gekommen sind. Der Fahrer hat Unfallflucht begangen. In dem Wagen wurde der Organizer von Nina sichergestellt.« Den Blutfleck erwähnte sie nicht, da es sich bei diesem um Täterwissen handeln konnte. »In dem Organizer waren unter anderem auch Treffen mit Ihnen, Herr Forsgren, notiert. Der letzte Eintrag mit Ihrem Namen ist auf den 18. Juni datiert, als Sie sich laut Ihrer Aussage schon lange von Nina getrennt hatten. Können Sie diesen Widerspruch aufklären?«

Forsgren starrte sie an, für einen langen Moment um Worte

verlegen. Dann: »Nein, das kann ich nicht. Wie ich Ihnen bereits sagte, fand der letzte Kontakt mit Nina am Tag unserer Trennung statt. Keine Ahnung, warum mein Name noch später in diesem Buch steht.«

»Dann können Sie uns auch sicher nicht sagen, ob Nina für diesen Unfall verantwortlich ist«, übernahm Norberg.

»Sagen Sie mal, hören Sie schlecht? Ich habe gesagt, dass ich seit unserer Trennung keinen Kontakt mehr zu Nina hatte.«

»Es fällt uns schwer, diese Aussage zu glauben, Herr Forsgren«, sagte Norberg.

»Glauben Sie doch, was Sie wollen«, fuhr Forsgren ihn an.

Wieder legte Sophie ihre Hand auf seine, und dieses Mal ergriff Forsgren sie, als benötigte er einen Rettungsanker.

»Wenn dieser tragische Unfall durch Ninas Wagen verursacht wurde und sie danach verschwunden ist, liegen die Tatsachen doch auf der Hand. Sie hat den Unfall verursacht und sich anschließend abgesetzt.« Sophie sah sie mit einem herablassenden Ausdruck an. »Aber offensichtlich erscheinen Ihnen diese Fakten zu simpel. Sie schikanieren ja lieber unbescholtene Personen mit hanebüchenen Unterstellungen.«

Anna zog die rechte Augenbraue hoch, schenkte sich aber ebenso wie Norberg eine Erwiderung.

Sophie drückte einen Kuss auf Forsgrens Hand und lächelte ihn zärtlich an. »Bent und ich erwarten ein Kind und werden am Donnerstag heiraten. Wenn er sagt, dass er Nina nach ihrer Trennung nicht mehr gesehen oder gesprochen hat, dann sollten Sie ihm das glauben. Ich jedenfalls tue es.«

Oh nein, Mädchen, für so dämlich halte ich dich nicht, dachte Anna, aber aus irgendeinem Grund hast du beschlossen, zu ihm zu halten. Laut sagte sie: »Herzlichen Glückwunsch«, und richtete dann ihren Blick wieder auf Forsgren. »Auch zur Wiedererteilung der beiden Hotelaufträge. Denn die dürften Sie unter den neuen Umständen doch bestimmt zurückbekommen haben.«

»Sie vergreifen sich im Ton, Frau Kommissarin!«, zischte Constanze Brechtmann. Sie saß mittlerweile so aufrecht, als hätte sie einen Stock verschluckt. »Ich denke, es ist besser, wenn Sie jetzt gehen.«

Anna verließ das Hotel mit einem Triumphgefühl. Hätte sie Norberg besser gekannt, hätte sie ihm nun die Hand zu einem »high five« angeboten. So flötete sie nur: »Wunderbar, genauso habe ich mir das vorgestellt. Die Lunte ist gezündet, mal sehen, wann die Bombe hochgeht und wen sie trifft.«

»Das dürfte dann wohl Forsgren sein«, sagte Norberg nüchtern.

Ja, davon ist auszugehen, dachte sie und verdrehte innerlich die Augen, aber ein bisschen mehr Euphorie könntest du schon an den Tag legen.

29

Bei ihrer Rückkehr in die Polizeistation wurden sie bereits von Nils Scheffler erwartet.

»Ist was passiert?«, fragte Norberg, als er dessen betretene Miene sah.

»Lassen Sie uns das bitte in Ihrem Büro besprechen«, antwortete der junge Kollege, dem deutlich anzumerken war, dass er sich mehr als unbehaglich in seiner Haut fühlte.

»Okay.« Norberg machte eine auffordernde Geste und wandte sich an Anna, die auf dem Flur stehen geblieben war. »Ich bringe nach dem Gespräch erst mal die Dienstbesprechung hinter mich, und dann beschnacken wir, wie wir weiter verfahren.«

»Die Dienstbesprechung ist schon gelaufen«, sagte Scheffler, nachdem Norberg die Tür hinter sich geschlossen hatte.

»Wieso das? Ich hatte Ihnen doch eine Nachricht hinterlassen, dass sie nach meiner Rückkehr stattfinden würde.« Norberg blickte Scheffler irritiert an und merkte, wie Ärger in ihm hochstieg. Er kannte den Kollegen zwar bisher nicht näher, hatte aber den Eindruck gehabt, dass man sich auf ihn verlassen konnte.

»Es tut mir leid, aber ich konnte nichts tun«, sagte Scheffler. »Die Kollegen … nun ja …«, er verstummte, sichtlich verlegen.

Norbergs Ärger verrauchte, denn er ahnte, was gelaufen war – und dass Scheffler keinen Anteil daran gehabt hatte. »Lassen Sie mich raten. Die Kollegen haben gesagt, Dienstbesprechung war bisher immer um acht, spätestens um neun, wo kommen wir denn hin, wenn wir das jetzt plötzlich ändern? Und ich kann mir lebhaft vorstellen, wer der Rädelsführer war. Der Kollege Paulsen, stimmt's?«

Scheffler schwieg, aber seine Miene sagte alles, und Norberg bohrte nicht weiter, weil er ihn nicht noch mehr in die Enge treiben wollte.

»Ist Paulsen anwesend?«

Scheffler schüttelte den Kopf. »Nein, er ist unterwegs.«

Auch gut, dachte Norberg grimmig. Dann nehme ich mir den Kerl eben später zur Brust.

Scheffler rutschte unruhig auf seinem Stuhl hin und her und schien sich schließlich einen Ruck zu geben. »Da ist noch etwas.«

Norberg sah ihn abwartend an.

»Ich bin kein Kollegenschwein«, betonte Scheffler, »aber es gibt etwas, was Sie wissen sollten. Paulsen ist Ihre Mitarbeit an dem Vermisstenfall ein Dorn im Auge. Es könnte sein, dass er Meldung nach oben macht.«

Für einen Moment verschlug es Norberg die Sprache. Dann hatte er sich wieder im Griff und nickte Scheffler kurz zu. »Danke, dass Sie es mir gesagt haben.«

Nachdem der Kollege gegangen war, trat Norberg ans Fenster und starrte hinaus. Der Polizeibuggy vor der Station war auch heute wieder ein Blickfang, vor allen Dingen für die zahlreichen Touristen und natürlich für die Kinder.

Das war dann also die zweite Kriegserklärung von Paulsen. Der Vermisstenfall und seine private Baustelle mit Lasse hatten Norberg bisher noch nicht genügend Zeit für die Überlegung gelassen, wie er mit dem Kollegen verfahren wollte.

Aber jetzt musste etwas geschehen. Die Frage war nur, was. Paulsen wollte ihm schaden, und er würde bezüglich des Vermisstenfalls Meldung machen, egal, was Norberg sagte oder tat. Norbergs Verbindungen in die oberen Etagen waren zum Glück gut, und so war er überzeugt davon, dass die Kollegen einschätzen konnten, von wem die Meldung kam und was sie davon zu halten hatten. Auf der anderen Seite standen allerdings seine neuen Kollegen hier in St. Peter, die ihm in den Wochen seiner Einarbeitung offen und freundlich begegnet waren. Es wäre ihnen gegenüber unfair, wenn er sich dem Alltagsgeschäft zu sehr verweigern und ihnen somit mehr Arbeit aufbürden würde. Außerdem wäre es kurzsichtig, denn mit ihnen würde er weiter zusammenarbeiten müssen, während die Zusammenarbeit mit Anna Wagner eine einmalige Angelegenheit blieb. So fasste er schweren Herzens den Entschluss, sich im Vermisstenfall etwas mehr zurückzunehmen.

Anna blickte auf, als er ihr Büro betrat.

»Ist die Dienstbesprechung schon zu Ende?«

»Die Kollegen hatten beschlossen, sie ohne mich durchzuführen.« Der Ärger auf Paulsen wallte wieder in ihm hoch.

»Was wird das denn? Meuterei auf der Bounty oder was?«

»Ich finde das überhaupt nicht witzig!«

Der humorvolle Ausdruck verschwand aus ihrem Gesicht. »Nein, das ist es auch nicht. Deshalb müssen Sie mich aber jetzt nicht anraunzen, ich wollte nämlich nur Ihre Stimmung ein bisschen auflockern. War aber offensichtlich der falsche Weg.« Sie deutete auf die Teekanne. »Möchten Sie auch einen? Er ist frisch aufgebrüht.«

Norberg nickte, und sein Gewissen meldete sich, weil er sie so angeschnauzt hatte. Die Situation hatte ihm wieder einmal aufgezeigt, wie dünnhäutig er noch immer war. Nachdenklich spielte er mit seinem Kugelschreiber herum, bis Anna mit einem Becher aus der Küche zurückkehrte, den sie vor ihm abstellte.

»Mit oder ohne Kluntjes?«

Eine Münchnerin, die Tee mit Kluntjes trank. Erstaunlich »Ohne. Wenn ich schon mal Tee trinke, dann pur.«

Sie schenkte ihm ein und ging dann wieder hinter ihren Schreibtisch zurück. »Ostfriesenmischung. Die stammt allerdings noch aus München.«

Norberg nahm den Becher zur Hand. »Zeit, sich einen neuen Vorrat anzuschaffen. Wir sind hier nämlich in Nordfriesland.«

»Ja, stellen Sie sich vor, das habe ich tatsächlich auch schon bemerkt.« Ihre Stimme klang ernst, aber die Grübchen in ihren Wangen tanzten, also hatte er sich mit seinem letzten Satz wohl nicht im Ton vergriffen. Sie gab einige Kluntjes in ihren Becher und schenkte ihn ein weiteres Mal voll. »Warum haben die Kollegen das denn ohne Sie durchgezogen?«

Während er noch überlegte, ob er ihr reinen Wein einschenken sollte, hatte sie die Antwort bereits parat.

»Dahinter steckt Paulsen, oder?«

»Wie kommen Sie darauf?«

»Ich hatte gestern den Eindruck, dass Sie aneinandergerasselt sind.«

Norberg stellte mit einigem Erstaunen fest, dass er das Bedürfnis hatte, mit ihr über das Vorgefallene zu reden.

»Sie wollen sich jetzt aber nicht aus dem Vermisstenfall ausklinken, oder?«, fragte sie, nachdem er geendet hatte.

»Nein, natürlich nicht. Ich darf nur nicht vergessen, dass ich hier eine Dienststelle zu leiten habe und es auch noch eine Reihe anderer Dinge zu erledigen gibt.«

Für einen Augenblick herrschte Schweigen, nur das Knistern der Kluntjes war zu vernehmen. »Sie vermissen Ihren alten Job.«

Was hätte Leugnen gebracht? »Ja.«

»Das kann ich gut verstehen. Würde mir ganz genauso gehen.« Sie richtete sich in ihrem Stuhl auf, ihre Hände umschlossen den Becher, als wäre ihr kalt. »Vorschlag: Ich informiere Sie täglich über den aktuellen Stand, und wenn ich Ihre Unterstützung benötige, kommen Sie wieder dazu. Und die werde ich benötigen, denn der Fall ist viel zu komplex, um ihn allein zu lösen. Ich werde das vor den Kollegen vertreten. Auch an höherer Stelle, falls von dort Einwände kommen sollten. Schließlich hat Kiel es ja zu verantworten, dass ich hierhergeschickt wurde. Dann sollen sie mir auch Unterstützung gewähren.«

»Was hat es denn überhaupt mit dieser neuen Vermisstenstelle im LKA auf sich? Ich muss gestehen, dass ich davon nichts mitbekommen habe.« Obwohl … Eine vage Erinnerung an irgendeine Sitzung blitzte in seinem Hinterkopf auf, aber er bekam sie nicht zu fassen.

»Die Vermisstenstelle in München war ja bisher die einzige bundesweit. Die schleswig-holsteinische Landespolizei überlegt jetzt, so etwas auch hier zu etablieren. Sie wissen ja, wie das bei Vermisstenfällen normalerweise abläuft.«

»Ja, natürlich.«

Jede erwachsene Person hatte das Recht der freien Aufenthaltswahl, also wurde im Großteil der Fälle erst einmal nichts unternommen. Etwas anderes war es, wenn die vermisste Person krank war oder wenn der Verdacht auf ein Verbrechen nahelag. Nur bei Minderjährigen wurde immer sofort eine Suche eingeleitet.

»Meine Stelle ist bis Ende des Jahres befristet, und ich hoffe, dass ich in dieser Zeit etwas bewegen kann, damit es eine dauerhafte Einrichtung wird. Wir haben in München häufig mehrere Fälle am Tag auf den Schreibtisch bekommen; wie das hier aussieht, weiß ich noch nicht. Für das Umfeld ist es natürlich immer ganz schrecklich, wenn die Polizei nichts unternehmen kann. Es wäre wirklich erstrebenswert, wenn noch weitere Bundesländer über die Einrichtung eines Vermisstendezernats nachdenken würden.«

»Wie viele Mitarbeiter hatten Sie in München?«

»Vier. Zu manchen Zeiten viel zu wenig. Und in Kiel werden es nur zwei sein.«

»Dann drücke ich die Daumen, dass es eine dauerhafte Stelle für Sie wird.«

»Danke.« Sie warf einen kurzen Blick auf ihre Armbanduhr. »Tut mir leid, aber ich muss jetzt nach Friedrichskoog.«

In der Tür wäre Norberg fast mit Nils Scheffler zusammengeprallt. Der Kollege war sichtlich aufgeregt. »Ich habe gerade einen Anruf von einem Mann erhalten, der in der Nähe des Golfklubs bei Tating mit seinem Hund spazieren war. Er sagt, dass das Tier plötzlich wie verrückt angefangen hat zu bellen und zu einer kleinen Baumgruppe am Wegrand gelaufen ist. Der Mann ist ihm gefolgt und behauptet, dass es unter den Bäumen so aussieht, als wenn dort etwas Größeres vergraben wäre. Es würde auch sehr merkwürdig riechen. Und da er unseren Fahndungsaufruf gesehen hat, hielt er es für richtig, uns diesen Hinweis zu geben.«

Wie immer bei Fahndungsaufrufen fragte sich Norberg nach der Verhältnismäßigkeit dieser Handlung. Die Hilfe der Bevölkerung war wichtig, aber seitdem es die sozialen Medien gab, uferten solche Aufrufe häufig aus, weil sich sämtliche Wichtigtuer darauf stürzten, was zu einer Flut von Hinweisen führte, die entweder frei erfunden waren oder zumindest an den Haaren herbeigezogen. Das band Einsatzkräfte beim Abarbeiten, die dann an anderen Stellen fehlten. Also war ein stetes Abwiegen vonnöten und auch eine gute Menschenkenntnis der Kollegen, die diese Anrufe entgegennahmen. »Was für einen Eindruck hatten Sie von dem Anrufer? Wirkte er seriös?«

Scheffler nickte. »Ja. Der klang nicht nach einem der üblichen Spinner.«

»Gab es weitere Anrufe?«

Scheffler schüttelte den Kopf. »Nein.«

Norberg wandte sich an Anna, die neben sie getreten war. »Dann sollten wir uns das vielleicht besser mal ansehen.«

Er sah, wie sie mit sich rang.

»Ich würde gerne mitkommen, aber ich muss nach Friedrichskoog, sonst bekomme ich diese Ria Herzog nie zu fassen.«

»Gut, dann nehme ich den Kollegen Scheffler mit. Ich will mir das erst mal ohne großes Brimborium anschauen, falls es doch nur ein blinder Alarm ist. Wenn ich Näheres weiß, rufe ich Sie an.«

30

Es setzte Anna zu, dass sie nicht mitfahren konnte, aber sie hatte keine andere Wahl, da es immens wichtig war, endlich mit Ria Herzog zu sprechen. Wenn Nina wirklich zu *KüstenFreunde SH* gehört hatte, konnte ihr die Frau hoffentlich mit weiteren Informationen helfen. Außerdem wusste sie vielleicht etwas über den Autounfall und die Fahrerflucht.

Anna nahm auch dieses Mal den Weg über das Eidersperrwerk. Sie hatte gelesen, dass nach der verheerenden Sturmflut, welche die deutsche Nordseeküste im Jahr 1962 getroffen hatte, überlegt worden war, ob die Deiche am Eiderufer erhöht werden sollten oder ein Sperrwerk an der Mündung des Flusses sinnvoller wäre. Nach eingehenden Überlegungen hatte man sich seinerzeit für das Sperrwerk entschieden, mit dessen Bau 1967 begonnen worden war.

Sie passierte den Tunnel und sah, dass der linker Hand gelegene Parkplatz am Aussichtsturm voll mit Autos war, obwohl heute schlechte Sicht herrschte. Bereits am Morgen hatte sich der Himmel zugezogen, und es hatte den Anschein, dass es bald regnen würde. Sie nahm sich vor, sich diese Touristenattraktion einmal am Wochenende anzuschauen. Wenn sie zurück in Kiel war und die Sehnsucht nach der Nordseeküste überhandnahm. Denn das würde sie, davon war sie überzeugt.

Sie setzte ihren Weg fort und dachte an den telefonischen Hinweis, dem Norberg und Scheffler jetzt nachgingen. Hoffentlich handelte es sich um einen Fehlalarm. Das Auffinden des Unfallwagens hatte ihrer Hoffnung, dass Nina Brechtmann noch am Leben war, wieder Auftrieb verliehen, trotz des Blutflecks im Kofferraum. Vielleicht hatte Nina nach dem Unfall versucht, den Brüdern zu helfen, und sich dann in einer Kurzschlussreaktion abgesetzt, weil sie nicht mehr weiterwusste?

Vor dem Gebäude, in dem sich laut Kai Hellmer die Büroräume von *KüstenFreunde SH* befanden, stand ein Pick-up von undefinierbarer Farbe, bei dessen Anblick Anna sich fragte, wie ein solches Gefährt durch den TÜV kommen konnte. In Ermangelung einer Klingel klopfte sie an die metallene Eingangstür, und als von drinnen nichts zu hören war, drückte sie die Klinke herunter. Die Tür schwang nach innen, und Anna trat ein. Aufmerksam sah sie sich um.

Ein einzelner großer Raum mit Möbeln, die ausnahmslos vom Sperrmüll zu stammen schienen. Ein speckiges Ledersofa mit zwei Sesseln, die farblich so gar nicht zusammenpassten, ein rechteckiger Holztisch, um den mehrere verschiedenfarbige Plastikstühle standen. An den unverputzten Wänden hing eine Reihe von Plakaten, auf denen Fotos von verdreckten Stränden und von Hotels zu sehen waren, die laut Bildunterschriften in den letzten Jahren an der nordfriesischen Küste, einschließlich den Inseln, errichtet worden waren. Über ihnen prangten zwei markige Forderungen an der Wand:

HÄNDE WEG VON UNSERER NORDSEEKÜSTE!!!

KEINE WEITEREN HOTELNEUBAUTEN IN SPO!!!

»Wie kommen Sie hier rein?«

Anna drehte sich um, als sie die Stimme in ihrem Rücken

vernahm, und sah sich einer Frau gegenüber, die aus einem Nebenraum gekommen war. Ausgefranste Bermudas, ein verblichenes Tanktop von undefinierbarer Farbe, eine grüne Strähne in den kurzen roten Haaren. Mitte zwanzig, schätzungsweise. Ein attraktives Gesicht, das im Moment allerdings einen finsteren Ausdruck trug.

»Durch die Tür«, entgegnete Anna.

»Sie können doch nicht einfach hier reinmarschieren«, blaffte die Frau.

»Dann müssen Sie abschließen oder eine Klingel anbringen«, konterte Anna und hielt ihren Dienstausweis hoch. »Anna Wagner, Kripo Kiel. Ich suche Ria Herzog.«

Ihr Gegenüber musterte sie mit abschätzigem Blick. »Was wollen Sie von mir?«, fragte sie schließlich.

»Ich hatte Ihnen mehrere Nachrichten auf dem Anrufbeantworter hinterlassen und außerdem Mails geschickt, in denen ich um Kontaktaufnahme gebeten habe. Warum haben Sie darauf nicht reagiert?«

»Vielleicht hatte ich keine Lust.« Ria Herzog verschränkte die Arme vor der Brust.

»Frau Herzog, ich habe mich nicht zum Spaß mit Ihnen in Verbindung gesetzt. Es geht um Nina Brechtmann.« Anna machte eine Pause und beobachtete Rias Reaktion in der Hoffnung auf irgendeinen Hinweis.

Doch die Miene der jungen Frau blieb unbewegt, als sie fragte: »Wieso, was ist mit Nina?«

»Sie ist seit dem 25. Juni verschwunden.«

Ria Herzog runzelte die Stirn. »Sie hatte doch eine Woche Urlaub, in der sie die beiden Brechtmann-Frauen besuchen wollte.«

Annas Pulsschlag beschleunigte sich. »Das wissen Sie genau?«

»Ja klar.«

»Sie hat Constanze und Sophie Brechtmann namentlich erwähnt und nicht nur von einem Besuch bei ihrer Familie gesprochen?«

»Das sag ich doch! Ich hab mich ja noch gewundert, weil sie den Kontakt zu denen schon vor Jahren abgebrochen hatte.«

»Wann hat Nina Ihnen von dem geplanten Besuch erzählt?«

»Das war zwei Tage vor ihrem Urlaub, da war sie noch mal hier, deshalb erinnere ich mich.«

Das patzige Verhalten zu Beginn des Gesprächs war verschwunden, jetzt wirkte Ria Herzog nur noch besorgt. Anna entschloss sich, offen zu sein, denn sie hatte den Eindruck, dass hier zum ersten Mal jemand vor ihr stand, der Licht in den Fall bringen konnte.

Ria deutete zum Tisch. »Wollen wir uns setzen? Ich habe gerade Tee aufgebrüht, vielleicht möchten Sie auch einen.«

»Sehr gerne, vielen Dank!« Anna setzte sich auf einen der Plastikstühle und wartete, bis Ria mit einer Kanne und zwei Bechern aus dem Nebenraum zurückkam.

»Kluntjes sind leider aus«, sagte sie entschuldigend und nahm Anna gegenüber Platz, nachdem sie die Becher gefüllt hatte. »Was haben denn die Brechtmann-Frauen gesagt?«

Anna pustete auf ihren Tee. »Dass Nina nicht bei ihnen war.«

Ria Herzog runzelte die Stirn. »Das ist ja komisch.« In ihren Augen stand jetzt Besorgnis. »Ihr wird doch nichts passiert sein, oder?«

»Wir können im Moment nichts ausschließen, Frau Herzog.« Anna fasste die Gespräche mit Constanze und Sophie Brechtmann sowie mit Jutta Gräfsen kurz zusammen.

Ria wirkte nicht überrascht, sie schien also Bescheid zu wissen, dass Nina ein Adoptivkind war. Trotzdem fragte Anna nach.

»Ja, das weiß ich«, bestätigte Ria. »Nina hat das mal erwähnt.«

»Wissen Sie, ob sie Kontakt zu ihrer leiblichen Mutter hatte?«

Ria schüttelte den Kopf. »Nein, tut mir leid, darüber hat sie nie gesprochen.«

»In welchem Verhältnis stehen Sie zu Nina, Frau Herzog?«, fragte Anna. »Sind Sie befreundet?«

»Nee, das würde ich jetzt nicht sagen. Nina ist niemand, mit dem man schnell warm wird. Ich hatte immer das Gefühl, dass sie Menschen erst mal mit Misstrauen begegnet.«

»Aber zu Ihnen hat sie doch offensichtlich Vertrauen gefasst, denn sonst hätte sie ja wohl kaum etwas von der Adoption erzählt.«

»Ja, das stimmt.« Ria trank einen Schluck und sah Anna nachdenklich an. »Nina und ich kennen uns jetzt seit zwei Jahren. Also so um den Dreh. Sie stand hier irgendwann in der Tür und sagte, dass sie sich uns anschließen möchte. Als ich erfuhr, wer sie war, hab ich sie rausgeschmissen, denn ich dachte echt, dass sie im Auftrag der Brechtmanns bei uns rumschnüffeln wollte. Wir hatten zu dem Zeitpunkt nämlich schon Wind von dem geplanten Hotelneubau in St. Peter-Ording bekommen und überlegt, wann wir erste Protestaktionen durchführen. Aber Nina kam wieder und konnte mich davon überzeugen, dass sie sich von ihrer Familie losgesagt hatte und auf unserer Seite stand. Seitdem ist sie bei uns.«

»Wie kommt es, dass Sie sie nicht vermisst haben, als sie nach ihrem Urlaub nicht herkam?«

»Nina hatte gesagt, dass sie sich meldet. Sie war ja nicht ständig hier, deshalb habe ich mir nichts dabei gedacht.«

»Wir haben bisher eine Reihe von Personen aus Ninas Umfeld befragt, aber niemand konnte uns Namen von Freunden nennen – können Sie da weiterhelfen?«

»Mir sind keine Freunde bekannt … Nina ist eher so der Typ Einzelgängerin.«

»Wissen Sie etwas über Ninas Beziehungen?«

»Sie war mit einem Journalisten zusammen, und in den letzten Monaten gab es eine neue Liebe. Aber auch darüber hat sie nicht viel erzählt. Ich weiß nur, dass er Architekt ist. In der Zeit vor ihrem Urlaub wirkte sie häufig unglücklich, ich schätze mal, dass es Stress in der Beziehung gab. Ich habe aber nicht nachgefragt, da sie mir sowieso nichts gesagt hätte.«

»Beschreiben Sie mir Nina doch bitte einmal«, bat Anna. »Ich weiß bisher so wenig über sie.«

»Na ja, sie ist, wie gesagt, sehr verschlossen. Ansonsten kann ich nur Positives über sie sagen. Sie liebt ihren Job in der Seehundstation und setzt sich leidenschaftlich für den Umweltschutz ein. Sie dürfte nicht viel Geld haben, denn die alte Brechtmann lässt bestimmt nichts rüberwachsen, und falls doch, kann ich mir nicht vorstellen, dass Nina es annehmen würde. Sie braucht aber auch nicht viel, denn sie ist nicht der Typ ›für immer mehr‹.«

»Hat es seit dem Bekanntwerden der Brechtmann-Pläne eigentlich schon Protestaktionen Ihrerseits gegeben?«

Ria Herzog trank einen Schluck und nickte. »Ja, sechs bisher.«

»Wann waren die?«

»Die ersten drei im September, November und Dezember letztes Jahr, die anderen dieses Jahr im Januar, März und April.«

»Wie sind die abgelaufen?«

»Mehr oder weniger gleich: Wir machen Infoveranstaltungen, verteilen Flyer im Ort, und dann gibt es noch eine Abschlusskundgebung vor dem *Seaview*. Immer verbunden mit einer Sitzblockade. Bis die Bullen kommen und uns wegtragen.« Sie grinste. »Nichts für ungut. Wenn die Bauarbeiten beginnen, werden wir unsere Aktionen dorthin verlagern und den Brechtmanns so richtig das Leben schwer machen.«

Anna runzelte die Stirn.

»Natürlich alles im legalen Rahmen«, schob Ria hinterher.

»War Nina bei den Aktionen dabei?«

»Ja, immer! Das war ihr ein großes Anliegen. Ich hatte häufig den Eindruck, dass sie sich schuldig fühlt, dieser Familie anzugehören.«

»Hat es bei diesen Demos Kontakt mit Constanze oder Sophie Brechtmann gegeben?«

»Nur bei der im Januar, bei den anderen haben sich die Damen nicht blicken lassen. Als sie dann aber endlich mal aufliefen, ging es richtig zur Sache! Die beiden Tussen sind wie die Furien auf Nina losgegangen und haben sie beschimpft.«

Interessant, dachte Anna. Dann lag die letzte Begegnung also doch nicht so weit zurück, wie die beiden Brechtmann-Frauen uns glauben machen wollten.

»Wie hat Nina darauf reagiert?«

»Sie hat versucht, es zu ignorieren.«

»Welcher Art waren diese Beschimpfungen?«

»Sie haben gewettert, dass es eine Schande sei, wie Nina sich verhalten würde. Schließlich hätte sie zwanzig Jahre von dem Geld gelebt, dass die Hotels erwirtschaften. Sie wäre im Luxus aufgewachsen, außerdem hätten die Brechtmanns ihr eine Topausbildung bezahlt, wenn sie sich für denselben Berufsweg wie Sophie oder zumindest für etwas Vernünftigeres als diesen ganzen Umweltkram entschieden hätte.« Ria Herzog fuhr sich mit beiden Händen durch die Haare, bis sie in alle Richtungen abstanden. »Es war ätzend, weil dieses elende Gezeter unsere ganze Aktion kaputtgemacht hat und zum Schluss nur noch die da waren, die hofften, eine richtig tolle Show zu erleben.« Ein Anflug von Resignation hatte sich in ihren Blick geschlichen. »Wissen Sie, wir bemühen uns, bei diesen Aktionen mit den Menschen ins Gespräch zu kommen. Krawallmache ist eher selten unser Ding.«

»Eher selten?«

»Na ja, wenn man uns doof kommt oder körperlich angreift, setzen wir uns natürlich zur Wehr. Aber grundsätzlich wollen wir in erster Linie Überzeugungsarbeit leisten und die Menschen aufklären. Die meisten laufen doch blind durch die Gegend. Die wollen eine schöne Ferienwohnung oder ein attraktives Hotel, am liebsten natürlich mit Meerblick, scheißegal, was dafür vielleicht weichen musste. St. Peter wird seit Jahren komplett überrannt. Und zwar nicht nur in der Hochsaison, dort ist ebenso wie in Büsum mittlerweile das ganze Jahr über Saison. Da wollen natürlich viele ein Stück vom Kuchen abhaben.«

Anna dachte über Rias Worte nach. Sie hatte seit ihrer Ankunft noch nicht viel von St. Peter-Ording gesehen, aber die Nachverdichtung, die besonders im Ortsteil Bad ins Auge stach, war ihr schon aufgefallen. Sie hatte in sich hineingehorcht und festgestellt, dass zwei Seelen in ihrer Brust schlugen. Die eine stimmte dem, was Ria Herzog gesagt hatte, zu, die andere jedoch hatte es immer genossen, in schicken Hotels abzusteigen und sich verwöhnen zu lassen. Jetzt wurde ihr bewusst, dass sie diese Einstellung überdenken musste. »Noch mal zu diesen Aktionen, Frau Herzog. Sind Sie dabei einmal von der Polizei verhaftet worden?«

»Nee, wir sind ja nicht straffällig geworden. Außerdem habe ich häufiger den Eindruck gehabt, dass einige von euch auf unserer Seite stehen.« Sie grinste, dann wurde ihr Gesicht wieder ernst. »Was glauben Sie denn, was passiert sein könnte? Sie müssen doch irgendeine Vermutung haben, oder?«

Vermutungen habe ich viele, dachte Anna. »Wir ermitteln im Moment in alle Richtungen.«

Rias Augen wurden groß, ihr schien ein Gedanke gekommen zu sein. »Vielleicht ist Nina entführt worden, die Brechtmanns haben schließlich 'ne Menge Kohle. Obwohl …«, sie schüttelte den Kopf, »ich kann mir nicht vorstellen, dass die einen Cent zahlen würden.«

Nach ihren bisherigen Begegnungen mit den beiden Brechtmann-Frauen und dem, was sie soeben gehört hatte, erschien Anna dieser Gedanke mittlerweile auch abwegig. »Eine letzte Sache noch, Frau Herzog. Der Wagen von Nina hat am 20. Juni einen Unfall auf der Koogstraße verursacht, bei dem zwei Menschen ums Leben kamen.«

»Davon habe ich gelesen. Sie glauben doch jetzt aber hoffentlich nicht, dass Nina dafür verantwortlich ist.«

»Das wissen wir noch nicht. Ich hatte gehofft, dass Ihnen da vielleicht etwas zu Ohren gekommen ist.«

Aufgebracht funkelte Ria Herzog sie an. »Wenn das so gewesen wäre, hätte ich es gemeldet. Ich decke mit Sicherheit niemanden, der zwei Menschen umgebracht und sich dann aus dem Staub gemacht hat.« Sie sprang auf und ging einige Schritte, bevor sie zum Tisch zurückkam und vor Anna stehen blieb. »Sie scheinen davon auszugehen, dass Nina den Wagen gefahren hat und deshalb untergetaucht ist.«

Ruhig erwiderte Anna ihren verärgerten Blick. »Sie müssen zugeben, dass es eine Möglichkeit wäre.«

»Nein, ganz bestimmt nicht! Nina ist eine gute und sichere Autofahrerin, die nicht wie eine Verrückte durch die Gegend rast. Und das hat der Unfallverursacher laut dem Zeitungsartikel doch getan.«

»Es kann auch bei niedrigen Geschwindigkeiten zu Verkehrsunfällen mit Todesfolge kommen.«

Ria Herzog atmete tief ein. »Nina ist ein sehr verantwortungsbewusster Mensch. Wenn sie wirklich in dem Wagen war, egal ob als Fahrerin oder Beifahrerin, dann hätte sie den Unfall sofort gemeldet.«

31

Kurze Zeit nachdem Norberg und Scheffler aufgebrochen waren, hatte es zu regnen begonnen. Was zuerst wie ein leichter Sommerregen ausgesehen hatte, war eine Viertelstunde später bei ihrer Ankunft am Zielort zu einem veritablen Wolkenbruch geworden.

Ein Mann erwartete sie am Rand eines Feldes. Er hatte die Kapuze seiner Wetterjacke über den Kopf gezogen, sein Hund saß neben ihm, mittlerweile das triefende Elend. Keiner der beiden schien aber gewillt, unter den Bäumen auf der gegenüberliegenden Straßenseite Schutz zu suchen.

Norberg parkte den Wagen und stieg aus. »Herr Feldhusen?«

Der Angesprochene nickte. Norberg stellte sich und Scheffler vor. »Sie sagten am Telefon, dass Sie den Eindruck hatten, dass bei dieser Baumgruppe da drüben etwas vergraben worden sei.« Er deutete in Richtung der Bäume.

»Ja.« Feldhusen nickte. Er war in mittleren Jahren, mit einem hageren Gesicht und wachen Augen. »Ich war mir nicht sicher, ob ich anrufen sollte. Man gerät bei so etwas ja immer schnell in Verdacht, sich wichtigmachen zu wollen. Aber … Ich weiß auch nicht …« Verlegen zuckte er die Schultern. »Das sieht wirklich so aus, als wenn da etwas Größeres vergraben wäre. Außerdem stinkt es ziemlich. Ich gehe hier immer längs, und vor meinem Urlaub habe ich da noch nichts gesehen.«

»Wie lange waren Sie denn im Urlaub?«

»Zwei Wochen. Ich bin heute das erste Mal wieder mit Bertie hier unterwegs.«

Bei Bertie handelte es sich um einen Cockermischling, der bei der Nennung seines Namens erst zu seinem Herrchen und dann zu Norberg hochblickte und leise jaulte. Ich will nach Hause, stand in seinem herzerweichenden Blick. Finn würde ihn lieben, er bettelte schon lange, dass er einen Hund haben wollte.

»Es war richtig, dass Sie uns angerufen haben, Herr Feldhusen. Wir sind für jeden Hinweis dankbar.« Norberg gab Scheffler ein Zeichen. »Mein Kollege und ich gehen jetzt mal rüber und schauen uns das an. Sie bleiben bitte hier.«

»Auf jeden Fall! Da kriegen mich keine zehn Pferde mehr hin. Wer weiß, was da verbuddelt ist!«

Die Baumgruppe setzte sich aus zehn Exemplaren unterschiedlicher Größe zusammen, mit dichtem Grasbewuchs zu ihren Füßen, und schmiegte sich an den Rand eines Ackers. Eichen und Buchen, viele Blätter bereits herbstlich verfärbt. Eine Folge des wieder einmal viel zu heißen Sommers. Da konnten auch gelegentliche Regenschauer keine Abhilfe schaffen, dafür wären lange Regenperioden nötig.

Norberg und Scheffler gingen nebeneinander, die Blicke auf den Boden gerichtet, bis Scheffler irgendwann »Puh« sagte und stehen blieb. Sein Gesicht drückte Ekel aus, und Norberg hoffte, dass er nicht zusammenklappen würde, falls sie tatsächlich einen Leichnam finden sollten. Auch ihm war der Verwesungsgeruch aufgefallen, der sich verstärkt hatte, je näher sie dem von der Straße abgewandten Teil der Baumgruppe gekommen waren.

»Da.« Scheffler deutete auf ein Stück Erde vor ihnen, das sich zwischen zwei Bäumen befand. Hier war eindeutig etwas vergraben worden, darauf wiesen mehrere Grassoden hin, die das Erdreich nur notdürftig bedeckten.

Norberg setzte sich in Bewegung, Scheffler folgte ihm zögerlich. Auf den Grassoden lagen nur vereinzelte Blätter, während der Boden des umgebenden Areals übersät von ihnen war. Also war das, was sich hier in der Erde befand, erst vor kurzer Zeit vergraben worden. Ansonsten war um die Stelle herum auf den ersten Blick nichts zu entdecken. Weder Fußspuren noch Zigarettenkippen, nichts versehentlich Verlorengegangenes von der Person oder den Personen, die hier tätig gewesen waren. Der Verwesungsgeruch war jetzt sehr intensiv. Natürlich konnte hier auch jemand ein Tier vergraben haben, aber unter den gegebenen Umständen musste jetzt die Spurensicherung ran. Norberg erhob sich, zog sein Smartphone aus der Jackentasche und rief in der Bezirkskriminalinspektion in Flensburg an, die für St. Peter-Ording zuständig war. Das Team von der Kripo in Husum wollte er dieses Mal außen vor lassen, da die Kollegen der BKIs wesentlich besser beschult waren.

Zweieinhalb Stunden später überspannte ein Schutzzelt den Bereich. Die Kollegen der Spurensicherung hatten Holzplanken verlegt, auf denen sie sich bewegen konnten, ohne etwas zu zerstören, und machten sich jetzt daran, die Grassoden und die darunterliegende Erde so vorsichtig wie möglich abzutragen. Norberg und Scheffler waren nach draußen verbannt worden, das übliche Vorgehen, wenn die SpuSi übernahm.

Bei einem kurzen Blickwechsel bemerkte Norberg, dass Scheffler ebenso angespannt war wie er. Der Kollege hatte ihm mittlerweile anvertraut, dass er noch nie in einen Leichenfund involviert gewesen war, und Norberg hoffte inständig, dass es ihm auch heute erspart bleiben würde.

Nach einer Weile machte sich Unruhe im Zelt breit. Norberg vernahm Wortfetzen, konnte aber keinen Zusammenhang herstellen. »Was ist?«, rief er schließlich. »Was habt ihr gefunden?«

Einen Augenblick später lüftete sich eine Ecke des Zelts und Hanno Grothaus, der stellvertretende Leiter der Spurensicherung, mit dem Norberg in dessen Itzehoer Zeit schon einige Male aneinandergeraten war, trat ins Freie. Dumm gelaufen, dass sich Krischan Garbers, der Leiter der SpuSi, ausgerechnet heute zu einer Schulung in Kiel aufhielt.

»Sieh selbst.«

Norberg runzelte die Stirn, als er an Grothaus vorbeitrat, denn der Ausdruck auf dem Gesicht des Kollegen gefiel ihm überhaupt nicht. Ein hämisches Lächeln umspielte Grothaus' Lippen, seine Augen funkelten. Er machte eine auffordernde Handbewegung und ließ Norberg den Vortritt.

»Tja, das war dann wohl ein Satz mit x.« Grothaus gab sich nicht die geringste Mühe, seine Genugtuung zu verbergen. Norbergs Blick flog zu dem Areal, das jetzt vollständig freigelegt war, und er stieß einen Seufzer der Erleichterung aus.

Kein Mensch, sondern drei schon stärker verweste Wolfskadaver. Augenscheinlich eine Wölfin und ihre beiden Welpen.

In die Erleichterung mischte sich Wut. Auf denjenigen, der diese drei toten Tiere zu verantworten hatte, und auf Grothaus, der sich jetzt mit einigen Bemerkungen in Richtung seiner drei Kollegen über ihn lustig zu machen begann, anstatt froh zu sein, dass sie hier keinen menschlichen Leichnam gefunden hatten. Für einen kurzen Moment erwog Norberg, den Kollegen zusammenzufalten – aber was hätte es gebracht? Dieser Mann war noch nie zur Selbstreflexion fähig gewesen und würde es auch in Zukunft nicht sein.

Norberg verließ das Zelt und ging zu Scheffler. »Kein menschlicher Leichnam, eine Wölfin und zwei Welpen.«

Scheffler atmete tief durch, sein blasses Gesicht bekam wieder Farbe. »Gott sei Dank!«

»Ja, aber wir müssen auch das weiterverfolgen. Der Abschuss von Wölfen ist eine Straftat. Hat es hier in der Vergangenheit andere Fälle gegeben?«

Scheffler schien zu überlegen, dann schüttelte er den Kopf. »In unserem Bereich nicht, und ich erinnere mich auch nicht, woanders was gehört zu haben. Das Thema ist hier allerdings ein sehr sensibles.«

»Das ist es ja schon seit Jahren.«

Die Rückkehr des Wolfes nach Deutschland spaltete die Menschen, vor allen Dingen in ländlichen Gebieten mit Schafhaltung, wie es auf der Halbinsel der Fall war. Norberg hatte Wölfe schon immer geliebt, und jedes Tier, das entnommen werden musste, wie es im Amtsdeutsch hieß, war für ihn eines zu viel.

»Ich kümmere mich nach unserer Rückkehr darum, dass die Angelegenheit weiterverfolgt wird«, bot Scheffler auf dem Weg zu ihrem Wagen an. Sie hatten sich von den SpuSi-Kollegen verabschiedet und darauf hingewiesen, dass sie alles Weitere in die Wege leiten würden. Grothaus hatte ihnen noch einen höhnischen Abschiedsgruß hinterhergerufen, aber auch auf den hatte Norberg nicht reagiert. Das Einzige, was ihn aufbrachte, war der Umstand, dass der Typ jetzt in Windeseile dafür sorgen würde, dass sich ihre Aktion verbreitete – und dass er ihn als Vollidioten hinstellen würde, weil er die Angelegenheit falsch eingeschätzt hatte!

Auf dem Rückweg brachte Nils endlich den Mut auf, seinen Wunsch auszusprechen. Norberg sah zwar ziemlich angefressen aus, aber wenn er jetzt nicht die Chance ergriff, wann dann? Es war ihm zwar immer noch peinlich, dass er vorhin den Eindruck eines Waschlappens vermittelt hatte, aber wenn er diesen korrigieren wollte, musste er jetzt tätig werden, da er so schnell wohl kaum wieder mit seinem neuen Vorgesetzten unterwegs sein würde.

»Werden Sie in Zukunft eigentlich regelmäßig Streife fahren?«, begann er.

»Das kommt darauf an.« Norberg warf ihm einen kurzen Seitenblick zu. »Warum?«

»Weil … na ja … ich …« Himmel, war das peinlich, er stotterte doch sonst nicht so herum. Er holte tief Luft, dann platzte es aus ihm heraus. »Weil ich gerne Ihr Streifenpartner wäre und etwas von Ihnen lernen möchte.«

»Ach …«

Norbergs Ton klang spöttisch, aber als Nils erschrocken zu ihm hinübersah, bemerkte er das Lächeln auf dem Gesicht seines Vorgesetzen, das ihn anspornte, die Dinge, die ihn in den letzten Tagen immer stärker beschäftigt hatten, endlich auszusprechen. Aber Norberg kam ihm zuvor. »Tragen Sie sich denn mit dem Gedanken, die Dienststelle zu verlassen?«

»Das konnte ich mir bis zu Ihrer Ankunft nicht vorstellen.« Nils begann von seiner Verbundenheit mit der Region und mit St. Peter-Ording zu erzählen, das er nur während seiner Ausbildungszeit verlassen hatte. »Ich wollte immer nur hier arbeiten, aber nun frage ich mich, ob das die richtige Entscheidung ist.«

»Was hat sich denn jetzt geändert?«

»Ich überlege, ob ich nicht doch zur Kripo wechseln sollte. Die Arbeit in einer Mordkommission stelle ich mir unglaublich spannend vor.«

Norberg hielt die Augen auf die Straße gerichtet, seine Kiefermuskeln arbeiteten. »Das ist sie auch. Also für mich war sie es jedenfalls. Aber dafür muss man gemacht sein. Sie erleben viel Elend, das hält nicht jeder durch.«

»Das ist mir klar, aber ich habe im Moment das Gefühl, dass ich es mir irgendwann vorwerfen könnte, nicht über den Tellerrand geschaut zu haben.« Nils blickte auf den Trecker, der vor ihnen herzuckelte und alle Zeit der Welt zu haben schien. Als Norberg zum Überholen ansetzte, drückte auch er den rechten Fuß nieder. »Ich weiß bloß nicht so recht, wie ich eine Veränderung angehen könnte.«

»Setzen Sie auf meine Beziehungen?«

»Nein!« Abwehrend hob Nils beide Hände. »Nein, so habe ich das nicht gemeint! Ich hatte bloß die Hoffnung, dass Sie mir etwas von Ihrer zurückliegenden Arbeit erzählen könnten. Und vielleicht ein paar Tipps für mich haben, damit ich sehen kann, ob sie geeignet für mich ist. Ich denke, dass ich ein guter Polizist bin, aber Sie haben so viel mehr Erfahrung als ich.« Er stockte, weil ihn plötzlich das Gefühl überkam, dass er in den letzten Minuten nur dummes Zeug geredet und sich lächerlich gemacht hatte.

Norberg warf ihm einen kurzen Blick zu. »Sie haben im Moment den Kollegen Paulsen als Streifenpartner?«

»Ja.«

»Wie kommen Sie mit ihm klar?«

Nils stieß die Luft aus. »Na ja …«

Norberg schwieg einen Augenblick. »Das klingt jetzt nicht so begeistert«, sagte er dann.

Nils zuckte mit den Schultern. Eine Erwiderung fiel ihm nicht ein.

»Okay, Nils Scheffler, dann schlage ich Folgendes vor: Wenn ich unabkömmlich bin und ein Einsatz ansteht, fahren Sie weiterhin mit Paulsen raus. Ansonsten gehen wir beide auf Tour, außerdem können Sie mir und Frau Wagner bei dem Vermisstenfall unter die Arme greifen. Einverstanden?«

Das musste Nils erst einmal sacken lassen. Streifenfahrten mit Norberg und dann auch noch die Mitarbeit an diesem spannenden Fall. Besser ging's ja nun wirklich nicht.

32

Nachdem sie Ria Herzog verlassen hatte, beschloss Anna, auch Kai Hellmer und Jutta Gräfsen auf den Verkehrsunfall anzusprechen. Im Grunde erwartete sie nichts Neues von diesen Gesprächen, zumal sie auch nicht das Versteck des Wagens preisgeben konnte, da es sich hier ebenfalls um Täterwissen handelte. Es war ihr aber wichtig, die Reaktionen der beiden zu sehen, da sie deren Aussagen nach wie vor mit großer Skepsis betrachtete.

Kai Hellmer hatte auf sie den Eindruck eines Menschen gemacht, der sich im Selbstmitleid suhlte. Das hatte ja bereits Jutta Gräfsen erwähnt. Und seine Wohnung, die man selbst mit bestem Willen nicht als wohnlich bezeichnen konnte, deutete darauf hin, dass er sich auf dem *Leckt mich doch alle am Arsch*-Trip befand. Im Internet war nichts Nennenswertes über Hellmer zu finden, also waren seine Artikel offensichtlich nicht wichtig genug gewesen, um in die digitalen Zeitungsarchive aufgenommen zu werden. Polizeilich war er bisher noch nicht in Erscheinung getreten.

Und Jutta Gräfsen?

Anna glaubte ihr, dass sie überglücklich gewesen war, als Nina den Kontakt gesucht hatte. Aber war das Auseinanderdriften wirklich darauf zurückzuführen, dass Ninas leibliche Mutter zu sehr geklammert hatte? Wenn die Beziehung zu den Brechtmanns im Laufe der Jahre immer schlechter geworden und schließlich abgebrochen war, hätte Nina doch glücklich sein müssen, stattdessen Jutta Gräfsen zu haben und deren Fürsorge zu erfahren.

Es machte Anna langsam kirre, dass sie sich noch immer kein klares Bild von Nina machen konnte.

Obwohl es bereits Nachmittag war, erweckte Hellmer den Eindruck, als hätte Anna ihn aus dem Bett geklingelt. Boxershorts, T-Shirt, das Haar verstrubbelt, hing er im Türrahmen und blickte sie aus verquollenen Augen an. »Sie schon wieder!«

Anna wich unwillkürlich einen Schritt zurück, als ihr seine Alkoholfahne entgegenwehte. »Ja, ich schon wieder! Darf ich reinkommen, Herr Hellmer?«

»Nein!«

Auch gut, dann blieb ihr wenigstens der neuerliche Besuch seiner Wohnung erspart, in der es, seinen Ausdünstungen nach zu urteilen, wie im Affenstall riechen dürfte. »Der Wagen von Nina Brechtmann war am 20. Juni für einen Verkehrsunfall mit Fahrerflucht verantwortlich, bei dem zwei Menschen zu Tode gekommen sind. Wissen Sie etwas darüber?«

Im ersten Moment wirkte Hellmer erschrocken, doch dann schüttelte er unwillig den Kopf. »Wieso sollte ich? Ich hab Ihnen doch gesagt, dass Nina mir schon vor Monaten den Laufpass gegeben hat.«

»Vielleicht hatten Sie danach ja trotzdem noch Kontakt zu ihr.«

»Nein, das hatte ich nicht!«

»Ist Ihnen bekannt, ob Nina ihr Auto jemals an andere Personen verliehen hat?«

Hellmer zuckte die Schultern. »Keine Ahnung.« Er trat auf die ausgefranste Fußmatte vor seiner Tür, und sein Gesicht kam dem ihren gefährlich nah. Aber dieses Mal wich Anna nicht zurück. »Und wissen Sie was? Es ist mir scheißegal, ob Sie mir glauben!«

Ehe Anna reagieren konnte, war er wieder in seiner Wohnung verschwunden und knallte die Tür hinter sich zu.

Während Kai Hellmer Gleichgültigkeit gegenüber dem schrecklichen Unfall an den Tag gelegt hatte, wühlte er Jutta Gräfsen auf.

»Dafür ist Nina ganz bestimmt nicht verantwortlich! Sie ist eine umsichtige Autofahrerin, ich bin mehrere Male mit ihr unterwegs gewesen.«

Anna wiederholte das, was sie bereits Ria Herzog gesagt hatte. »Aber auch vorsichtigen Autofahrern können Unfälle passieren. Sie müssen ja gar nicht selbst verantwortlich sein. Es kann ihnen jemand ins Auto laufen oder …«

Jutta Gräfsen unterbrach sie brüsk. »Wenn es wirklich so gewesen sein sollte, dann wäre Nina sofort zur Polizei gegangen! Ihre Vermutung ist vollkommen absurd.«

»Wissen Sie, ob Nina ihren Wagen vielleicht mal an andere Personen verliehen hat?«

Jutta Gräfsen überlegte einen Augenblick und schüttelte dann den Kopf. »Davon weiß ich nichts. Aber der Unfall ist doch in ihrem Urlaub passiert, wie Sie sagten. Da wird sie den Wagen ja selber benötigt haben.«

Sie unterhielten sich noch einen Augenblick, dann brach Anna auf. Vertane Zeit, sagte sie sich auf dem Rückweg zu ihrem Wagen.

33

»Nils Scheffler unterstützt uns? Na, das ist doch mal eine gute Nachricht!«

Anna Wagner machte einen äußerst zufriedenen Eindruck, nachdem Norberg sie über seine Entscheidung in Kenntnis gesetzt hatte. »Und was diesen SpuSi-Menschen und sein eventuelles Rumtratschen angeht, da stehen Sie doch wohl drüber, oder?«

Ja, das sollte er. Tat er zu seinem Leidwesen aber nicht, andernfalls hätte er ihr überhaupt nichts davon erzählt. Aber seine Verärgerung hatte einfach rausgemusst.

»Soll der Mann sich doch das Maul zerreißen«, fuhr sie fort. »Jeder, der seinen Job beherrscht, hätte an Ihrer Stelle das Gleiche getan.« Sie erhob sich. »Ich will die Brechtmann-Frauen mit der Aussage von Ria Herzog konfrontieren. Wollen Sie mitkommen?«

Er warf einen Blick auf das Chaos, das auf seinem Schreibtisch herrschte, und schüttelte bedauernd den Kopf. »Machen Sie das ohne mich, oder nehmen Sie Scheffler mit. Ich muss hier langsam mal klar Schiff machen.«

»Okay, dann bis morgen.« Als sie die Tür öffnete, sah er Michael Paulsen auf dem Flur stehen. Bei Annas Anblick schien dieser zu einer Bemerkung ansetzen zu wollen, die er sich allerdings verkniff, als er Norbergs Blick auf sich gerichtet sah.

»Kollege Paulsen!« Norberg machte ihm ein Zeichen.

»Was gibt's?« Paulsen trat näher und lehnte sich an den Türrahmen. Er wirkte wie die personifizierte Provokation.

»Kommen Sie bitte rein, und schließen Sie die Tür hinter sich!«

Paulsens Bewegungen waren von aufreizender Langsamkeit, aber Norberg war wild entschlossen, sich nicht aus der Fassung bringen zu lassen.

»Es geht um die heutige Dienstbesprechung, die so eigenmächtig ohne mich durchgeführt wurde«, sagte er, nachdem Paulsen Platz genommen hatte.

»Sie waren ja nicht anwesend.«

»Der Kollege Scheffler war darüber informiert, dass die Besprechung nach meiner Rückkehr stattfinden würde.«

»Ja, das hat er uns gesagt. Es gab aber einige Dinge, die besprochen werden mussten.«

»Zum Beispiel?«, fragte Norberg.

»Es hat in der vergangenen Nacht wieder Einbrüche in zwei Einfamilienhäuser in Ording gegeben. Weiterhin einige Fälle von Vandalismus an der Seebrücke.«

»Und das konnte nicht bis zu meiner Rückkehr warten?«

»Wir wussten ja nicht, wann Sie zurückkommen und wie es dann mit Ihrer Zeit aussieht. Diese Vermisstensache nimmt Sie immerhin ziemlich in Anspruch.«

Norberg beugte sich vor und nahm Paulsen scharf ins Visier. »Ich sage es nur einmal, also sollten Sie mir jetzt gut zuhören. Wann auf dieser Station Dienstbesprechungen abgehalten werden, bestimme ich. Wenn diese, aus welchen Gründen auch immer, nicht zu der bisher üblichen Zeit am Morgen durchgeführt werden können, dann im späteren Verlauf des Tages.«

Paulsen erwiderte nichts. Er hatte die Arme auf den Stuhllehnen abgelegt und saß mit weit gespreizten Beinen da, um Lässigkeit bemüht. Norberg war dieses Manspreading zuwider, das viele seiner Geschlechtsgenossen an den Tag legten, um der Umwelt ihre Männlichkeit und Dominanz zu demonstrieren.

»Sie haben gestern ja deutlich gemacht, dass Sie sich nach Hoyers Pensionierung als neuen Dienststellenleiter gesehen haben. Ich weiß nicht, wie Sie auf diese absurde Idee gekommen sind, und es interessiert mich auch nicht. Wenn Sie jetzt allerdings beabsichtigen, hier Unfrieden reinzubringen, werde ich Ihre Versetzung beantragen. Darüber sollten Sie sich im Klaren sein.«

Paulsens Augen verengten sich. »War's das?«

»Ja. Für den Moment jedenfalls.«

Paulsen erhob sich und verließ ohne ein weiteres Wort den Raum. Norberg blickte nachdenklich auf die Tür, die der Kollege mit einigem Nachdruck hinter sich geschlossen hatte. Er ging davon aus, dass Paulsen den Anpfiff nicht so ohne Weiteres auf sich sitzen lassen würde. Also sollte er jetzt auf der Hut sein. In der Mordkommission hatte es auch hin und wieder Querelen mit Kollegen gegeben, aber nichts, was sich nicht wieder bereinigen ließ. Jetzt hatte Norberg zum ersten Mal in seinem Berufsleben das Gefühl, sich einen Feind gemacht zu haben.

34

Constanze Brechtmann hielt sich noch im Hotel auf, wie Anna um achtzehn Uhr an der Rezeption erfuhr. Sie hatte, wie von Norberg vorgeschlagen, Nils Scheffler mitgenommen und ihn auf dem Hinweg mit den wichtigsten Eckdaten des Vermisstenfalls vertraut gemacht. Dass sie jetzt noch einen weiteren Kollegen zur Seite hatte, freute sie, außerdem mochte sie Nils. Er war so ganz anders als viele Kollegen, die sie in der Vergangenheit kennengelernt hatte und denen nur ihr Aufstieg am Herzen zu liegen schien. Nils machte einen bodenständigen und geerdeten Eindruck, und solche Kollegen waren ihr schon immer die liebsten gewesen.

Der Rezeptionsmitarbeiter führte sie nach einer telefonischen Ankündigung in ein Büro im Erdgeschoss, das in seiner Kargheit einen starken Kontrast zu den Räumlichkeiten des Hotels und auch zur Einrichtung in Constanze Brechtmanns Haus aufwies. Ein verchromter Schreibtisch mit zwei Freischwingerstühlen davor, eine Sitzecke aus dunkelgrauem Leder. Keine Bilder an den hellgrauen Wänden, keine Vase mit Blumen, keine persönlichen Dinge auf dem Schreibtisch. Nichts, was diesem Raum wenigstens ein bisschen Wärme oder eine ansprechende Note verliehen hätte.

Auch Constanze Brechtmann hatte heute etwas von einem Eisblock an sich. Nachdem Anna ihren Kollegen vorgestellt hatte, nickte sie ihnen nur kurz zu und deutete auf die Stühle vor ihrem Schreibtisch. Ihr Blick war wachsam, ihr Ton spitz. »Was kann ich dieses Mal für Sie tun?«

Anna zog ihren Notizblock aus der Umhängetasche und blätterte ein wenig darin herum, obwohl sie alles, was sie Constanze Brechtmann mitteilen wollte, im Kopf hatte. Verzögerungstaktik hatte noch nie geschadet. »Sie hatten bei unserem ersten Gespräch ausgesagt, dass Ihr letzter Kontakt mit Nina bereits einige Jahre zurückläge«, sagte sie schließlich. »An das genaue Datum konnten Sie sich ja nicht mehr erinnern. Ihre Tochter Sophie hat das Gleiche ausgesagt. Nun liegt uns aber mittlerweile die Aussage der Leiterin von *KüstenFreunde SH* vor, dass es seit der Verkündung des Baubeginns Ihres neuen Hotels hier in St. Peter-Ording insgesamt sechs Demonstrationen direkt vor dem *Seaview* gegeben hat. Nina war bei jeder dieser Demos anwesend, und wie wir erfahren haben, gab es da durchaus eine Konfrontation zwischen Ihnen dreien. Sie und Ihre Tochter Sophie sollen im Januar sogar mit wüsten Beschimpfungen auf Nina losgegangen sein. Es erstaunt mich schon sehr, dass Sie sich daran nicht mehr erinnert haben. Oder sollte ich besser sagen, dass Sie sich daran nicht mehr erinnern wollten? Was soll das, Frau Brechtmann? Ihnen dürfte doch klar gewesen sein, dass wir davon erfahren.«

Constanze Brechtmann erwiderte Annas Blick mit ausdrucksloser Miene. »Kein Grund, deshalb einen Aufstand zu machen. Ich werde es wohl schlichtweg vergessen haben.«

»Und Ihre Tochter leidet dann auch an plötzlichem Gedächtnisschwund, oder?« Als keine Erwiderung folgte, platzte Anna der Kragen. »Sie sollten aufhören, uns für dumm zu verkaufen, Frau Brechtmann. Eine Falschaussage ist strafbar, das müssten Sie eigentlich wissen. Außerdem machen Sie und Ihre Tochter sich sehr verdächtig damit.«

»Ihr Ton gefällt mir nicht, Frau Wagner!« Constanze Brechtmanns Blick loderte. »Das ist nach heute Morgen das zweite Mal, dass Sie uns irgendwelche Dinge unterstellen. Weitere Gespräche werden ab sofort nur noch in Anwesenheit meines Anwalts stattfinden.« Sie machte eine auffordernde Handbewegung in Richtung der Tür. »Und jetzt entschuldigen Sie mich, ich habe zu tun!«

Anna blieb sitzen, denn sie war noch nicht fertig. »Die Leiterin der Umweltgruppe hat außerdem ausgesagt, dass Nina ihr gegenüber ausdrücklich erwähnt hätte, dass ihr Besuch Ihnen gelten sollte, Frau Brechtmann, und nicht ihrer leiblichen Mutter. Bleiben Sie unter diesen Umständen immer noch bei Ihrer Aussage, dass Nina nicht hier gewesen ist?«

»Ja, das tue ich!« Constanze Brechtmann wandte sich wieder der Unterschriftenmappe zu, über der sie bereits bei Annas Eintritt gesessen hatte.

Anna erhob sich. »Ich kenne noch nicht den Grund, warum Sie und Ihre Tochter uns angelogen haben, aber ich bin überzeugt davon, dass es nicht nur dieses eine Mal war.« Sie schulterte ihre Tasche und warf der Hotelière einen letzten Blick zu. »Falls Sie glauben, damit durchzukommen, muss ich Sie enttäuschen, Frau Brechtmann. Ich werde diesen Grund nämlich herausfinden, und dann bin ich mal gespannt auf Ihre Erklärungen.«

Sophie Brechtmann war nicht im Hotel anzutreffen, und da Anna davon ausging, dass sie die gleiche Erklärung wie ihre

Mutter parat haben würde, schenkte sie sich die Suche nach ihr.

»Diese Constanze Brechtmann ist ja wirklich eiskalt«, meinte ihr Kollege kopfschüttelnd, als sie auf dem Rückweg zur Polizeistation waren. »Nach allem, was du mir erzählt hast, scheint sie sich nicht im Geringsten dafür zu interessieren, was mit Nina passiert ist. Das ist doch nicht normal.«

»Ich habe mittlerweile den Eindruck, dass in dieser Familie nur wenig normal ist«, sagte Anna erbost. »Die beiden Frauen sind mir durch und durch suspekt. Und diesem Forsgren glaube ich übrigens auch kein Wort.«

»Wenn sein Name noch bis zuletzt in Ninas Organizer stand, werden sie sich doch auch getroffen haben.«

Anna nickte. »Ich glaube mittlerweile immer mehr, dass der Typ zweigleisig fährt und Nina nicht aufgegeben hat. Aus welchen Gründen auch immer.«

»Hat vielleicht was mit Liebe zu tun«, meinte Nils und grinste verlegen.

Anna schnaubte. »Liebe wird überbewertet.«

Nach Dienstschluss beschloss Anna, die dringend notwendigen Lebensmitteleinkäufe am nächsten Morgen zu erledigen, wenn es hoffentlich ein wenig kühler war. Ihr stand wieder der Sinn nach einer Pizza, aber trotz ihres Heißhungers begnügte sie sich mit einem Fischbrötchen mit Matjes, was zwar auch nicht als schlanke Kost durchging, aber doch einige Kalorien weniger hatte. Ab morgen, schwor sie sich auf dem Heimweg. Ab morgen gibt es nur noch Joghurt, Obst, Salat und mageren Fisch. Himmel, anderen gelang es doch auch abzunehmen, warum nicht ihr? Sechs Kilo mussten auf jeden Fall runter, auch wenn ihr Umfeld ihr immer wieder versichert hatte, dass dies absoluter Blödsinn sei. Aber so etwas lag eben im Auge des Betrachters, und ihr täglicher Blick in den Spiegel sagte etwas anderes.

Das Fischbrötchen war lecker, stillte ihren Hunger aber nicht wirklich. Komisch, an der See hatte sie schon als Kind ständig Heißhunger gehabt. Musste wohl an der Luft liegen. Seufzend brachte sie den Teller und den Teebecher in die Küche und ging dann wieder ins Wohnzimmer zurück, wo sie an die offen stehende Terrassentür trat. Dunkelheit hatte sich über den Garten gesenkt, und sie beschloss nach einem Blick auf die Uhr ins Bett zu gehen, wo sie auf der Stelle in einen tiefen und traumlosen Schlaf fiel. Zwei Stunden später wurde sie allerdings wieder wach, weil ihr der Matjes quer lag und sie tierischen Durst hatte. *Fisch will schwimmen*, erinnerte sie sich an einen Spruch. Ja, da war was dran, deshalb sollte man ihn vielleicht besser tagsüber essen.

Verschlafen tapste sie auf nackten Sohlen die Treppe ins Erdgeschoss hinunter, um sich in der Küche ein Glas Wasser zu holen. Bei einem Blick durch das Fenster fiel ihr auf, dass die Bewegungsmelder angegangen waren. Corinna Heckler hatte ihr erzählt, dass sie die Überwachungstechnik erst vor einiger Zeit hatten anbringen lassen, nachdem in St. Peter eine Diebstahlserie begonnen hatte. Die Diebe waren bisher nicht gefasst worden.

Irritiert öffnete Anna die Haustür und warf einen Blick ins Freie. Niemand zu sehen. Sie zog eine leichte Jacke über ihr Schlafshirt, nahm den Schlüssel zur Hand und machte sich zu einem Inspektionsgang um das Haus auf, wobei sie auch zu dem der Hecklers hinüberschaute, das allerdings im Dunkeln lag. Alles ruhig, keine verdächtigen Personen.

Nach zehn Minuten hatte sie auch die hintersten Ecken des Gartens sowie die Straße überprüft und ging ins Haus zurück.

Wahrscheinlich war es nur eine Katze gewesen, die während ihrer nächtlichen Tour um die Häuser strich.

35

Mittwoch, 1. Juli

Wie geplant war Anna früh aufgestanden. Wenigstens hatte sie noch eine Banane gefunden, mit der sie ihren ersten Hunger stillen konnte. Als sie ihren leeren Einkaufskorb zum Wagen auf der Einfahrt trug, wurde sie auf Corinna Heckler aufmerksam, die gerade die Tageszeitung aus dem Briefkasten holte. Eilig ging sie zu ihr hinüber. »Grüß Gott, Frau Heckler.«

Ihre Vermieterin lächelte. »Moin, Frau Wagner.«

»Ja … äh … Moin. Wird wohl noch ein bisschen dauern, bis ich den norddeutschen Gruß verinnerlicht habe.«

»Das wird schon.« Corinna Heckler wirkte zuversichtlicher, als Anna sich fühlte. »Kann ich etwas für Sie tun?«

Anna nickte. »Ich will noch schnell einkaufen vor dem Dienst. Hier gibt es doch bestimmt einen Supermarkt in der Nähe, oder?«

»Klar. Fahren Sie in die Nordergeest, da haben Sie alle auf einem Haufen.«

»Prima, danke!« Anna winkte einen Abschiedsgruß und eilte zu ihrem Wagen zurück. Das Navi nannte ihr die Böhler Landstraße als schnellste Verbindung.

Beim Einbiegen in den Kreisel an deren Ende geschah es dann: Anna hatte den Blinker gesetzt und wollte die zweite Ausfahrt in die Eiderstedter Straße nehmen, als ihr Wagen plötzlich ins Schlingern geriet. Sie bremste und versuchte gegenzulenken, was die Situation allerdings verschlimmerte und den Wagen auf die Gegenfahrbahn trieb, auf der ihr zum Glück niemand entgegenkam. Erst nachdem sie mehrere Male, so vorsichtig wie möglich, die Bremse betätigt hatte, kam der Wagen schließlich nach einigen Hundert Metern auf dem Fußgängerstreifen auf der anderen Straßenseite zum Stehen.

Als sie ausstieg, waren ihre Hände schweißnass, und ein Zittern durchlief ihren Körper. Himmel, was war das denn gewesen? Der Volvo war gerade mal drei Jahre alt, und sie hatte ihn vor der langen Fahrt von München hier hoch noch einmal auf Herz und Nieren durchchecken lassen. Sie lehnte sich gegen den Wagen und atmete mehrere Male tief durch. Es brauchte einen Augenblick, bis sie sich beruhigt hatte und den Wagen in Augenschein nehmen konnte.

Ein platter Hinterreifen. Na toll, das hatte ihr gerade noch gefehlt. Da musste jetzt eine Werkstatt ran, denn einen Reifen hatte sie im Leben noch nicht gewechselt. Sie nahm ihr Smartphone zur Hand und suchte im Internet die Nummer einer Autowerkstatt heraus, die versprach, umgehend einen Abschleppwagen zu schicken. Während sie wartete, rief sie Norberg an und informierte ihn über den Vorfall mit dem Hinweis, dass sie später kommen würde.

»Ich hole Sie von der Werkstatt ab.« Seine Stimme klang angespannt. »Constanze Brechtmann hat gerade angerufen. Auf das *Seaview* wurde vergangene Nacht ein Farbanschlag verübt. Frau Brechtmann geht davon aus, dass Nina dafür verantwortlich ist.«

36

In der morgendlichen Dienstbesprechung, die heute wieder wie gewohnt um acht Uhr stattgefunden hatte und durch den Anruf von Constanze Brechtmann bereits eine halbe Stunde später beendet worden war, hatte Norberg festgelegt, dass Nils ab sofort den Hinweisen nachgehen sollte, die in der Vermisstensache Nina Brechtmann eingingen. Am Vortag waren drei weitere hinzugekommen, die von unterschiedlichen Kollegen aufgenommen worden waren. Zwei von ihnen waren der festen Überzeugung gewesen, dass sie es mit Wichtigtuern zu tun gehabt hatten, was Norberg ein Stirnrunzeln und die Bemerkung, dass man grundsätzlich erst einmal jeden Anruf ernst nehmen müsse, entlockt hatte. Der Kollege, der am späten Abend den letzten Anruf entgegengenommen hatte, war auch vorhin noch unschlüssig gewesen, wie dieser einzuordnen war.

Norbergs Anordnung hatte nicht bei allen für Zustimmung gesorgt, und Nils war wieder einmal bewusst geworden, wie sehr Claas Hoyer in den letzten Jahren eine Reihe von Dingen hatte schleifen lassen. Er hatte sich mehr darum bemüht, ein guter Kumpel zu sein als ein Vorgesetzter, der Anweisungen gab und auch einmal ein Machtwort sprach. Besonders Michael Paulsen hatte Anstoß an Norbergs Entscheidung genommen, dies aber ihrem neuen Vorgesetzten nicht direkt ins Gesicht gesagt, sondern sich im Anschluss an die Besprechung bei Nils abreagiert.

»Was bildet dieser Typ sich eigentlich ein?« Paulsen hatte die Tür zu dem Büro, das er mit Nils teilte, wütend hinter sich zugeschmissen und sich in seinen Schreibtischstuhl fallen gelassen. »Kehrt hier den großen Macker raus und glaubt alles besser zu wissen, bloß weil er mal ein Mordermittler war. Aber der wird sich noch wundern.«

»Jetzt gib doch endlich Ruhe!« Nils hörte nur mit halbem Ohr hin, weil er die gestrigen Hinweise durchsah. Der erste Anrufer hatte angegeben, dass die vermisste Frau in einer Bäckerei in Friedrichstadt arbeiten würde, der zweite schwor Stein und Bein, dass sie am Montag in der Gruppe gewesen sei, mit der er eine Führung auf den Westerhever Leuchtturm gemacht hatte, und der dritte war sich sicher, sie letzten Sonnabend im Westküstenpark in St. Peter gesehen haben, wo sie um fünfzehn Uhr die Seehunde gefüttert hatte.

»Wenn du jetzt den Hinweisen nachgehen sollst, fällst du auch für anderes aus, und wir haben noch mehr Arbeit. Aber es war natürlich klar, dass du nichts gegen ihn sagen wirst, wo er dich zu seinem Supersonderermittler auserkoren hat«, höhnte Paulsen.

»Was soll das? Bist du auf Streit aus?« Nils faltete die Zettel zusammen und warf Paulsen einen verärgerten Blick zu.

»Aber nein, wie kommst du denn darauf?« Paulsen hob beide Hände, in seinem Gesicht lag ein hämischer Ausdruck. »Ich werde mich doch nicht mit dem Günstling unseres neuen Vorgesetzten anlegen.«

Entnervt stand Nils auf. »Weißt du was, Paulsen? Du kannst mich mal! Du schiebst hier doch schon lange ’ne ruhige Kugel und kriegst den Hintern nicht hoch. Wird Zeit, dass da endlich mal jemand den Riegel vorschiebt.«

Als er zum Streifenwagen ging, um sich auf den Weg zu dem ersten Anrufer zu machen, merkte er, dass ein breites Grinsen auf seinem Gesicht lag. Er war zwar immer noch verärgert über Paulsens dämliche Bemerkungen, aber die Genugtuung, dass er seinem Kollegen endlich mal Kontra gegeben hatte, überwog. Nils war nie ein Duckmäuser gewesen, aber er hatte es bisher auch nicht darauf angelegt, Krawall zu machen, sondern sich immer bemüht, in Konfliktsituationen besonnen und ausgleichend zu reagieren. Seitdem Paulsen sein Streifenpartner war, hatte er schon einige Male gedacht, dass es an der Zeit war, dieses Verhalten zu überdenken und dem Kollegen den Marsch zu blasen, wenn er sich mal wieder bescheuert verhielt.

Nils startete den Motor und fuhr den Streifenwagen mit Schmackes aus der Parkbucht. Für den Anfang war das doch schon mal nicht schlecht gewesen.

37

»Wie kommt Frau Brechtmann darauf, dass Nina den Farbanschlag verübt hat?«, wollte Anna wissen, nachdem sie auf dem Beifahrersitz des Streifenwagens Platz genommen hatte. »Und was heißt überhaupt Farbanschlag? Hat da jemand Parolen an die Wände gesprüht oder sie einfach nur beschmutzt?«

»Sie sagt, dass an einer Seitenwand des Hotels zwei Parolen stehen. Dort verläuft ein Durchgangsweg zur Promenade, und als sie sich das Ganze heute Morgen angesehen hat, ist sie auf ein Armband aufmerksam geworden, das in der Blumenrabatte lag. Sie behauptet, dass es Nina gehört.« Norberg spürte die Müdigkeit in jedem einzelnen Knochen. Nach einer erneuten Auseinandersetzung mit Lasse, der erst nach Mitternacht nach Hause gekommen war, war an Schlaf vorerst nicht zu denken gewesen. Erst in den frühen Morgenstunden war er endlich eingenickt.

»Das kann dann ja nur in der vergangenen Nacht passiert sein«, sagte Anna. »Hat denn niemand etwas mitbekommen?«

»Danach werden wir sie jetzt fragen.« Norberg parkte den Streifenwagen vor dem Hoteleingang und stieg aus. Der Durchgangsweg befand sich an der rechten Seite des Hotels, und als Anna und er um die Ecke bogen, stießen sie auf einige Passanten, die in eine heftige Diskussion verwickelt waren und immer wieder die Hotelfassade hochschauten.

HÄNDE WEG VON UNSERER NORDSEEKÜSTE!!!

KEINE WEITEREN HOTELNEUBAUTEN IN SPO!!!

»Richtig so! Hier wird langsam alles verschandelt«, wetterte ein übergewichtiger Mann in zu kurzen dunkelblauen Shorts und einem knallgelben T-Shirt, das gefährlich über seinem Bierbauch spannte, in breitestem Sächsisch.

»Ach, halt doch deine verlogene Klappe!«, fuhr die Frau neben ihm auf, die ebenfalls keinem Modejournal entsprungen war. »Du willst doch immer in die neuesten Hotels und möglichst den ganzen Tag deine dämlichen Wellnessbehandlungen. Aber jetzt einen auf Umweltschützer machen.«

Beim Anblick von Norberg trollten sich die beiden, und die übrigen Personen, die die Auseinandersetzung interessiert verfolgt und teilweise auch kommentiert hatten, taten es ihnen gleich.

Norberg blickte die Fassade empor. Die Schriftzüge waren in blutroter Farbe aufgetragen, und zu seinem Verdruss hatten sich zwei Hotelangestellte – den Latzhosen nach zu urteilen, Handwerker – darangemacht, sie zu beseitigen.

»Was zum Teufel!« Norberg lief auf die beiden zu. »Aufhören! Sofort!« Als die Männer ihn verständnislos anschauten, tippte er sich an die Stirn, fassungslos über so viel Dummheit. »Das ist ein Tatort, den wir uns erst einmal ansehen müssen. Vielleicht sind Untersuchungen fällig. Wie kommen Sie dazu, hier sauber zu machen?«

»Weil die Chefin es angeordnet hat«, entgegnete einer der Männer und wischte sich über die schweißnasse Stirn. »Und was heißt hier Tatort? Sehen Sie hier vielleicht irgendwo 'ne Leiche rumliegen oder was?« Beifall heischend blickte er sich zu seinem Kollegen um, dem der Ausspruch allerdings nicht einmal ein müdes Lächeln entlockte.

»Sie hören jetzt augenblicklich auf damit!«, ordnete Norberg an.

»Hätten wir sowieso, das Zeug geht nämlich mit Wasser nicht runter.« Der Mann klappte die Trittleiter zusammen und setzte sich mit seinem Kumpel Richtung Hoteleingang in Bewegung, ohne sie eines weiteren Blickes zu würdigen.

»Das sind die Slogans der Umweltgruppe«, sagte Anna leise, während sie den beiden Männern folgten. »Ich habe sie bei meinem Besuch bei Ria Herzog auf den Plakaten gesehen, die dort hingen.«

Sie fanden Constanze Brechtmann an der Rezeption. Auch heute war die Geschäftsführerin von *Küstenhotels* perfekt gestylt, dunkelblauer Hosenanzug, weiße Seidenbluse, Perlenkette, halbhohe Pumps. Ihr Gesicht sah eingefallen aus, worüber auch das Make-up nicht hinwegtäuschen konnte, das sie heute stärker aufgetragen hatte als bei ihren vorherigen Begegnungen.

»Ich komme gleich.« Sie machte eine Handbewegung in Richtung von Anna und Norberg und ging auf die beiden Angestellten zu, die abwartend in der Lobby stehen geblieben waren. »Sind Sie schon fertig?«, hörte Norberg sie fragen.

»Nee, die Farbe geht mit Wasser nicht ab«, sagte der Handwerker mit der Trittleiter. »Da müssen wir mit was anderem ran.«

»Okay, dann machen Sie das. Aber schnell, bitte, ich will nicht, dass noch mehr diese elende Schmiererei zu Gesicht bekommen.«

»Stopp!«, sagte Norberg und trat hinzu. »Ich habe Ihren Mitarbeitern bereits gesagt, dass hier im Moment überhaupt nichts sauber gemacht wird, bevor wir uns das Ganze angesehen haben.«

Aufgebracht fuhr Constanze Brechtmann zu ihm herum. »Wie kommen Sie dazu, so etwas anzuordnen? Haben Sie auch nur im Entferntesten eine Ahnung, welchen Imageschaden das für uns bedeutet? Da führt ein Durchgangsweg zur Promenade entlang, wissen Sie, wie viele Leute da täglich vorbeigehen?« Sie blickte wieder die Handwerker an. »Sie machen weiter! Sofort!«

Dein Schaden ist mir so was von egal, dachte Norberg. Er wollte seine Anordnung gerade wiederholen, als ihm der Handwerker mit der Trittleiter zuvorkam.

»Nee, Chefin, bei allem Verständnis, aber mit der Staatsmacht legen wir uns lieber nicht an. Wenn die Sache geklärt ist, machen wir uns sofort wieder an die Arbeit. Nichts für ungut.« Er zuckte die Schultern, sein Kollege studierte mit höchster Aufmerksamkeit den hölzernen Boden.

Constanze Brechtmann wahrte nur mit Mühe die Fassung. Ihre Hände waren zu Fäusten geballt, ihre Augen blitzten. Norberg war überzeugt, dass auf die beiden Handwerker ein gewaltiges Donnerwetter niedergehen würde, wenn nicht sogar Schlimmeres.

»Sie sagten, dass Sie ein Armband von Nina gefunden haben und deshalb davon ausgehen, dass sie für den Farbanschlag verantwortlich ist«, sagte Anna, nachdem die Handwerker sich zurückgezogen hatten. Constanze Brechtmann blinzelte und wandte Anna ihren Blick zu, als sähe sie sie in diesem Moment zum ersten Mal.

»Ja … ja, das stimmt.«

»Dann sollten wir uns in Ihrem Büro unterhalten.«

Constanze Brechtmann fuhr sich in einer nervösen Geste übers Gesicht, dann blitzte sie Anna an. »Ich spreche nur mit Ihrem Kollegen. Bei Ihnen muss ich ja damit rechnen, dass Sie mir wieder etwas unterstellen.«

Anna hatte ihm von dem Gespräch am Vortag erzählt. Norberg wollte zu einer Erwiderung ansetzen, aber seine Kollegin winkte ab.

»Ich sehe mich in der Zwischenzeit draußen um.«

Aufmerksam betrachtete Norberg das Armband, das Constanze Brechtmann ihm ausgehändigt hatte. Es war ein massives Panzerarmband aus Gelbgold mit dem Wort *Nina* auf einer mit Brillantsplittern eingefassten Platte.

»Das habe ich Nina zu ihrem achtzehnten Geburtstag geschenkt«, sagte Constanze Brechtmann mit belegter Stimme. »Ich weiß, dass es ihr sehr viel bedeutet hat.«

»Wieso gehen Sie davon aus, dass Nina es noch immer getragen hat?«, fragte Norberg zweifelnd. »Sie hat sich von Ihnen losgesagt, da dürfte ihr ein solch persönlicher Gegenstand doch nicht mehr wichtig gewesen sein.«

»Ich habe das Armband bei der Demo im Januar noch an ihrem Handgelenk gesehen, als ihr Jackenärmel hochrutschte.«

»Bei Ihrer ersten Befragung durch meine Kollegin haben Sie diese Demo und Ninas Teilnahme daran mit keinem Wort erwähnt. Im Gegenteil, laut Ihrer ersten Aussage lag die letzte Begegnung mit Ihrer Adoptivtochter Jahre zurück. Und jetzt wollen Sie sich sogar an das Armband erinnern?« Norberg nahm die Frau vor sich scharf ins Visier. »Ihnen ist schon klar, dass Sie sich mit Ihren widersprüchlichen Aussagen verdächtig machen, oder?«

Constanze Brechtmann hatte den Blick auf ihre verschränkten Hände gerichtet, und als sie wieder aufsah, schimmerten Tränen in ihren Augen. So dominant sie noch vor wenigen Minuten in der Lobby gewirkt hatte, so verletzlich schien sie jetzt. Keine Spur mehr von der Arroganz und dem herrischen Verhalten, das sie bei ihrer Begegnung am Vortag an den Tag gelegt hatte, nur noch ein Mensch, der sichtlich mit den Tränen kämpfte.

Oder war sie nur eine gute Schauspielerin, die jetzt mit allen Mitteln versuchte, ihn für sich einzunehmen?

»Ich weiß, dass meine Aussage ein Fehler war. Die Nachricht von Ninas Verschwinden hat mich so aufgewühlt, dass ich keinen klaren Gedanken mehr fassen konnte. Es tut mir leid.« Sie zog ein Taschentuch aus ihrer Hosentasche und knüllte es in ihren Händen zusammen. »Der Fund des Armbands bedeutet doch, dass Nina noch lebt.« Ihre Stimme zitterte, eine Träne stahl sich die Wange hinunter, als sie ihn wieder anschaute und offensichtlich eine Bestätigung von ihm erwartete.

Nein, das bedeutet er nicht, dachte Norberg, während er ihrem Blick mit unbewegter Miene standhielt. Das Armband kann absichtlich dort platziert worden sein, weil man uns genau das glauben machen will. Damit wir die Suche nach Nina einstellen.

Vielleicht hast du es sogar selbst dorthin gelegt …

Er konnte es nicht benennen, aber er hatte in diesem Augenblick zum ersten Mal das Gefühl, dass Nina nicht mehr am Leben war. Er hatte in seinem Berufsleben vielen Tätern gegenübergesessen und im Laufe der Jahre ein gutes Gespür dafür entwickelt, wenn jemand log. Annas Bericht über das

Gespräch mit Constanze Brechtmann ging ihm wieder durch den Kopf. Die Vermutung seiner Kollegin, dass weder sie noch Sophie besonders betroffen über Ninas Verschwinden waren.

Hatten die beiden Brechtmann-Frauen Nina aus dem Weg haben wollen, weil sie und die Mitglieder von *KüstenFreunde SH* den Hotelneubau in St. Peter mit weiteren Aktionen vielleicht nicht verhindern, aber doch zumindest zu einem längeren Stillstand hätten bringen können?

»Es hat mir unendlich wehgetan, dass Nina sich von uns losgesagt hat«, fuhr Constanze Brechtmann fort, als er nicht reagierte. »Ich habe so viele Bemühungen unternommen, ihr wieder näher zu kommen, aber sie hat mich immer zurückgestoßen. Schließlich habe ich resigniert, doch die Hoffnung, dass sie sich irgendwann besinnt, habe ich nie aufgegeben.« Sie fuhr sich mit dem Taschentuch über die feuchten und geröteten Wangen und wirkte sichtlich aufgewühlt, aber Norberg war mittlerweile überzeugt davon, dass sie eine riesengroße Show abzog.

»Schildern Sie mir bitte den genauen Ablauf, Frau Brechtmann. Wann wurden die Parolen bemerkt? Und von wem?«

»Das war heute Morgen so gegen halb neun. Die Gärtner wollten die Blumenrabatten an der Hauswand neu bepflanzen und haben die Schmiererei entdeckt. Ich ging raus, um mir das anzuschauen, und bin auf das Armband aufmerksam geworden, das in der Rabatte lag. Ich habe es sofort erkannt.«

»Ihre Rezeption ist doch vierundzwanzig Stunden besetzt, soweit ich weiß. Ist in der Nacht denn niemandem etwas aufgefallen? Hat niemand etwas gehört?«

Constanze Brechtmann schüttelte den Kopf. »Nein. Ich habe jeden, der heute Nacht Dienst hatte, angerufen. Niemand hat etwas bemerkt.«

Norberg überlegte. Die Aktion hätte problemlos von einer Person durchgeführt werden können. Die beiden Schriftzüge waren auch nicht so hoch, dass eine Leiter vonnöten gewesen wäre, um sie anzubringen. Es schien sich zudem um Sprühfarbe zu handeln. Eine Angelegenheit von fünfzehn Minuten. Höchstens.

Sollte wirklich Nina Brechtmann dafür verantwortlich sein?

38

Anna war noch immer damit beschäftigt, die Blumenrabatte unter der verunstalteten Außenwand zu untersuchen. An die gegenüberliegende Seite des Weges grenzten die fensterlose Außenwand des benachbarten Gebäudes und ein circa zwei Meter hoher Metallzaun, der keine Einblicke auf das Grundstück hinter dem Haus gewährte. Also dürfte hier niemand etwas mitbekommen haben. Sie hatte trotzdem nachgefragt und die erwartete Antwort erhalten.

Sie hatte Absperrband aus dem Streifenwagen geholt und den Durchgangsweg kurzerhand gesichert, um ungestört ihrer Arbeit nachgehen zu können. Was nicht ganz einfach war, da sich in einem fort Touristen näherten, die entweder wissen wollten, warum sie hier jetzt nicht mehr durchkamen, oder einfach nur stehen blieben, um zu gaffen und Videos von ihrem Tun zu drehen. Als es ihr zu dumm geworden war, hatte sie zwei Kollegen zur Verstärkung angefordert, die nach kurzer Zeit aufgetaucht waren und sich an beiden Seiten des Weges postiert hatten.

»Und? Haben Sie noch was Interessantes gefunden?«

Anna richtete sich mit einem Ächzen auf, als sie Norbergs Stimme hörte, und drückte für einen Moment ihren Rücken durch.

»Ach Mensch, das hab ich ja ganz vergessen.« Norberg kramte kurz in seiner Brieftasche und reichte ihr dann einen Zettel, auf dem mehrere Daten und Uhrzeiten standen. »Der erste Termin ist nächste Woche Dienstag. Früher war leider nichts zu machen. Tanja wird Sie persönlich unter ihre Fittiche nehmen. Bei ihr ist Ihr Rücken in den besten Händen.«

Anna nahm den Zettel in Empfang und blickte ihn dankbar an. »Prima, vielen Dank!«

Sie deutete auf die Blumenrabatte. Überall abgeknickte und niedergetretene Pflanzen, dazwischen zertrampelte Erde ohne erkennbare Schuhabdrücke. »Wie Sie sehen, haben die Handwerker hier ganze Arbeit geleistet. Außer Blumen und Erde habe ich nichts gefunden. Ebenso wenig auf dem Weg.« Sie blickte ihn an. »Was hat Constanze Brechtmann gesagt?«

»Nichts, womit sie mich überzeugen konnte.«

Er resümierte kurz sein Gespräch mit Constanze Brechtmann. Anna lauschte seinen Worten und sagte dann kopfschüttelnd: »Es sieht mir ganz danach aus, dass wir mit dem Armband und den Parolen hinters Licht geführt werden sollen. Und für beides dürfte ein und dieselbe Person verantwortlich sein. Aber dabei handelt es sich ganz bestimmt nicht um Nina Brechtmann.«

Nach der Rückkehr in die Polizeistation bat Norberg Anna in sein Büro, weil es noch etwas zu klären galt, was er nicht zwischen Tür und Angel oder im Dienstwagen besprechen wollte. Er hatte hin und her überlegt, wie er sie am besten zu Michael Paulsen befragen sollte, und war zu der Erkenntnis gelangt, dass er das Thema direkt angehen musste.

»Es geht um den Kollegen Paulsen«, sagte er, nachdem er die Tür geschlossen hatte. Anna Wagner erwiderte nichts, hatte aber leicht die Stirn gerunzelt. Er suchte nach den richtigen Worten. »Hat er sich Ihnen schon einmal in ungebührlicher Weise genähert?«

Er hatte mit allem gerechnet, allerdings nicht mit dem herzhaften Lachen, in das die Kollegin ausbrach.

»'tschuldigung«, prustete sie und hatte Mühe, sich wieder in den Griff zu kriegen.

»Was war an meiner Frage so komisch?«, wollte Norberg wissen.

»Na ja …«, sie gluckste, »sie klang halt etwas geschwollen.«

Ihr Verhalten brachte ihn unversehens auf. »Ich wollte meiner Aufsichtspflicht nachkommen, Frau Wagner, und Sie haben nichts Besseres zu tun, als meine Frage ins Lächerliche zu ziehen. Was soll das?«

»Entschuldigung«, wiederholte sie, »es gibt halt so Tage, da hat man 'nen Clown gefrühstückt. Kennen Sie doch bestimmt auch.«

Nein, wie sich dieser Zustand anfühlte, wusste er schon lange nicht mehr. »Wenn Sie sich dann wieder beruhigt haben, wäre es nett, wenn Sie meine Frage beantworten würden.«

Ihr Gesicht wurde wieder ernst. »Ich weiß nicht, wo bei Ihnen der Begriff ›ungebührlich‹ beginnt. Der Kollege Paulsen scheint eine Reihe von Minderwertigkeitskomplexen mit sich herumzutragen, was sich in einem großspurigen Gebaren äußert.«

Norberg gelang es im letzten Moment, das Lachen, das in seiner Kehle hochstieg, zu unterdrücken. »Aber mir vorwerfen, dass ich geschwollen rede.«

Sie stutzte kurz, dann hatte sie begriffen und lächelte. »Ja, okay, ich kann's halt auch.«

»Und dieses großspurige Gebaren hat er auch Ihnen gegenüber an den Tag gelegt?«

Sie nickte.

»Wie hat sich das geäußert?«

»Er macht einen auf dicke Hose, um es mal salopp auszudrücken. Stellt sich einem in den Weg und lässt markige Sprüche vom Stapel oder versucht einen auf wenig subtile Weise anzubaggern.«

»Hat er sexistische Äußerungen von sich gegeben oder Sie körperlich belästigt?«

»Nein, weder noch.« Sie sah ihn aufmerksam an. »Ich hab mich schon über seinen niedrigen Dienstrang gewundert. Da hat es dann ja offensichtlich Vorfälle in dieser Hinsicht gegeben.«

»Ja«, bestätigte Norberg. »Nachdem Paulsen mir gegenüber ausfallend geworden ist, habe ich Claas Hoyer gefragt, was mit dem Mann los ist. Da habe ich davon erfahren.« Er erzählte ihr von dem Gespräch. »Falls sich Paulsen Ihnen gegenüber in irgendeiner Hinsicht gehen lassen sollte, sagen Sie es mir bitte umgehend.«

»Natürlich.«

Das Diensttelefon begann zu klingeln. Norberg lauschte dem Anrufer mit zunehmender Anspannung und rief Anna, die sich bereits zur Tür aufgemacht hatte, zurück.

»Was ist?«, fragte sie, nachdem er das Gespräch beendet hatte.

»Das war die KT. Das Blut, das im Kofferraum von Nina Brechtmanns Wagen gefunden wurde, stammt von ihr.«

Anna ließ sich zurück in den Besucherstuhl sinken und starrte ihn an. »Kein Zweifel?«

»Nein. Dank der Zahnbürste und der Haarbürste, die Sie aus Ninas Wohnung mitgenommen hatten, konnten die Kollegen einen DNA-Abgleich machen. Er ist eindeutig.«

»War es eine größere Menge Blut?«

Norbergs Handy signalisierte den Eingang einer Mail. Sie enthielt das von den Kollegen angekündigte Foto, das den betroffenen Bereich im Kofferraum zeigte. Ein rostbrauner Fleck auf der rechten Seite der Plastikabdeckung. Circa drei Zentimeter Durchmesser.

»Hier.« Norberg reichte Anna das Smartphone.

»Hmm …« Sie studierte das Foto ausgiebig, bevor sie ihm das Smartphone zurückgab. Sie wirkte betroffen.

Norberg seufzte. »Dann müssen wir jetzt wohl endgültig von einem Verbrechen ausgehen.«

»Das muss doch aber nicht bedeuten, dass Nina tot ist. Sie kann auch nur verletzt sein.«

»Das Blut weist aber darauf hin, dass sie im Kofferraum ihres Wagens gelegen hat.«

»Sie kann sich auch nur hineingebeugt haben, weil sie etwas rausgeholt hat. Dabei hat sie sich verletzt oder war es vielleicht schon.«

Norberg seufzte erneut. Warum wollte sie das Offensichtliche nicht sehen? »Ihre Überlegungen in allen Ehren, Frau Wagner, aber das glaube ich nicht.«

»Was glauben Sie dann?«

»Dass Nina Brechtmann tot ist.« Er stand auf. »Und deshalb sollten wir jetzt alle Tatverdächtigen noch einmal aufsuchen und mit der Tatsache konfrontieren, dass wir jetzt davon ausgehen, dass Nina Opfer eines Tötungsdelikts geworden ist.«

»Aber …« Das Klingeln ihres Handys hielt sie von weiteren Mutmaßungen ab. »Die Werkstatt«, sagte sie nach einem kurzen Blick auf das Display. Während sie dem Anrufer lauschte, nahm ihr Gesicht einen ungläubigen Ausdruck an. »Das gibt's doch nicht«, sagte sie nach Beendigung des Gesprächs. Sie starrte einen Augenblick vor sich hin, als müsste sie ihre Gedanken sortieren, dann blickte sie ihn wieder an. »Der Reifen ist nicht einfach so geplatzt, der war zerstochen.«

Norberg runzelte die Stirn. »Wir hatten in der Nacht von Sonntag auf Montag einige Fälle von Vandalismus an Pkws. Das scheint eine Serie zu sein.« Er blickte sie nachdenklich an und schien zu überlegen. »Wo stand Ihr Wagen?«

Anna setzte zu einer Antwort an, als ihr bewusst wurde, dass er unter Umständen noch gar keine Ahnung hatte, dass sie in dem Ferienhaus seiner Schwiegereltern wohnte. »Auf der Einfahrt. Ich bin in ein Ferienhaus umgezogen …«

Er winkte ab. »Ja, ich weiß, dass meine Schwiegereltern Ihnen das Haus vermietet haben. Somit kenne ich die Örtlichkeiten.«

»Letzte Nacht bin ich so gegen zwei wach geworden und nach unten in die Küche gegangen. Da habe ich gesehen, dass die Bewegungsmelder an waren. Ich hab mich gewundert und bin vorsichtshalber einmal ums Haus gegangen, weil Ihre Schwiegermutter mir gesagt hatte, dass es im Ort immer wieder zu Einbrüchen kommt. Es war aber niemand zu sehen.«

»Waren die Melder auch beim Haus meiner Schwiegereltern aktiviert?«

Anna schüttelte den Kopf. »Nein, dort war alles dunkel. Ich bin dann wieder ins Haus gegangen, weil ich mir gedacht habe, dass draußen wahrscheinlich eine Katze rumstreunt.«

»Haben Sie irgendwelche Geräusche gehört?«

»Nein.«

»Auch später nicht, als Sie wieder im Bett lagen? Oder ist Ihnen vorher etwas ungewöhnlich vorgekommen?«

»Nein, weder noch.«

Norberg massierte seine Nasenwurzel. »Wir werden Spuren sichern und mit denen vergleichen, die wir bei den anderen zerstörten Autos genommen haben.« Auf seiner Stirn stand jetzt eine steile Falte. »Wenn wir da keine Übereinstimmung finden, müssen wir neu denken.«

Irritiert blickte sie ihn an. »Sie wollen damit aber nicht andeuten, dass es jemand auf mich abgesehen hat, oder? Das halte ich nun wirklich für unwahrscheinlich.«

»Ich auch«, gab er zu, »aber wir wissen doch beide, dass wir auch das Unwahrscheinliche nicht außer Acht lassen dürfen. Deshalb frage ich jetzt mal ganz hypothetisch: Gibt es irgendjemanden in Ihrer beruflichen Vergangenheit, der noch eine Rechnung mit Ihnen offen hat und weiß, dass Sie jetzt hier oben arbeiten?«

Der Gedanke war wirklich absurd. »Nein, da fällt mir niemand ein.«

»Und im privaten Bereich? Exmann, Exlover, irgendwas in der Art?«

Sie zögerte, dann schüttelte sie den Kopf. »Nein.«

»Was wollten Sie gerade sagen?«

Er war ein guter Beobachter.

Anna seufzte. »Ich habe Stress mit meinem geschiedenen Mann. Er wohnt immer noch in unserem Haus, meinem Elternhaus, und weigert sich auszuziehen. Ich gehe jetzt juristisch gegen ihn vor.« Sie schüttelte den Kopf, als sie Norbergs

Blick sah. »Aber so etwas traue ich ihm nicht zu. Wir hatten zwar eine ziemlich unangenehme Scheidung, aber nein ... Außerdem weiß er ja gar nicht, dass ich in St. Peter-Ording bin.«

Norberg nahm das Telefon zur Hand. »Wir sollten trotzdem überprüfen, ob er sich in München aufhält. Wie lauten seine Telefonnummern?«

Anna schrieb Festnetz-, Handy- und Büronummer auf einen Zettel, den sie Norberg rüberschob. »Ich könnte eine Freundin anrufen, die nebenan wohnt. Vielleicht hat sie ihn gestern ja gesehen.«

Ilona Holzl hatte Ralf Wagner bereits seit Tagen nicht mehr gesehen. »Das muss aber nichts bedeuten«, sagte Anna nach Beendigung des Gesprächs. »Meinem Exmann gehört eine Marketingfirma, er ist häufig dienstlich unterwegs.«

Das bekam Norberg einige Minuten später von Ralfs Sekretärin bestätigt. »Ihr geschiedener Mann ist seit einigen Tagen auf Geschäftsreise in Prag und kommt morgen zurück.«

Anna nickte.

»Ich könnte das überprüfen lassen«, bot Norberg an.

»Nein«, sagte sie bestimmt. »Ich kann mir nicht vorstellen, dass Ralf etwas damit zu tun hat. Das hängt garantiert mit diesen Vandalismusfällen zusammen.«

»Sie könnten im Zuge der Ermittlungen aber auch jemanden aufgeschreckt haben, der Ihnen einen Denkzettel verpassen wollte. Ich will Ihnen keine Angst einjagen, aber ich möchte auch keine Möglichkeit ausschließen – gerade jetzt, wo wir von einem Tötungsdelikt ausgehen.«

Ihr Lächeln geriet zu einer Grimasse, als sie über seine Worte nachdachte. Er hatte recht, das Blut in Ninas Kofferraum konnte nur bedeuten, dass jemand sie darin transportiert hatte. Vermutlich tot. Aber dass dieser Jemand jetzt versuchen sollte, sie außer Gefecht zu setzen, erschien ihr doch zu weit hergeholt.

39

Reinfall auf der ganzen Linie, dachte Nils Scheffler frustriert, als er wieder im Streifenwagen saß, um sich auf den Weg in den Westküstenpark zu machen. Wenn sich der letzte Hinweis auf Nina Brechtmann jetzt auch als Niete erweist, schiebe ich diesen Tag endgültig in die Rubrik »Verschwendete Lebenszeit«.

Der Bäcker in Friedrichstadt hatte keine Angestellte, die Nina auch nur im Entferntesten ähnlich sah, und nachdem Nils im Anschluss den Hinweisgeber aufgesucht hatte, hatte er feststellen müssen, dass dieser unter einer ausgeprägten Sehschwäche litt, aber stur und steif behauptete, die Augen eines Adlers zu haben.

Zurück in St. Peter ging Nils dem zweiten Hinweis nach und sah schon beim Betreten des Einfamilienhauses, in das ihn der circa achtzigjährige Mann bat, dass er auch hier wieder erfolglos abziehen würde. Der Mann, der laut Nils' Kollegen am Telefon behauptet hatte, Nina am Montag bei einer Führung auf dem Westerhever Leuchtturm begegnet zu sein, hatte schon Mühe, mit seinem Rollator von der Haustür ins Wohnzimmer zu kommen. Wie hatte er da einen Fußweg von einer knappen Dreiviertelstunde pro Strecke zurücklegen sollen? Auch die restliche Geschichte passte hinten und vorne nicht zusammen, und Nils wurde schnell klar, dass der Mann nur jemanden zum Plaudern gesucht hatte. Der zierliche ältere Herr tat Nils leid, auch wenn er seine Zeit verschwendet hatte. Der dritte Hinweisgeber brachte den jungen Polizisten hingegen zur Weißglut: Er grinste nämlich nur, als er damit konfrontiert wurde, dass sein Hinweis mit dem Westküstenpark und dem Robbarium völlig fruchtlos geblieben war.

Unverrichteter Dinge fuhr Nils wieder zur Dienststelle zurück, aber bevor er sie betrat, machte er noch einen kurzen Abstecher in die Gemeindebücherei, die sich um die Ecke in der Badallee befand. Seine Mutter war dort Stammkundin, und da sie sich den Knöchel verknackst hatte, hatte er als guter Sohn versprochen, die bestellten Bücher abzuholen und ihr am Abend vorbeizubringen. Nils wechselte einige Worte mit dem Leiter der Bücherei, der die Romane bereits beiseitegelegt hatte und ihm eine Liste in die Hand drückte, auf der er eine Reihe von Buchtipps vermerkt hatte. »Ihre Mutter hat jetzt ja jede Menge Zeit«, sagte er lächelnd, »und bei der Geschwindigkeit, die sie beim Lesen an den Tag legt, ist sie mit den Büchern, die Sie ihr jetzt mitnehmen, doch spätestens in einer Woche durch.«

Nils grinste. Da war was dran. Er las zwar auch gerne, war allerdings weit entfernt von der Leidenschaft, die seine Mutter dabei an den Tag legte, und auch lange nicht so schnell wie sie.

An der Rezeption erfuhren Norberg und Anna unterdessen, dass Constanze und Sophie Brechtmann vor einer Stunde nach Hamburg gefahren waren und erst am nächsten Tag zurückkommen würden.

»Letzte Anprobe des Brautkleids«, raunte die junge Rezeptionistin. »Morgen ist doch der große Tag.«

Norberg wechselte einen kurzen Blick mit Anna. Auf der Herfahrt hatten sie spekuliert, welche Auswirkungen die Information, die sie bei ihrem gestrigen Besuch überbracht hatten, wohl haben würde. An Constanze Brechtmanns Verhalten am Morgen war jedenfalls nichts abzulesen gewesen.

»Forsgren fährt zweigleisig«, hatte Norberg gesagt, »der Meinung bin ich mittlerweile auch. Jetzt ist die Frage, ob es ihm nach unserer gestrigen Eröffnung gelungen ist, seinen Kopf aus der Schlinge zu ziehen und seine Verlobte davon zu überzeugen, dass er Nina nicht mehr getroffen hat. Denn zweimal dürfte sie sich nicht auf der Nase herumtanzen lassen.«

»Ich weiß nicht ...« Anna hatte sehr nachdenklich gewirkt. »Sophie macht auf mich genau wie ihre Mutter den Eindruck einer eiskalten Geschäftsfrau. Die lässt sich nicht so leicht hinters Licht führen. Aber Forsgren scheint ihr Schwachpunkt zu sein, anders kann ich mir das nicht erklären. Sie muss doch mittlerweile etwas von der drohenden Insolvenz seiner Firma erfahren haben! Also wird ihr klar sein, dass er nicht aus Liebe und auch nicht wegen der Schwangerschaft zu ihr zurückgekehrt ist, sondern wegen der Hotelaufträge.« Sie hatte verständnislos den Kopf geschüttelt. »Unter solchen Umständen nimmt man doch einen Mann nicht zurück. Himmel, da hat man doch seinen Stolz, selbst wenn man ihn noch so sehr liebt!«

»Wenn man einem anderen Menschen hörig ist, bleibt aber häufig nicht allzu viel Stolz übrig«, hatte Norberg zu bedenken gegeben, und die Tatsache, dass die Hochzeit stattfinden würde, bestätigte ihn jetzt in seiner Meinung.

Die Rezeptionistin wollte wissen, ob sie anderweitig behilflich sein könne. Norberg vermutete, dass sie noch in der Ausbildung war, da eine erfahrene Kraft weder auf den heutigen Aufenthaltsort der Brechtmanns noch auf eine so private Sache wie die Hochzeit hingewiesen hätte. Es erstaunte ihn, dass die Angestellte hier allein Dienst tat und niemand an ihrer Seite war, der sie auf diesen Fauxpas hätte hinweisen können. Er schüttelte den Kopf. »Nein, danke.«

Als sie sich zum Gehen wandten, kam ihnen Forsgren aus Richtung der Fahrstühle entgegen. Er stutzte, als er sie erblickte, und schien nach links abdrehen zu wollen, ging dann aber doch mit einem kurzen Gruß an ihnen vorbei.

Norberg stoppte ihn. »Herr Forsgren, wie schön, dass wir Sie hier treffen. Wir wollten nämlich gerade zu Ihnen.«

Forsgren drehte sich langsam herum, einen abwehrenden Ausdruck im Gesicht. »Ich habe keine Zeit.«

»Es dauert nicht lange. Können wir uns hier irgendwo ungestört unterhalten?«

Der Architekt zögerte, führte sie dann aber in einen Konferenzraum, auf dessen rechteckigem Tisch mehrere Baupläne lagen. Entwürfe für das neue Hotel, wie Norberg nach einem schnellen Blick vermutete.

Forsgren blieb auf halber Höhe des Raumes stehen, die Hände in den Hosentaschen, und sah sie abwartend an. »Was wollen Sie?« Er wirkte bei Weitem nicht so aggressiv wie am Vortag, viel mehr müde und ausgelaugt. Norberg ging davon aus, dass Constanze und Sophie Brechtmann ihm nach ihrem gestrigen Besuch die Hölle heißgemacht hatten.

»Wir wollten Sie darüber informieren, dass es neue Erkenntnisse zum Verschwinden von Nina Brechtmann gibt. Wir stufen den Fall jetzt als Tötungsdelikt ein.«

In Forsgrens Gesicht machte sich ein entsetzter Ausdruck breit, seine rechte Hand griff zur Tischkante. »Aber … wieso … Was für neue Erkenntnisse denn?«

»Darüber können wir Ihnen keine Auskunft erteilen.«

»Wieso erzählen Sie es mir dann?« Er sank auf einen Stuhl, seine Hände zitterten.

»Damit Sie Ihre Aussagen noch einmal überdenken, Herr Forsgren«, sagte Norberg eindringlich. »Wenn Sie etwas mit dem Verschwinden von Nina Brechtmann zu tun haben, sollten Sie uns das jetzt sagen. Ein Geständnis würde sich strafmildernd auswirken.«

»Aber ich habe nichts zu gestehen!« Forsgren fuhr sich mit beiden Händen über das Gesicht. »Ich habe Ihnen die Wahrheit gesagt.«

40

Auf dem Rückweg beschlossen sie nach einem Blick auf die Uhr, die Gespräche mit Ninas Umfeld auf den kommenden Tag zu verschieben und bis zum Feierabend Nils Scheffler zu unterstützen. Der Kollege hatte sich in der Zwischenzeit gemeldet und seinen Frust über die verlorene Zeit rausgelassen.

Anna hatte mittlerweile einen Anruf der Werkstatt erhalten, dass ihr Wagen wieder fahrtüchtig sei. Deshalb beschloss Norberg, jetzt kurzerhand dort vor der Rückkehr zur Polizeistation vorbeizufahren.

»Mensch, Hendrik, lange nicht gesehen.« Knut Behrends, der Annas Wagen am Morgen abgeschleppt hatte, kam ihnen mit weit ausholenden Schritten und einem breiten Lächeln auf dem Werkstatthof entgegen. Die Fahrt mit ihm am Morgen hatte knappe zehn Minuten gedauert, in denen Anna bewusst geworden war, dass nicht alle Norddeutschen mundfaul waren. Bei ihrer Ankunft in der Werkstatt hatte sie gewusst, dass Behrends eine Frau und zwei halbwüchsige Kinder hatte, die Werkstatt seit zehn Jahren betrieb und eine Leidenschaft für Motorräder pflegte, von denen einige auf dem Hof und in der Werkstatt herumstanden. Ansonsten entsprach Behrends dem Klischee eines Bikers: Tätowierungen an den muskulösen Armen, Glatze, außerdem schwarze Tunnelohrringe.

Behrends schloss Norberg in die Arme, die beiden Männer klopften sich auf den Rücken, wie Männer das eben so taten. Immer wieder erheiternd für Anna, angesichts der Ungelenkigkeit, mit der diese Gesten durchgeführt wurden, und des Bemühens, dabei bloß nicht zu viele Emotionen an den Tag zu legen.

»Das mit Kathrin tut mir leid.«

Anna registrierte, wie sich Norbergs Körper nach Behrends Worten versteifte und er den Kiefer zusammenpresste. »Danke, Knut.« Er deutete in die Halle, wo sie ihren Wagen neben zwei anderen entdeckte. »Hast du noch was anderes am Wagen meiner Kollegin gefunden?« Allem Anschein nach wollte er ein Gespräch über den Tod seiner Frau vermeiden.

»Nee, sonst war alles in Ordnung.« Behrends blickte sie und dann wieder Norberg an. »Was habt ihr denn da gerade am Wickel? Ich hab euren Aufruf auf Facebook gesehen, dass ihr eine vermisste Frau sucht.«

»Tut uns leid, Herr Behrends, aber dazu können wir nichts sagen«, schaltete Anna sich ein.

Er grinste und ging ihnen voraus in die Halle. »Ja, den Spruch kenn ich schon von Hendrik.«

Anna und Norberg folgten ihm.

»Ich hol nur eben den Schlüssel.« Behrends verschwand hinter einer Tür mit der Aufschrift »Büro«.

»Sie sollten Ihren Wagen ab sofort in der Doppelgarage meiner Schwiegereltern parken«, sagte Norberg, während sie warteten. »Mein Schwiegervater hat seinen im vergangenen Jahr verkauft, es ist also ein Platz frei.«

Anna schnaubte. »Ich denke, Sie wollten mir keine Angst einjagen.«

»Will ich auch nicht. Aber sicher ist sicher.«

Besänftigt sah Anna ihn an, dankbar dafür, dass er sich Gedanken gemacht hatte. »Das ist nett, danke schön.«

Nachdem Behrends zurückgekommen war und ihr den Wagenschlüssel sowie die Rechnung in die Hand gedrückt hatte, verabschiedeten sie sich und fuhren zur Polizeistation zurück.

Nach zwei Stunden auf der Station, in denen Anna, Norberg und Nils weiteren Hinweisen aus St. Peter-Ording nachgegangen waren, hatte Norberg Nils in den Feierabend geschickt und war gemeinsam mit Anna zu seinen Schwiegereltern aufgebrochen. Peter Heckler schüttelte bei Norbergs Überlegung verständnislos den Kopf und legte wie bereits bei ihrer ersten Begegnung wieder ein ziemlich unfreundliches Benehmen an den Tag. »Der Platz ist nicht frei, ich werde mir wieder einen Wagen kaufen«, polterte er schließlich los, obwohl Norberg ihm erklärt hatte, warum sie den freien Garagenplatz benötigten.

»Du wirst was?«, fragte Corinna und sah ihren Mann entgeistert an.

»Mir einen neuen Wagen kaufen. Ich will endlich wieder unabhängig sein!«

Es war unübersehbar, wie schwer es Corinna fiel, Ruhe zu bewahren. »Du hast einen schweren Unfall verursacht, Peter, und kannst von Glück sagen, dass es nur bei einem Blechschaden geblieben ist.«

»Außerdem hast du deinen Führerschein abgegeben, was soll also diese Idee mit einem neuen Wagen?«, fragte Norberg erbost.

Das folgende Schweigen und die Blicke, die die beiden Eheleute wechselten, waren äußerst beredt.

»Du hast ihn gar nicht abgegeben«, konstatierte Norberg und schüttelte fassungslos den Kopf.

Corinna schaltete sich wieder ein. »Ich habe ihn in Verwahrung genommen, Hendrik. Peter konnte sich …« Sie suchte nach Worten. »Es ist nicht einfach, körperliche Einschränkungen zu akzeptieren.«

»Wenn man andere Menschen damit in Gefahr bringt, muss man lernen, sich zurückzunehmen!«

»Ach, klei mi ann Mors!« Peter Heckler machte eine wegwerfende Handbewegung und stapfte sichtlich aufgebracht aus dem Raum.

Es war Anna peinlich, dass sie Zeugin dieser Szene geworden war. Allem Anschein nach hatte Norberg ein gutes Verhältnis zu seiner Schwiegermutter, während es mit dem zu Peter Heckler offensichtlich nicht zum Besten stand.

Corinna ging zu einem Sideboard und schloss eine Schublade auf. Anna sah, dass sich ein Autoschlüssel und zwei Funkbedienungen sowie eine kleine Kassette darin befanden. Corinna nahm eine der Funkbedienungen heraus und drückte sie ihr in die Hand. »Natürlich können Sie Ihren Wagen in die Garage stellen. Mein Mann wird nämlich mit Sicherheit keinen neuen kaufen.« Dann schloss sie die Kassette auf, holte ein Dokument heraus und gab es Norberg. »Peters Führerschein. Es tut mir leid, dass wir dich angelogen haben, Hendrik.«

Nachdem sie ihren Wagen in der Garage abgestellt hatte, ging Anna in ihr Ferienhaus. Norberg war noch nebenan; sie hatte sich von ihm und seiner Schwiegermutter verabschiedet, weil es für sie den Anschein gehabt hatte, dass das Thema »nicht abgegebener Führerschein« für Norberg noch nicht ausdiskutiert war. Peter Heckler hatte sich nicht mehr blicken lassen.

Zumindest hatte sie es auf dem Heimweg von der Polizeistation endlich geschafft, die dringend notwendigen Einkäufe zu erledigen, zu denen sie am Morgen nicht gekommen war. Während sie sich in den Supermärkten in der Nordergeest mit einem Wochenvorrat an Lebensmitteln und anderen notwendigen Dingen eingedeckt hatte, hatte sich Norberg auf dem Parkplatz mit seinem Streifenwagen in unmittelbarer Nähe ihres Fahrzeugs aufgehalten. Auf der einen Seite berührte sie sein Verhalten, auf der anderen fand sie, dass er überreagierte.

Sie füllte den Kühlschrank und die Küchenschränke mit den erstandenen Einkäufen und setzte sich dann mit einem Becher frisch aufgebrühten Tees ins Wohnzimmer. Hunger hatte sie keinen, nicht einmal Appetit. Eine positive Randerscheinung in stressigen Zeiten, dachte sie mit Galgenhumor. Vielleicht klappt's auf diese Weise mit dem Abnehmen.

Ein Klingeln an der Haustür ließ sie zusammenzucken. Jetzt werd du nicht auch noch hypernervös, schalt sie sich und linste durch den Spion.

Norberg. Sie öffnete die Tür.

»Tut mir leid, wie sich mein Schwiegervater Ihnen gegenüber verhalten hat.«

Anna winkte ab. »Kein Thema, ich hab's schon wieder vergessen.« Sie machte eine einladende Geste. »Möchten Sie noch einen Augenblick reinkommen?«

Norberg schüttelte den Kopf. »Nein, ich muss nach Hause. Meine Jungs wissen ja langsam nicht mehr, wie ich aussehe. Wir sehen uns morgen um acht. Dann können wir gleich nach Büsum und Friedrichskoog fahren.«

Er verabschiedete sich, und Anna ging ins Wohnzimmer zurück, wo sie einen Augenblick unschlüssig verharrte. Es war noch nicht spät, erst kurz nach zwanzig Uhr. Das Wetter hatte sich nach dem kurzen Regenintermezzo vom Vortag wieder beruhigt, die Sonne schien, also machte sie sich auf den Weg zum Deich. Sie orientierte sich auf Google Maps und stellte fest, dass er gar nicht weit entfernt lag. Also marschierte sie los. Die Straße, in der ihr Ferienhaus lag, war eine Sackgasse, die an einem Holzzaun mit einem Durchgang endete, hinter dem ein Weg nach links und einer nach rechts führte. Da sie etwas ratlos davorstand, musste wieder Google Maps herhalten. Wirklich erstaunlich, wie man früher ohne ausgekommen war. Die Karte verriet ihr, dass sie den rechten Weg nehmen musste. Er führte durch ein Wäldchen, und als sie die Deichspitze erreicht hatte, erblickte sie rechter Hand den Böhler Leuchtturm, der wuchtig in den Himmel ragte. Vor ihren Augen erstreckten sich die Salzwiesen, und am Horizont sah sie das Wasser der Nordsee schimmern.

Kein Mensch weit und breit. Nur einige Möwen, die gemächlich am Himmel schwebten. Herrlich! Ein leichter Wind war aufgekommen, und sie meinte einen Geruch nach Tang und Schlick wahrzunehmen und Salz auf ihren Lippen zu schmecken. Die Erinnerung an Urlaube mit den Eltern kehrte zurück, an unbeschwerte Tage am Strand und Nächte, in denen es nicht dunkel werden wollte. An schnell geschlossene Freundschaften, an unbändige Freude beim Herumtollen im Wasser und dem Bauen der schönsten Sandburgen. Wenn es wieder nach Hause gegangen war, hatte sie jedes Mal das unbestimmte Gefühl von Verlust empfunden.

Anna legte den Kopf in den Nacken und schaute am Leuchtturm hoch, dessen rotbraune Ziegelsteine in der

Abendsonne glänzten. Leider war er nicht zu besichtigen, aber sie dürfte in den kommenden Tagen sowieso keine Zeit für Freizeitaktivitäten haben, da sie aufgrund der neuen Lage mit Sicherheit auch am Wochenende arbeiten würde. Also sollte sie den heutigen Abend nutzen, aber sie war zu ausgelaugt, um sich aufs Rad zu schwingen und den Ort, von dem sie bisher noch kaum etwas gesehen hatte, zu erkunden.

Eine Holzbank schmiegte sich um den Leuchtturm, auf der sie jetzt Platz nahm. Mit einem behaglichen Seufzer lehnte sie sich zurück, streckte die Beine aus und hielt den Kopf in die Sonne.

Der Signalton einer eingegangenen Nachricht riss sie nach kurzer Zeit aus ihrer Schläfrigkeit. *Wir kommen voran, Einzelheiten nächste Woche.* Klaus Hofstätter, ihr Anwalt. Es juckte sie in den Fingern, ihn anzurufen, aber sie wusste aus Erfahrung, dass er mit Informationen geizte, solange sie nicht hieb- und stichfest waren.

»Was machst du, wenn Ralf endlich ausgezogen ist und du wieder über dein Elternhaus verfügen kannst?«, hatte Ilona sie vor ihrer Abreise gefragt. »Kommst du dann zurück?«

Diese Frage stellte Anna sich auch. Als sie sich entschlossen hatte, nach Schleswig-Holstein zu wechseln, war ihr so ziemlich alles egal gewesen, da hatte sie nur noch aus München weggewollt. Aber in den letzten Tagen hatte sich immer häufiger der Umstand in ihre Gedanken geschlichen, dass der Job hier oben vorerst nur auf ein halbes Jahr befristet war. Was, wenn die Landespolizei sich nicht dazu durchringen konnte, eine feste Vermisstenstelle einzurichten? Würde es dann heißen: »Das war's, Frau Wagner«, oder würde man sie je nach Bedarf einsetzen? Damit wäre aller Voraussicht nach ständiges Pendeln verbunden, nach dem ihr nicht der Sinn stand. Sie wollte endlich wieder an einem Ort ankommen und dieses elende Gefühl der Verlorenheit, das sie nicht erst seit der Scheidung, sondern schon im Trennungsjahr empfunden hatte, hinter sich lassen.

Die Freunde aus der Münchner Clique wären glücklich, wenn sie zurückkäme. Ganz zu schweigen von ihren Eltern, die in Rottach-Egern lebten. Beide waren jetzt fünfundsechzig, ihr Vater seit einem halben Jahr pensioniert und ihre Mutter zunehmend genervt, weil er nichts mit sich anzufangen wusste. »Reisen«, war seine Ansage vor der Pensionierung gewesen, jetzt saß er am liebsten zu Hause herum, pusselte im Garten und konnte sich nicht dazu überwinden, seinen geliebten Heimatort zu verlassen. Anna war das einzige Kind und hatte immer eine enge Beziehung zu ihren Eltern gehabt. Was, wenn sie krank wurden? Wer würde sich dann um sie kümmern, wenn sie, Anna, in Schleswig-Holstein bliebe?

Ihr Job in München wurde für sie frei gehalten, bis in Kiel eine Entscheidung gefallen war. Ein großes Entgegenkommen ihres Vorgesetzten, das war ihr wohl bewusst.

»Lass dir ein halbes Jahr da oben an der Packeisgrenze den Kopf frei pusten«, hatte Ilona gesagt, »und komm dann wieder zurück. Du gehörst doch nicht zu den Fischköpfen, du gehörst nach Bayern, nach München.«

Alle schienen zu wissen, wohin sie gehörte. Nur sie, sie wusste es im Moment nicht mehr.

Ein Schatten fiel auf ihr Gesicht, und sie öffnete die Augen. »Frau Heckler!«

»Moin, Frau Wagner.«

Norbergs Schwiegermutter wirkte unschlüssig, also fragte Anna, ob sie sich nicht einen Augenblick zu ihr setzen wollte.

»Gerne.« Corinna Heckler ließ sich auf der Bank nieder, aber sie lehnte sich nicht entspannt zurück, sondern blieb auf der vordersten Kante sitzen. Wie auf dem Sprung, dachte Anna. Warum ist sie so angespannt? Hängt es mit der Situation vorhin zusammen? Mit ihrem Mann, dessen Verhalten sie immer wieder in peinliche Situationen bringt?

»Ich gehe abends häufig hier längs«, brach Corinna das Schweigen. »Ein bisschen die Füße vertreten und den Kopf frei kriegen. Ich liebe diesen Flecken Erde, ich könnte nirgendwo anders leben.«

»Ja, es ist herrlich hier«, bestätigte Anna. »Vielen Dank übrigens noch mal, dass ich meinen Wagen bei Ihnen unterstellen kann. Das ist mir wirklich eine große Erleichterung.«

»Ich hab mich sehr erschreckt, als Hendrik das vorhin erzählte. Wer macht denn so etwas?«

Anna zuckte die Schultern. »Keine Ahnung. Aber wir werden es herausfinden.«

»Es tut mir leid wegen vorhin«, sagte Corinna unvermittelt. »Mein Mann …«

»Sie müssen sich wirklich nicht entschuldigen, Frau Heckler«, sagte Anna und legte in einer spontanen Geste ihre Hand auf Corinnas. »Jeder reagiert anders auf den Verlust eines geliebten Menschen.«

»Er wird einfach nicht fertig mit Kathrins Tod. Und ich weiß nicht, wie ich ihm helfen kann.«

»Und was ist mit Ihnen?«, fragte Anna leise.

»Ich trauere unendlich um meine Tochter. Aber im Gegensatz zu Peter habe ich wenigstens tagsüber Ablenkung. Ich kümmere mich um meine beiden Enkel und bin meistens so lange bei ihnen, bis Hendrik abends nach Hause kommt. Heute musste ich früher los, weil ich einen Arzttermin hatte, das ließ sich leider nicht ändern.«

»Wie alt sind die beiden denn?«

»Finn ist sieben und Lasse dreizehn.«

In dem Alter brauchen sie doch keinen Daueraufpasser mehr, dachte Anna, aber sie hütete sich, diesen Gedanken auszusprechen. Als kinderlose Frau gab man besser keine Erziehungsratschläge, denn das konnte nach hinten losgehen, wie sie schon einige Male erfahren hatte.

»Die beiden halten mich auf Trab, zumindest der Jüngste.« Ein zärtliches Lächeln überzog Corinnas Gesicht. »Finn ist ein solcher Sonnenschein, er bringt mich immer zum Lachen.«

»Wie wird er mit dem Tod seiner Mutter fertig?«

»Besser als sein Bruder. Lasse kommt sehr nach seinem Vater. Hendrik frisst auch vieles in sich hinein und hält die Menschen auf Distanz. Finn ist wie meine Tochter. Kathrin war ein sehr lebensfroher Mensch, der anderen offen und ohne Argwohn gegenübertrat.«

Anna fiel keine Erwiderung ein, aber Corinna schien auch keine zu erwarten. Nach einer Weile des einvernehmlichen Schweigens wollte sie wissen, ob Anna sich schon ein wenig eingelebt hätte oder ob sie München vermissen würde.

»Nein, München vermisse ich im Moment überhaupt nicht!« Anna merkte selbst, wie bitter sie geklungen hatte, und hatte das Gefühl, sich wenigstens kurz erklären zu müssen. »Ich habe eine ziemlich hässliche Scheidung hinter mir und brauche Abstand. Von der Stadt und auch von einigen Menschen.« Bevor ihre Verbitterung überhandnehmen konnte, gab sie dem Gespräch eine andere Richtung. »Was ich vermisse, sind so typisch bayerische Dinge. Also beim Essen zum Beispiel.«

Corinna Heckler schmunzelte. »Ja, da dürfte es allerdings einige Unterschiede geben.«

»Ich mag auch Fisch sehr gern«, fuhr Anna fort, »es geht aber nichts über eine anständige Schweinshaxe mit Kartoffelsalat oder eine Weißwurscht und eine Brez'n dazu. Die Brez'n, die ich hier bisher gegessen habe, halten keinem Vergleich mit unseren süddeutschen stand. Die bekommt man hier einfach nicht hin. Dann habe ich neulich bei der Verabschiedung des alten Dienststellenleiters gesehen, dass Kartoffelsalat mit Mayonnaise auf der Speisekarte stand.« Sie blickte Corinna an. »Also wirklich, das geht ja nun gar nicht.«

»Ja, da haben Sie recht, das geht gar nicht.« Corinna brach in ein herzhaftes Lachen aus. »Was halten Sie davon, wenn ich Ihnen einen schönen Specksalat mache? Ich hatte morgen die Mayonnaisevariante für meine Enkel geplant und mache dann einfach noch eine Portion mit Speck für Sie.«

»Aber Sie haben doch schon genug zu tun«, wandte Anna ein.

Corinna winkte ab. »Ach, Tünkram, das ist doch keine Arbeit, das mache ich gern. Kommen Sie einfach vorbei, wenn Sie Feierabend haben. Mein Mann geht morgen Abend zum Kegeln; wenn Sie Lust haben, können wir ja gemeinsam essen.« Corinna Heckler wartete keine Antwort ab und stand auf. »Und jetzt werde ich mal wieder gehen, Sie wollen sicher noch ein bisschen Ruhe haben. Ihre Tage sind ja anstrengend genug.«

Anna blickte ihr hinterher, wie sie den Deich entlangging, sich noch einmal umdrehte und ihr zuwinkte. Sie mochte

Norbergs Schwiegermutter und war gerührt über das Essensangebot und die Einladung und nahm sich vor, in der Zeit, die sie noch vor Ort war, häufiger das Gespräch mit Corinna zu suchen, da sie offensichtlich niemanden hatte, mit dem sie sich einmal so richtig aussprechen konnte.

Genauso wie sie im Moment.

41

Der Vorfall mit Anna Wagners Wagen beunruhigte Norberg mehr, als er es sich ihr gegenüber hatte anmerken lassen. Er war erleichtert, dass der Wagen jetzt nachts in der Garage stand.

Selbst wenn der zerstochene Reifen auf das Konto Unbeteiligter gehen sollte, begann der Fall sich auszuweiten, und ihm kam wieder die Überlegung in den Sinn, ob er nach den neuen Erkenntnissen doch die Husumer Kripo einschalten sollte. Oder, besser gesagt, einschalten *musste*, jetzt, da sie von einem Tötungsdelikt ausgingen. Es wäre der korrekte Dienstweg gewesen, aber der Gedanke behagte ihm noch immer nicht. Weil seine bisherigen Erfahrungen mit dem dortigen Leiter nun wirklich nicht die besten waren, allerdings musste er sich auch eingestehen, dass er den Gedanken hasste, den Fall in die Hände dieses Kollegen abzugeben. Nach weiteren Minuten des Überlegens entschloss er sich schließlich, vorerst noch niemanden hinzuziehen. Das wäre bestimmt auch im Sinn von Anna Wagner, die zwar eine Teamplayerin zu sein schien, sich in dieser Angelegenheit aber mit Sicherheit auch nicht das Heft aus der Hand nehmen lassen wollte. Denn genau darauf würde es hinauslaufen.

Obwohl er ihr gesagt hatte, dass er nach Hause fahren würde, schaute er doch noch mal in der Dienststelle vorbei. Sein Pflichtbewusstsein ließ einfach nichts anderes zu, obwohl das Wissen, dass er seinen Vaterpflichten nicht so nachkommen konnte, wie er sich das vorgenommen hatte, an ihm nagte. In der Einarbeitungszeit hatte es noch keine Probleme gegeben, aber durch den Vermisstenfall fiel jetzt so viel Arbeit an, dass ein pünktlicher Feierabend illusorisch geworden war, ganz zu schweigen ein gemeinsames Mittagessen. Natürlich war ihm schon vorher klar gewesen, dass es ein Spagat werden würde, aber er hatte es sich einfacher vorgestellt. Mehr als naiv, wie er sich jetzt eingestehen musste. Den Job als alleinerziehender Vater erledigte man nicht mal so eben im Vorübergehen, erst recht nicht mit einem Fulltime-Job, der einen mehr als acht Stunden forderte. Kathrin hatte ausschließlich am Vormittag gearbeitet, für sie war es einfacher gewesen.

Ohne Corinna würde er das alles nicht packen. Allerdings hatte er sich in der letzten Zeit immer häufiger gefragt, ob er ihr wirklich zumuten konnte, sich den ganzen Tag um die Jungs zu kümmern. Seine Schwiegermutter hatte schon viel Zeit in Kathrins Pflege investiert, und ihm war aufgefallen, dass sie häufig erschöpft wirkte, auch wenn sie das vor ihm zu verbergen suchte. Er hatte die Angelegenheit bereits einige Male angesprochen, auch, dass sie nicht den ganzen Tag über bleiben müsse, weil selbst Finn mittlerweile in einem Alter war, in dem er ruhig mal ein paar Stunden allein bleiben konnte. Aber Corinna hatte stets erwidert, dass sie sich gerne um ihre Enkel kümmere, und nachdem es jetzt diese Schwierigkeiten mit Lasse gab, war er umso dankbarer dafür, dass sie ein Auge auf den Jungen hatte. Trotzdem war ihm klar, dass er Corinna nicht dauerhaft in dem Maße beanspruchen konnte.

Die Anstellung einer Haushaltshilfe wäre eine mögliche Lösung. Wenn Corinna sich damit nicht übergangen fühlen würde. Allerdings hatte er keine Ahnung, wie er eine zuverlässige Kraft finden sollte. In seinem Job stand man den Menschen misstrauischer gegenüber, als es das Gros der Personen in anderen Berufen tat. Der Gedanke, dass jemand Fremdes seine Söhne beaufsichtigen sollte und Zutritt zu ihrem Haus erhielt, widerstrebte ihm zutiefst. Aber ihm war bewusst, dass er diese Entscheidung nicht ewig vor sich herschieben konnte.

Als er endlich zu Hause ankam, war es bereits nach einundzwanzig Uhr. Augenblicklich nahm er den Geruch nach Angebranntem wahr und entdeckte die Ursache dafür in der Küche. Mehrere angekokelte Pizzastücke in der großen Bratpfanne auf dem Herd. Der zum Glück ausgestellt war. Der dazugehörige Karton lag auf dem Küchentisch.

Was, zum Teufel, war hier los? Corinna hatte ihm gesagt, dass sie Kartoffelsuppe mit Würstchen zum Abendessen vorbereitet hatte, die nur noch in der Mikrowelle aufgewärmt werden müsse. Diese Aufgabe hatte sie Lasse übertragen, da Finn mit seinen knapp eins zwanzig nur mit Mühe an die in einer Wandhalterung angebrachte Mikrowelle herankam.

»Papa?«

Sein Jüngster tapste auf nackten Fußsohlen herein. Seine Augen waren verquollen, als hätte er geweint.

Norberg hockte sich vor ihn hin. »Was ist denn hier los, mein Großer?« Er deutete zum Herd. »Warst du das?«

Finn schniefte. »Ja«, kam es kläglich heraus.

»Aber Oma hat euch doch Essen vorbereitet. Lasse sollte sich darum kümmern.«

»Lasse ist nicht da.«

Ärger wallte in Norberg auf. Konnte man sich denn überhaupt nicht mehr auf den Jungen verlassen? »Seit wann ist er weg?«

»Kurz nachdem Oma zum Arzt musste.«

»Hat er gesagt, wo er hinwollte?«

»Nee, das sagt er doch nie.«

Norberg schloss Finn in die Arme. »Du hättest dir auch ein Brot machen können, mein Großer. Du weißt doch, dass du niemandem die Tür öffnen sollst, wenn du allein zu Hause bist.«

»Ich hatte aber Bock auf Pizza«, schniefte der Stöpsel in Norbergs T-Shirt. »Die war bloß schon so kalt, als sie ankam, deshalb wollte ich sie warm machen. Und dabei ... Ich weiß auch nicht ...«

Norberg schob Finn sanft von sich. »Dann werde ich mal die Reste entsorgen. Und vor allen Dingen müssen wir hier durchlüften.« Er öffnete das Küchenfenster, dann packte er alles zusammen und brachte es nach draußen zum Mülleimer. Als er ins Haus zurückkehrte, stand Finn noch immer in der Küche, und der verlorene Ausdruck in seinen Augen tat Norberg in der Seele weh. Er gab ihm einen Klaps auf den Po. »Komm, lass uns ins Wohnzimmer gehen. Dann kannst du mir erzählen, was du heute Schönes gemacht hast.« In den Ferien drückte er beide Augen zu, was die Schlafenszeiten anbelangte.

Auf dem Sofa zog Finn die Beine hoch und kuschelte sich an ihn. Eindeutig ein Zeichen, dass es ihm schlecht ging. »Ich vermisse Mama so doll«, flüsterte er nach einem Augenblick.

Norberg schluckte. »Ich auch, mein Großer.« Er zog seinen Jüngsten ganz fest an sich.

»Ich hab vorhin Blumen zu ihrem Grab gebracht. Daniel hat gesagt, wenn man tot ist, ist man tot. Das mit der Seele, die auf die Zurückgebliebenen guckt, ist Quatsch. Aber am Grab hatte ich das Gefühl, dass Mama bei mir ist.«

Norberg spürte einen dicken Kloß im Hals und hatte Mühe, sich der Tränen zu erwehren.

»Hier hab ich das Gefühl nie.«

»Mama ist überall bei dir, Finn. Sie beschützt dich. Hör nicht auf das, was Daniel sagt, vertrau auf dein Gefühl.«

Und was war mit ihm? Glaubte er an ein Leben nach dem Tod? Bis vor drei Monaten hätte er diese Frage noch mit einem klaren Nein beantwortet. Aber nach Kathrins Tod hatte er manchmal das Gefühl gehabt, dass sie irgendwie um ihn war. In den schwärzesten Momenten, wenn die Verzweiflung überhandgenommen hatte und das Gefühl, dass auch sein Leben zu Ende gegangen war. Rational wie er nun mal war, hatte er es stets als Spinnkram abgetan.

Vom Flur war das Schließen der Haustür zu vernehmen. Norberg löste sich von Finn und sprang auf. Er packte Lasse am Arm, bevor dieser seinen Fuß auf die Treppe in den ersten Stock setzen konnte, und riss ihn herum. »Wieso hast du dich nicht um Finn gekümmert?«

»Bin ich sein Kindermädchen?« Lasse entwand sich seinem Griff und rannte die Treppe hoch. Norberg setzte hinterher, aber Lasse war schneller und schlug ihm die Tür vor der Nase zu. Im nächsten Moment hörte Norberg, wie der Schlüssel herumgedreht wurde. Er ballte die Fäuste in ohnmächtiger Wut und hätte die Tür am liebsten eingetreten. Aber es gelang ihm, sich zu beherrschen. Finn sollte so wenig wie möglich von den Problemen mitbekommen, die gerade zwischen Norberg und seinem ältesten Sohn herrschten.

»Schimpf nicht mit ihm«, bat Finn, als Norberg ins Wohnzimmer zurückkehrte. »Daniel hat gesagt, dass jeder anders auf den Tod reagiert.«

Daniel war wohl gerade das Maß aller Dinge. »Ich geb mir Mühe.« Norberg griff nach Finns Hand und zog ihn vom Sofa hoch. »Und jetzt ab ins Bett, mein Großer!«

Nachdem er allein war, holte Norberg ein Bier aus dem Kühlschrank und setzte sich in den Strandkorb auf der Terrasse. Nach einer Stunde Grübeln hatte er einen Entschluss gefasst. Corinna hatte ihm von einem Psychologen hier im Ort erzählt, der einen sehr guten Ruf hatte. Norberg war zwar bekannt, dass dieser Ärztezweig auf Monate hinaus ausgebucht war, aber vielleicht hatte er Glück und erhielt einen zeitnahen Termin. Ihm war an einem Vorgespräch gelegen, bevor er Lasse zu einem Arzt schleppte, was ihre Situation womöglich noch verschärfen würde. Das konnte und wollte er nicht riskieren.

42

Mit einem Seufzer ließ sich Constanze auf das ausladende Sofa in ihrer Suite im Atlantic-Hotel in Hamburg sinken. Ihr Rücken war verspannt, ihre Füße schmerzten, sie sehnte sich nach einer Entspannungsmassage. Aber es ging bereits auf zweiundzwanzig Uhr zu, da war nicht einmal mehr in einem Hamburger Luxushotel ein Masseur anwesend.

Die letzte Anprobe von Sophies Brautkleid hatte endlos gedauert, aber irgendwann am Nachmittag waren auch die letzten Änderungswünsche umgesetzt gewesen, und Sophie hatte sich spontan zu einer Shoppingtour entschlossen, bei der sie ihre Mutter unbedingt dabeihaben wollte. Constanze hatte sich überreden lassen in der Hoffnung, damit wenigstens für einige Zeit ihren quälenden Gedanken entfliehen zu können, die sie in den vergangenen Tagen zunehmend plagten und stets in die Vergangenheit führten …

»Du bist nichts anderes als eine verwöhnte Luxusgöre!« Ninas Stimme klang harsch, und der Blick, mit dem sie Sophie anschaute, war verächtlich. »Und jetzt auch noch das Studium, da muss es natürlich die exklusive Schweizer Uni sein. So langsam wirst du größenwahnsinnig.«

Constanze konnte bis heute nicht sagen, wann sich das harmonische Verhältnis zwischen ihren beiden Töchtern, der

Zusammenhalt, den sie stets empfunden hatten, ins Gegenteil verkehrt hatte. Es war ein schleichender Prozess gewesen, in dem sich die mittlerweile neunzehnjährige Nina und ihre drei Jahre jüngere Schwester immer mehr voneinander entfernt hatten. Diese Entwicklung hatte nicht erst mit Ninas Auszug vor einem halben Jahr ihren Anfang genommen. Ihre älteste Tochter hatte sich immer mehr für den Umweltschutz interessiert, sodass gemeinsame Interessen nach und nach versandet waren und sie bald auch keine Gesprächsthemen mehr gefunden hatten. Vor einem Monat kam dann der Schock für Sophie, als Nina ihr mitteilte, dass sie nicht vorhabe, mit ihr gemeinsam die Leitung von Küstenhotels *zu übernehmen, wenn Constanze einmal die Geschäftsführung abgeben würde.*

»Das hat doch nichts mit Größenwahn zu tun«, mischte Constanze sich aufgebracht ein. »Diese Uni ist eine der besten, und du hättest ebenso dort studieren können. Du kannst es immer noch, wenn du endlich mal deinen Ökotrip beendest.«

»Wir haben einmal beschlossen, unsere Hotels gemeinsam zu leiten«, warf Sophie mit zitternder Stimme ein. »Ich begreife einfach nicht, warum dir das jetzt nicht mehr wichtig ist.«

»Ach, Sophie, jetzt sei doch nicht sentimental. Damals waren wir Kinder, da schmiedet man viele Pläne.« Nina blickte hinüber zu dem Haus, in dem sie aufgewachsen war und aus dem sie noch einige Dinge abgeholt hatte, und sah dann wieder Sophie an, die auf einem Gartenstuhl neben ihr hockte und sie mit verzweifeltem Blick anschaute. Es war ein heißer Sommertag, aber das ausladende Sonnensegel über der Terrasse spendete wohltuenden Schatten. »Du musst dich damit

abfinden, dass nicht immer alles nach deinem Willen geht. Ich habe eine andere Vorstellung von meinem Leben als du. Dieser ganze Luxus, in dem ihr lebt, bedeutet mir nichts.«

»Nina, bitte überleg es dir noch mal!«

Constanze hatte Sophie noch niemals in diesem flehenden Ton sprechen hören.

»Nein, Sophie, das werde ich nicht!« Nina erhob sich, ihr Blick sagte Ende der Diskussion, *dann klemmte sie sich den Karton mit ihren Sachen unter den Arm und ging.*

Constanze erinnerte sich lebhaft daran, wie sehr Ninas Ablehnung Sophie zugesetzt hatte. Sie hatte sich von ihrer älteren Schwester, die immer ein Vorbild für sie gewesen war, verraten und im Stich gelassen gefühlt.

Seitdem war nichts mehr wie zuvor gewesen.

43

Donnerstag, 2. Juli

Als Anna um kurz vor acht ihren Wagen an der Polizeistation abstellte und ihre Tasche vom Rücksitz zog, hatte sie plötzlich das Gefühl, dass jemand hinter ihr stand. Sie fuhr herum und erblickte Michael Paulsen, der seine linke Hand in einer schnellen Bewegung zurückzog und in seiner Hosentasche verschwinden ließ.

Hatte der Typ ihr etwa gerade einen Klaps auf den Hintern geben wollen?

»Wow, Anna, chic siehst du heute aus.« Sein Blick glitt über ihre Jeans und die Leinenbluse. Keine Anzeichen von Verlegenheit, im Gegenteil, auf seinem Gesicht lag ein provozierender Ausdruck. Er trug Freizeitkluft, und sie erinnerte sich an Nils' Bemerkung vom Vortag, wie froh er sei, dass Paulsen bis zum Montag freihätte.

Mein Gott, was für eine dämliche Anmache! Sie sparte sich eine Erwiderung und wandte sich ab, wurde aber von ihm am Gehen gehindert, indem er sie am Arm festhielt. Seine Fahne war beachtlich, er musste verrückt sein, hier zu erscheinen. Aufgebracht riss sie sich los. »Finger weg!«

Er hob die Hände in einer beschwichtigenden Geste. »Sorry, ich wollte dir nicht zu nahetreten.« Die Worte passten nicht zu seinem Gesichtsausdruck, der sehr deutlich zeigte, dass er genau das im Sinn gehabt hatte. »Ich wollte dich bloß fragen, ob du Lust hast, morgen Abend zu meiner Geburtstagsfeier zu kommen. Nichts Großes, ich habe ein paar Freunde eingeladen und wollte ein bisschen Party machen.«

»Wir sind nicht befreundet, Herr Paulsen, und werden es mit Sicherheit auch niemals sein. Deshalb habe ich auch keine Veranlassung, zu Ihrem Geburtstag zu kommen.«

Sie hatte sich spontan entschlossen, ihn nicht mehr zu duzen, weil sie seine Einladung als vollkommen inakzeptabel empfand und ihn mit ihrer Antwort in die Schranken weisen wollte.

Seine Augen verengten sich, ein aufgebrachter Ausdruck trat in sein Gesicht, und sie fragte sich, ob er ernsthaft geglaubt hatte, dass sie seine Einladung annehmen würde. »Ach, sind wir jetzt wieder beim Sie?«

»Ja, das sind wir! Und ich wäre Ihnen dankbar, wenn Sie mich in Zukunft nicht mehr belästigen würden!«

»Eine Einladung zu einer Geburtstagsfeier ist für dich also eine Belästigung?«

»Wenn Sie von einem Menschen kommt, den ich nicht kenne und dem ein gewisser Ruf vorauseilt, allerdings!«

Wieder trat er ganz nah an sie heran und hob die Hand, als wenn er sie schlagen wollte, aber dieses Mal hatte sie ihn im Blick. Mit einer schnellen Bewegung packte sie seinen Arm und setzte einen Hebel an, der ihm ein Ächzen entlockte und ihn in die Knie zwang. Sie hatte diesen Griff bisher nur in der Ausbildung und dem regelmäßigen Training angewendet und war sich nie so ganz sicher gewesen, ob sie ihn im Notfall ebenso gut hinbekommen würde. Wie sie jetzt mit großer Befriedigung feststellen konnte, war dies der Fall. Obwohl ihr

Paulsen an Größe und Körperkraft um einiges überlegen war, kam er erst wieder frei, als sie locker ließ.

»Bist du verrückt geworden?«, herrschte er sie an und massierte mit schmerzverzerrtem Blick seinen Ellenbogen. Bevor Anna etwas erwidern konnte, öffnete sich die Tür der Station, und Norberg kam mit schnellen Schritten heraus.

»Was ist hier los?« Ein zorniger Ausdruck lag auf seinem Gesicht, als er zu Paulsen blickte und vor Anna stehen blieb. »Hat er Sie belästigt?«

»Verdammt, ich hab sie zu meiner Geburtstagsfeier eingeladen! Was hat das denn mit Belästigung zu tun?« Paulsen hatte mittlerweile einen hochroten Kopf.

»Was wollen Sie hier?«, herrschte Norberg ihn an. »Sie haben bis Montag frei.« Er trat einen Schritt zurück und verzog angeekelt das Gesicht. »Gehen Sie nach Hause – und nüchtern sich aus. Sie stinken ja wie eine ganze Kneipe.«

»Ich habe etwas in meinem Schreibtisch vergessen.« Paulsen funkelte Norberg wütend an. »Es wird ja wohl noch erlaubt sein, in so einem Fall die Dienststelle zu betreten, oder? Und wenn ich in meiner Freizeit trinke, geht Sie das einen feuchten Kehricht an!« Er wartete Norbergs Erwiderung nicht ab, sondern stapfte zur offen stehenden Tür, wo er sich noch einmal kurz mit einem wütenden Blick umschaute und dann im Inneren des Gebäudes verschwand.

»Ich hab das eben zufällig durchs Fenster gesehen«, sagte Norberg. »Wollte er Sie ohrfeigen?«

»Ich hatte den Eindruck«, gab Anna zu und erzählte, was dem vorangegangen war. Sie hatte instinktiv gehandelt, sich aber fast augenblicklich gefragt, ob sie hier gerade eine Überreaktion an den Tag legte.

Wenn es für Norberg allerdings ebenfalls nach einer Ohrfeige ausgesehen hatte, war ihre Einschätzung wohl doch nicht so falsch gewesen.

Norberg wirkte für einen Moment unentschlossen. »Lassen Sie uns fahren«, sagte Anna deshalb. »Paulsen hat seine Lektion erhalten, ich denke nicht, dass er mir noch einmal zu nahetreten wird.«

Während der Fahrt herrschte Schweigen, das Norberg erst in Wesselburen brach, nachdem er getankt und Anna gefragt hatte, ob er ihr aus dem Shop etwas zu trinken mitbringen solle.

»Ich werde auf Paulsens Versetzung drängen«, sagte er, nachdem er wieder auf dem Fahrersitz Platz genommen und einen großen Schluck aus seinem Coffee-to-go-Becher genommen hatte. Es war sein dritter Kaffee an diesem Morgen, obwohl er sich geschworen hatte, seinen Konsum zu drosseln, aber nach einer weiteren unruhigen Nacht brauchte er nun mal einen Muntermacher.

»Wegen der Sache vorhin oder weil er sich Ihnen gegenüber so unmöglich verhalten hat?« Anna Wagner schraubte die Wasserflasche zu, die er ihr mitgebracht hatte, und hielt sie an ihre Wangen. Auch heute würde es wieder ein heißer Tag werden, bereits jetzt zeigte das Thermometer achtundzwanzig Grad an. Zum Glück ging an der Küste fast immer ein Wind, was es ein wenig erträglicher machte.

»Beides spielt eine Rolle.« Norberg stellte seinen Becher in den Cupholder und blickte nachdenklich vor sich hin.

»Ich habe in den vergangenen Tagen und auch in meiner Einarbeitungszeit den Eindruck gewonnen, dass wir hier eine Truppe haben, in der es keine Misstöne gibt. Nur Paulsen bringt welche rein, und ich kann überhaupt nicht nachvollziehen, warum sich Hoyer seinerzeit hat breitschlagen lassen, ihn zu nehmen.«

»Aber Hoyer hatte Ihnen doch gesagt, dass es bis jetzt keine Schwierigkeiten mit Paulsen gegeben hat. Die haben doch erst begonnen, nachdem wir beide unseren Dienst angetreten haben. Gut, Sie bleiben hier, aber ich bin doch wieder weg, wenn der Fall gelöst ist.«

Norberg warf ihr einen kurzen Blick zu und sah, dass ein trauriger Ausdruck auf ihrem Gesicht lag. »Sie machen auf mich den Eindruck, als wenn Sie gerne hierbleiben würden.«

Sie seufzte tief. »Im Moment schlagen tatsächlich zwei Seelen in meiner Brust. Auf der einen Seite ist mir natürlich sehr daran gelegen, hier in Schleswig-Holstein eine Vermisstenstelle aufzubauen, weil ich der Meinung bin, dass die Personengruppe, die bisher in unserem Fokus steht, dringend erweitert werden müsste. Auf der anderen Seite ist es natürlich schön, wenn man seiner Arbeit an einem Ort wie St. Peter-Ording nachgehen kann.«

»Sie können in Kiel ja vorschlagen, dass Ihre Stelle hierher verlegt wird.«

Anna Wagner lachte auf. »Der war gut! Die würden mich für verrückt erklären, wenn ich mit so einem Vorschlag komme.« Sie lehnte sich im Sitz zurück, als er den Wagen startete, und schloss die Augen. »Aber man kann ja träumen.«

Während der Fahrt nach Büsum dachte Norberg über seine Bemerkung nach. Sie war spontan erfolgt, weil er sich eine weitere Zusammenarbeit mit Anna Wagner mittlerweile gut vorstellen konnte. Zum einen, weil es interessant war, an einer Vermisstensache zu arbeiten, zum anderen, weil er die Kollegin schätzen gelernt hatte. Aber natürlich war die Überlegung vollkommen absurd, da ihr Job im LKA angesiedelt war und nicht mal so eben in eine Polizeidienststelle an der Nordsee verlegt werden konnte. Die Strukturen in der Landespolizei waren klar geregelt, und der Versuch, sie aufzubrechen, würde sofort abgeschmettert werden.

Andererseits …

Sein Wechsel war ebenso außergewöhnlich und trotzdem verhältnismäßig reibungslos über die Bühne gegangen.

Wenn er bloß endlich diesen Erinnerungsfetzen in seinem Hinterkopf zu fassen bekäme, der ihn bereits neulich bei ihrem ersten Gespräch über dieses Thema gestreift hatte.

»Wollen wir als Erstes nach Büsum oder nach Friedrichskoog?«, drang Annas Stimme in seine Gedanken.

Er überlegte nicht lange. »Nach Büsum.«

44

Kai Hellmer schwitzte. Nicht wegen der ansteigenden Temperaturen, Hitze hatte ihm noch nie etwas ausgemacht. Nein, er schwitzte vor Angst. Und das nahezu durchgängig.

Der Besuch der Polizistin lag jetzt drei Tage zurück. Drei verdammte Tage, in denen er stündlich auf der Lauer gelegen hatte, dass sie oder ihre Kollegen erneut vor seiner Tür stehen und ihn verhaften würden. Weil sie es herausgefunden hatten.

Auch heute hatte es ihn nicht in seiner Wohnung gehalten, sondern wieder ins Freie getrieben. Er versuchte den Stress durch Bewegung einzudämmen; vertreiben konnte er ihn damit nicht.

Der Deich war wie an den Tagen zuvor voll von Menschen. Glückliche Urlauber, welche die Bänke auf der Deichspitze und die Rasenfläche bevölkerten, die hinunter zum Wasser führte. Strandkörbe, Strandmuscheln in allen Farben, ausgebreitete Decken und Picknickkörbe. Menschen, die sich in der Sonne aalten, tobende Kinder und Hunde. Lebensfreude pur.

Sein Handy begann zu klingeln, und nachdem er einen Blick auf das Display geworfen hatte, musste er an sich halten, nicht laut aufzuschreien. »Was willst du?«, fuhr er den Teilnehmer am anderen Ende der Leitung an. Er senkte seine Stimme. »Ich hab dir doch gesagt, dass ich für eine Weile die Füße stillhalten muss.« Der Anrufer fiel ihm mit hektischer Stimme ins Wort und spulte seine übliche Litanei ab.

Ich brauch was.

Wenn du nicht lieferst, mach ich dir richtig fett Ärger.

Du steckst da genauso drin …

Mein Gott, dieser dämliche Vollpfosten! Die anderen hatten kapiert, dass er im Moment nicht im Geschäft war, und ließen ihn in Ruhe. Aber dieser Till war eine elende Nervensäge und konnte eine Menge Stress machen, den Kai im Moment überhaupt nicht gebrauchen konnte. »Okay«, sagte er schließlich zermürbt, »in zwei Stunden am üblichen Platz.« Er beendete das Gespräch und blickte gedankenverloren vor sich hin, zerrissen zwischen dem Wunsch, eine Zeit lang abzutauchen, und dem Wissen, dass er sich keine lange Auszeit leisten konnte, wenn er weiter im Geschäft bleiben wollte. Weil ihm dann andere in null Komma nichts sein Terrain in Friedrichskoog streitig machen würden, denn so etwas sprach sich schnell herum. Im Moment war er hier noch Alleinanbieter, aber das würde sich dann in Windeseile ändern.

Verdammte Scheiße, er brauchte das Geld! Bisher war er noch unter dem Radar der Bullen geflogen, aber dass er ausgerechnet jetzt auf deren Schirm auftauchte, war doch wieder mal so typisch für sein verkorkstes Leben. Warum konnte nicht einmal etwas so laufen, wie er es geplant hatte?

Fucking Nina!

45

Anna befürchtete, dass die neue Einschätzung des Falls Ninas leibliche Mutter zutiefst verstören würde, und hatte Norberg deshalb gebeten, zuerst in der Gemeindeverwaltung vorbeizufahren. Sie wollte Hans Gräfsen dabeihaben, falls seine Frau Beistand benötigen sollte. Als sie erfuhr, dass er sich heute freigenommen hatte, war sie erleichtert. Ein Zustand, der sich allerdings augenblicklich änderte, als sie in der Otto-Johannsen-Straße eintrafen und von Gräfsen erfuhren, dass seine Frau in der vergangenen Nacht einen Nervenzusammenbruch erlitten habe und ins Westküstenklinikum in Heide gebracht worden sei.

»Was ist mit Nina? Haben Sie sie gefunden?« Gräfsens Blick flog zwischen ihnen hin und her.

Anna schüttelte den Kopf. »Nein, unser Kommen hat einen anderen Grund.«

Gräfsen hielt die Tür auf und bat sie herein. Sein Gesicht war blass, seine Haare ungekämmt, es schien, als hätten sie ihn aus dem Bett geholt. »Entschuldigung, aber ich bin ein bisschen durch den Wind.«

»Ist etwas passiert, dass Ihre Frau zusammengebrochen ist?«, fragte Anna, nachdem sie im Wohnzimmer Platz genommen hatten.

»Nein«, sagte Gräfsen und fuhr sich mit beiden Händen über das Gesicht. »Ich weiß auch nicht … Wir haben ferngesehen, und ich hatte den Eindruck, dass es Jutta ein bisschen ablenken würde, aber dann ist sie plötzlich im Sessel zusammengesackt. Einfach so. Ich hab sofort den Notarzt gerufen, und als der ankam, war Jutta zum Glück schon wieder bei Bewusstsein. Sie hat sich mit Händen und Füßen gewehrt, weil sie nicht ins Krankenhaus wollte, der Notarzt musste sie mit einer Spritze ruhigstellen. Ich bin die Nacht über bei ihr geblieben, und als ich heute Morgen wieder los bin, ging es ihr zum Glück schon ein bisschen besser. Die Ärzte wollen sie noch ein paar Tage dabehalten und durchchecken, da nicht sicher ist, was den Zusammenbruch ausgelöst hat.«

»Vielleicht nur die Aufregung der letzten Tage«, meinte Norberg.

»Das hoffe ich auch«, sagte Gräfsen. »Bisher war Jutta nämlich immer ziemlich gesund.« Er stand auf. »Entschuldigung, kann ich Ihnen etwas zu trinken anbieten?«

»Ein Glas Wasser wäre nett«, sagte Anna, da sie die in Wesselburen gekaufte Flasche mittlerweile geleert hatte.

Gräfsen kam mit einer Wasserflasche aus der Küche zurück und holte drei Gläser aus einer Vitrine, die er vollschenkte und vor ihnen abstellte. »Was ist denn nun der Grund Ihres Kommens?«

Norberg klärte ihn über die neue Einstufung des Falls auf.

»Sie glauben, dass Nina getötet wurde? Aber …« Gräfsen war blass geworden und starrte sie aus weit aufgerissenen Augen an. »Was hat Sie denn zu dieser Annahme gebracht?«

»Es tut uns leid, aber darüber können wir Ihnen keine Auskunft erteilen«, sagte Anna.

»Ist Ihnen in der Zwischenzeit noch irgendetwas eingefallen, was uns weiterhelfen könnte?«, fragte Norberg.

Gräfsen wirkte abwesend. »Nein … nein …« Er schüttelte den Kopf. »Nein, ich glaube nicht …«

Wenn ihr Gegenüber unentschlossen war, hakte Anna erst mal nicht nach, um ihm die Möglichkeit zu geben, seine Gedanken zu sortieren und dann von sich aus auf sie zuzukommen. Beharrliches Bohren führte oft dazu, dass sich die Person verschloss. Bisher hatte Norberg es ebenso gehalten, aber jetzt wurde er ungeduldig.

»Sie glauben nicht, dass Ihnen etwas eingefallen ist, Herr Gräfsen? Wie sollen wir das denn verstehen? Wenn Sie irgendetwas wissen, sollten Sie uns das sagen!«

Gräfsen räusperte sich. »Ich weiß nicht recht, wie ich das ausdrücken soll, aber … meine Frau reagiert häufig sehr emotional … also nicht mir gegenüber, jedenfalls nicht oft, aber bei anderen …«

»Wie äußert sich diese Emotionalität?«, fragte Anna, als er schwieg und unsicher von einem zum anderen sah. »Nur verbal – oder wird Ihre Frau auch handgreiflich?«

»Ich habe nie erlebt, dass sie handgreiflich wurde. Sie ist allerdings mit siebzehn zu Sozialstunden verurteilt worden, weil sie eine Klassenkameradin verprügelt hatte, die sich abfällig über die Adoption geäußert hatte. Dass Jutta schwanger war, hatten ja alle mitbekommen, und natürlich auch, dass sie Nina zur Adoption freigegeben hatte. Das muss damals eine schlimme Zeit für Jutta gewesen sein, zumal sie ihre Entscheidung am liebsten rückgängig gemacht hätte. Aber das ging ja nicht mehr.« Gräfsen atmete tief ein. »Jutta hat mir erst vor ein paar Tagen erzählt, dass Nina den Kontakt zu ihr abgebrochen hat. Das hat mich ziemlich überrascht, da wir sonst immer über alles sprechen.« Er blickte auf das Glas in seinen

Händen. »Und seitdem plagt mich der Gedanke, dass es eine Auseinandersetzung zwischen den beiden gegeben haben könnte, bei der Jutta sich vielleicht vergessen hat. Weil sie so enttäuscht von Nina war.«

»Sie meinen, dass Ihre Frau Nina Gewalt angetan haben könnte?«, fragte Anna.

Gräfsen hob den Blick und sah sie mit einem verzweifelten Ausdruck an. »Ich kann es mir nicht vorstellen, aber ich bin mittlerweile total verunsichert. Und wenn Sie jetzt sagen, dass der Verdacht im Raum steht, dass Nina getötet wurde …« Er schluchzte auf. »Das ist doch ganz schrecklich, wenn man denkt, dass die eigene Frau so etwas getan haben könnte.«

Der Anruf im Krankenhaus ergab, dass es Jutta Gräfsen wieder schlechter ging und sie zurzeit noch nicht vernehmungsfähig war. Auf Annas Bitte versprach der behandelnde Arzt, sie umgehend zu benachrichtigen, wenn dies wieder der Fall sein würde.

Während Hans Gräfsen nach dieser Nachricht sofort wieder nach Heide aufbrach, legten Anna und Norberg eine kurze Mittagspause ein, um sich zu besprechen. Norberg lotste sie in Richtung Museumshafen, wo es laut seiner Aussage die besten Fischbrötchen von Büsum gab. »Krabbenbrötchen ist Pflicht bei einem Büsumbesuch«, klärte er sie auf und bestellte zwei davon in einem kleinen Imbiss namens *Hafenpick*, bei dem nicht nur Touristen, sondern regelmäßig auch Einheimische essen gingen, wie er ihr erzählte. Sie fanden einen Platz auf einer Bank mit Blick auf die Krabbenkutter und verspeisten die Brötchen mit gesundem Appetit.

Sie waren übereingekommen, dass es wenig Sinn ergab, jetzt ebenfalls ins Krankenhaus zu fahren, und machten sich stattdessen auf den Weg nach Friedrichskoog.

46

Sophie hatte eine Kutsche für die Fahrt zum Westerhever Leuchtturm bestellt. »Ja, was glaubst du denn?«, hatte sie ihn gefragt, als er seine Verwunderung darüber zum Ausdruck gebracht hatte. »Dass ich den ganzen Weg auf High Heels zurücklege?« Seinen Einwand, dass es vorher ja Turnschuhe täten und sie einfach erst am Leuchtturm in die High Heels schlüpfen könne, hatte sie nicht gelten lassen. Wie das denn aussähe! Turnschuhe zu einem Traum von Brautkleid. Den Hamburger Designer würde der Schlag treffen, falls er jemals davon erführe. Außerdem sei man bei der momentanen Hitze doch schon nach fünf Minuten durchgeschwitzt. Nein, das käme überhaupt nicht infrage.

Natürlich nicht. Sie war eine Brechtmann und gewöhnt, ihren Willen durchzusetzen. Wie hatte er das vergessen können?

Forsgren war mehr als erleichtert gewesen, dass sie und Constanze wie angekündigt über Nacht in Hamburg geblieben waren. Nach dem gestrigen Besuch der Polizei und deren Hinweis, dass der Fall jetzt als Tötungsdelikt eingestuft werde, hatte er keine ruhige Minute mehr gehabt. Da hätte ihn jede Begegnung mit Sophie an seine Grenzen gebracht.

Worauf war die Polizei gestoßen? Es musste etwas Gravierendes sein, sonst hätten sie mit Sicherheit keine neue Beurteilung vorgenommen.

Aber was?

Fast die ganze Nacht hatte er mit Grübeln verbracht, und als der Gedanke ihn das erste Mal gestreift hatte, hatte er ihn voller Entsetzen von sich gewiesen.

Nein, das war viel zu weit hergeholt. Aber die Erinnerung an das eingetrocknete Blut auf dem Teppichboden ließ ihn nicht mehr los. Trotzdem schrieb er die Überlegung auch jetzt noch seinen angespannten Nerven zu.

Weil es nicht sein konnte.

Weil es einfach zu unwahrscheinlich war, was er sich da zurechtspann.

Unwahrscheinlich?

War es das wirklich?

Zum Frühstück hatte er keinen Bissen heruntergebracht, und beim Mittagessen, das er im Hotel mit Constanze und Sophie eingenommen hatte, war es nicht viel besser gewesen. Er hatte in seinem Essen herumgestochert und sich nur einsilbig an dem Gespräch beteiligt, das die beiden Frauen führten. Weil ihm die ganze Zeit über nur diese eine Frage durch den Kopf gegangen war?

Was soll ich tun?

Welche Entscheidung ist die richtige?

Ihm war bewusst, dass es nur zwei Wege gab, die er einschlagen konnte, und jeder würde einen Schlusspunkt unter sein bisheriges Leben setzen. Aber nur bei einem dieser Wege würde er sich im Nachhinein noch in die Augen schauen können.

Der Parkplatz, der in kurzer Entfernung unterhalb des Deichs lag, war voll besetzt. In der Saison lockte das Wahrzeichen an der Nordseeküste die Touristen in Scharen an. Erst recht bei einem Bombenwetter, wie es auch heute wieder herrschte. Als Forsgren einen Blick durch die getönten Scheiben warf, bemerkte er die Aufmerksamkeit, die sie erregten. Kein Wunder, waren sie doch in einer weißen Stretchlimousine unterwegs, die Sophie in Hamburg angemietet hatte und in der sie und Constanze am Morgen zurückgekehrt waren. Natürlich mit Chauffeur. »Wennschon, dennschon«, hatte Sophie gemeint. Das Luxusgefährt bot Platz für acht Personen, außer ihm, Sophie und Constanze waren noch zwei mit Sophie befreundete Paare dabei, von denen eines als Trauzeugen fungieren würde. Drei weitere Personen folgten in einem Taxi. Unter normalen Umständen hätte er gerne seine Schwester als Trauzeugin gehabt, aber Saga war immer noch im Urlaub, und die Umstände waren sowieso alles andere als normal.

Sie passierten die Schranke, und Sophie lotste den Fahrer auf den hinteren Bereich des Parkplatzes, wo sie einen Platz hatte reservieren lassen. Die festlich geschmückte Kutsche hatte Forsgren bereits beim Ankommen entdeckt, sie stand auf einer freien Fläche neben dem reetgedeckten Info-Hus, vor dem sich eine Reihe von Menschen tummelte.

Die Stimmung auf der Herfahrt war sonderbar gewesen. Sophie und ihre Freunde, die er nur flüchtig kannte, hatten geplaudert und gescherzt, Constanze hatte die meiste Zeit teilnahmslos aus dem Fenster gestarrt.

Nach dem Hinweis der Polizisten, dass sein Name noch bis vor Kurzem in Ninas Organizer aufgetaucht wäre, hatte er alles darangesetzt, Sophie und Constanze davon zu überzeugen, dass er nach ihrer Trennung keinen Kontakt mehr zu Nina gehabt hatte. Ob es ihm gelungen war, hatte er nicht einschätzen können und deshalb bis zuletzt damit gerechnet, dass Sophie die Hochzeit absagen würde. Aber sie hatte es nicht getan.

Weil sie seinen Worten Glauben schenkte?

Weil sie sich die Blamage einer zweiten Absage nicht antun wollte?

Weil sie ihn liebte?

Bis zum gestrigen Besuch der Polizei hatten ihn diese Fragen umgetrieben. Danach waren sie nicht mehr wichtig gewesen, weil sich alles verändert hatte.

Wir stufen den Fall jetzt als Tötungsdelikt ein.

Auf dem Weg zur Kutsche kam Bent sich vor wie ein alter Mann. Jeder Schritt fiel ihm schwer, das Wissen, dass er mit dem, was in den nächsten beiden Stunden folgen würde, aller Voraussicht nach den Fehler seines Lebens beging, lähmte ihn.

»Hey, wo bist du denn mit deinen Gedanken?« Sophie hakte sich bei ihm unter. Sie sah strahlend schön aus in ihrem bodenlangen Kleid aus weißer Seide, viele Blicke folgten ihnen auf dem Weg zur Kutsche. Jeder andere Mann wäre überglücklich gewesen, eine Frau wie sie zum Altar führen zu dürfen.

Er zwang ein Lächeln in sein Gesicht, aber sie hatte sich schon wieder abgewandt und wechselte einige Worte mit ihren Freunden, die zu ihnen aufgerückt waren. Ein munteres Lachen folgte, er ignorierte es, blendete alles um sich herum aus und konzentrierte sich auf seine Schritte, die ihn an der Kutsche vorbei Richtung Deich trugen.

»Bent! Wo willst du hin?« Sophies Ruf war zu schrill, um ihn zu überhören. Er drängte sich in dieses seltsame Gefühl, als bewege er sich in einer Parallelwelt, das ihn seit gestern umgab.

»Nun lass ihm doch seine letzten Minuten in Freiheit«, hörte er eine männliche Stimme in seinem Rücken sagen. »Auf dem Deich sammeln wir ihn wieder ein.« Lautes Gelächter folgte den Worten.

Die Zufahrt zum Deich war noch von einem metallenen Gatter versperrt. Er zwängte sich durch den hölzernen Zugang auf der rechten Seite und blickte erschrocken hoch, als ihn lautes Fahrradklingeln aus seinen Gedanken riss. Vom Deich kam ein Tandem herunter, das nicht eben langsam auf ihn zuhielt. Die Frau auf dem vorderen Sitz war in ein hellgraues Spitzenkleid gehüllt, der Mann hinter ihr trug einen dunkelgrauen Cut zu einer hellgrauen Hose. Hier hatte heute also schon eine Trauung stattgefunden, und Bent fragte sich für den Bruchteil einer Sekunde, ob es sich bei den beiden Menschen vor ihm, die jetzt mit vereinten Kräften in die Bremsen traten und ihm fröhlich zuwinkten, wohl um das Brautpaar oder zwei der Gäste handeln mochte.

Auf der Deichspitze empfing ihn ein kühler Wind. Der Himmel hatte sich in den letzten Minuten zugezogen, und über dem Westerhever Leuchtturm, der linker Hand in einiger Entfernung auf einer Warft zu sehen war, ballten sich dunkle Wolkengebirge zusammen. In der Wettervorhersage war laut Sophie kein Regen angekündigt worden, aber hier an der Küste wechselte das Wetter schnell.

Bent ließ seinen Blick über die Salzwiesen gleiten, die sich vor ihm erstreckten, auf die friedlich grasenden Schafe, und auf einmal überkam ihn eine tiefe Ruhe.

Nein, es gab keine zwei Wege, es gab nur einen.

47

Kai Hellmer trat gerade aus dem Hauseingang, als das eintrat, wovor er sich jetzt seit Tagen fürchtete. Zwei Personen kamen ihm auf dem Gehweg entgegen, von denen er eine kannte.

Verdammte Scheiße!

»Herr Hellmer, wie schön, dass wir Sie antreffen.«

Die Stimme der Kommissarin klang verbindlich, aber Kai ließ sich nicht täuschen. Dass sie hier zusammen mit einem Streifenbullen angerückt war, konnte nur eines bedeuten: Sie wollten ihn festnehmen.

Ohne nachzudenken, machte er auf dem Absatz kehrt und rannte wie von Furien gehetzt ins Haus zurück, wo er die Treppen hoch in seine Wohnung stürmte. Er knallte die Tür hinter sich zu und hastete durch das Wohnzimmer hinaus auf den Balkon. Hektisch sah er sich um, und sein Blick fiel auf das verlassene Nachbargrundstück mit dem verwilderten Garten und den mannshohen Büschen. Wenn er ungesehen dorthin gelangte, war er erst mal vor allen Blicken verborgen und konnte abwarten, bis die Luft wieder rein war.

Als er nach der Brüstung griff und einen Blick nach unten warf, wurde ihm für einen Moment flau im Magen. Zweiter Stock – was, wenn er sich bei dem Sprung etwas brach? Er zögerte und fühlte sein Herz gegen die Rippen wummern, aber erst als er hinter sich das Splittern der

Wohnungstür hörte, nahm er all seinen Mut zusammen und sprang.

Nachdem Hellmer Fersengeld gegeben hatte, hatten sich Anna und Norberg blitzschnell kurzgeschlossen. Während Norberg Hellmer ins Haus folgte, lief Anna zur Rückseite des Gebäudes, weil sie damit rechneten, dass der Mann versuchen würde, sich über den Balkon abzusetzen.

Ihre Annahme erwies sich als richtig. Als Anna um die Hausecke bog, sah sie Hellmer über den Rasen humpeln. Er hielt auf das dichte Buschwerk des verwahrlosten Nachbargrundstücks zu, knickte aber immer wieder um, bis er schließlich mit einem Schmerzensschrei auf den Rasen sank.

»Ist er verletzt?«

Anna blickte hoch zu Hellmers Balkon, wo Norberg an der Brüstung stand.

»Sieht ganz so aus.«

»Mein Fuß ist gebrochen«, jammerte Hellmer und umklammerte mit schmerzverzerrtem Gesicht sein Bein.

Selbst schuld, dachte Anna. Was haust du Blödmann auch ab? Sie griff zum Handy und rief einen RTW, bevor sie sich Hellmer zuwandte, ihn über seine Rechte belehrte und darauf hinwies, dass er vorläufig festgenommen sei. Norberg war mittlerweile neben ihr aufgetaucht und nahm eine Leibesvisitation bei Hellmer vor, der sich dieser mit heftiger Gegenwehr zu widersetzen versuchte, auch wenn er es nicht schaffte, vom Boden hochzukommen.

»Wieso bin ich verhaftet? Ich habe nichts mit Ninas Verschwinden zu tun!«

Norberg zuckte zusammen, als Hellmers Arme ihn an der linken Schulter trafen, woraufhin Anna ihrem Kollegen augenblicklich zu Hilfe kam. Mit vereinten Kräften gelang es ihnen schließlich, Hellmer mit Handfesseln zu fixieren.

»Was ist mit Ihrer Schulter?«, fragte Anna.

»Halb so schlimm«, wiegelte Norberg ab. Ein befriedigter Ausdruck überzog sein Gesicht, als er den Fund betrachtete, den er aus Hellmers Hosentasche gezogen hatte. »Das reicht für eine Verhaftung, Herr Hellmer.«

Fünf Plastiktütchen mit bunten Pillen. Ecstasy, bestimmt zwanzig Pillen pro Tüte.

Definitiv zu viel für den Eigenbedarf.

Der Notarzt hatte eine Verstauchung festgestellt und Hellmers Knöchel versorgt, woraufhin sie den Mann in den Streifenwagen verfrachteten, um ihn mit nach St. Peter-Ording zu nehmen. Vorher hatte Anna Wagner allerdings noch darauf gedrungen, dass sich der Arzt auch Norbergs Schulter ansah.

»Jetzt spielen Sie hier nicht den starken Mann«, hatte sie seinen Einwand abgeschmettert. »Wenn Sie das getan haben, was ich vermute, dürften Sie eine ziemliche Prellung davongetragen haben.«

»Was vermuten Sie denn?«, fragte Norberg gallig, dem es zunehmend unangenehm wurde, dass sie so viel Aufhebens um seine Person machte.

»Einen rambomäßigen Einsatz, den die Tür nicht überlebt haben dürfte«, sagte sie mit einem verschmitzten Lächeln, bei dem es ihn ziemliche Mühe kostete, ernst zu bleiben.

Die Diagnose des Arztes hatte ihre Vermutung dann bestätigt. Die Schulter war bandagiert und Norberg mit Schmerztabletten und dem Ratschlag, sich einige Tage zu schonen, versorgt worden.

Soweit kommt das noch, hatte er gedacht.

Während der Rückfahrt entpuppte sich Kai Hellmer als zunehmende Nervensäge. Immer wieder beteuerte er, dass er nichts mit Ninas Verschwinden zu tun hätte. Was auch für die Drogen gelte, die hätte ihm ein Freund nämlich nur zur Aufbewahrung gegeben. Natürlich war Hellmer im Zuge der Ermittlungen überprüft worden und bisher weder in dieser Beziehung noch in irgendeiner anderen auffällig geworden. Was aber nichts bedeuten musste. Entweder hatte er erst vor Kurzem mit dem Dealen begonnen oder es bisher erfolgreich geschafft, sich dabei nicht von der Polizei erwischen zu lassen.

Damit rückte er in der Liste der Verdächtigen in eine Spitzenposition, was ihnen zur sofortigen Ausstellung eines Durchsuchungsbeschlusses für seine Wohnung verhelfen dürfte. Anna Wagner hatte auf der Rückfahrt das Steuer übernommen, sodass Norberg noch während der Fahrt den Beschluss beantragt hatte.

48

»Da sind Sie ja endlich!« Ein sichtlich aufgeregter Nils Scheffler kam ihnen auf dem Flur der Station entgegen, unterdrückte dann aber das, was ihm auf der Zunge lag, als er sah, dass sie eine festgenommene Person bei sich hatten.

»Gleich, Kollege«, sagte Norberg. »Wir müssen erst einmal unseren Gast unterbringen.«

Kai Hellmer war mittlerweile in ein beharrliches Schweigen verfallen. Erst als Norberg ihn darüber aufklärte, dass seine Wohnung durchsucht werden würde, kam wieder Leben in ihn.

»Das dürfen Sie nicht!«, begehrte er auf.

»Das dürfen wir sehr wohl«, antwortete Norberg und hielt Hellmer sein Tablet vor die Nase, auf dem der Beschluss gerade per Mail eingegangen war. Dann löste er die Handfesseln. »Wenn ich bitte Ihren Wohnungsschlüssel haben dürfte.«

»Wozu das?«, fauchte Hellmer ihn an. »Sie haben die Tür doch eingetreten, wenn ich das richtig gehört habe.«

»Wir werden sie selbstverständlich wieder instand setzen lassen.«

Hellmer kämpfte sichtlich mit sich, resignierte aber schließlich und zog den Schlüssel aus der Hosentasche. Widerspruchslos ließ er sich in die Zelle führen.

»Dieser Bent Forsgren hat vorhin angerufen«, wurden sie von Scheffler informiert, der in Norbergs Büro gewartet hatte.

»Er klang ziemlich aufgeregt und hat gesagt, dass er Sie und Anna unbedingt sprechen muss.«

Norberg runzelte die Stirn. »Und wo finden wir ihn?«

»In seiner Wohnung.«

Norberg wechselte einen Blick mit Anna. »Das muss ja etwas Gravierendes sein, wenn der Mann uns an seinem Hochzeitstag sprechen will.«

»Vielleicht will er endlich mal mit der Wahrheit rausrücken«, meinte sie.

Norberg händigte Scheffler Hellmers Wohnungsschlüssel aus und klärte ihn über ihren zurückliegenden Einsatz auf. Dann griff er zum Telefonhörer. »Ich informiere die Kollegen in Marne, dass eine Wohnungsdurchsuchung ansteht und Sie auf dem Weg sind. Bleiben Sie in jedem Fall vor Ort, ich möchte jemanden aus meinem Team dabeihaben.«

Das freudige Aufblitzen in Schefflers Augen entging ihm nicht.

»Wird erledigt!«

Sobald der jüngere Kollege losgeeilt war, beschlossen Anna und Norberg, als Erstes zu Forsgren zu fahren, weil es schon ziemlich ungewöhnlich war, dass er sie ausgerechnet an diesem Tag sprechen wollte. Hellmer konnte warten, ein bisschen schmoren in der Zelle würde hoffentlich dazu führen, dass er einknickte und sie mehr erfuhren.

»Gut möglich, dass Nina von seinem Nebenerwerb erfahren hatte und deshalb beseitigt werden musste«, überlegte Anna.

»Das kann natürlich auch ein Grund für die Trennung gewesen sein.« Norberg setzte den Blinker und bog nach rechts in den Fasanenweg. Da die Straße, die durch den Ortsteil Bad Richtung Dorf führte, als Einbahnstraße angelegt war, musste er über die Eiderstedter Straße zurückfahren, um in den Strandläuferweg zu Forsgrens Wohnung zu kommen. »Jetzt bin ich aber erst mal gespannt, was uns der Herr Architekt zu sagen hat.«

Der zweite Besuch bei Bent Forsgren unterschied sich in mehrfacher Hinsicht vom ersten. Seine Wohnung war unaufgeräumt, was ihnen bereits im Flur ins Auge stach. Neben der Garderobe standen drei Einkaufstüten voll mit Plastik- und Restmüll, zwei Paar Schuhe lagen wie weggeworfen auf dem Boden. Im Vorübergehen warf Norberg einen Blick in die Küche, in der es nicht viel besser aussah. Leere Weinflaschen auf dem Tisch, schmutziges Geschirr in der Spüle sowie ein Wandrollenhalter, aus dem sich Frischhaltefolie und Küchenrolle gelöst hatten und auf die Arbeitsplatte gerollt waren.

Im Wohnzimmer blickte Norberg sich mit einem ungläubigen Kopfschütteln um. Die Sofakissen waren über Couch und Fußboden verteilt, ein Regal der Bücherwand war nahezu leer, die Bücher auf dem Boden verstreut, als hätte sie jemand in einem Wutanfall herausgerissen. Der Couchtisch war mit zerfetzten Skizzen übersät, die einmal Auskunft über Forsgrens Arbeit gegeben hatten. Eine Reihe unterschiedlicher Hotelbauten, Grundrisse und Entwurfsplanungen, wie Norberg beim näheren Hinschauen feststellen konnte.

Am auffälligsten aber war die Veränderung, die seit ihrer letzten Begegnung mit Forsgren vor sich gegangen war. Von dem smarten Architekten, den sie bisher nur wie aus dem Ei gepellt erlebt hatten, war nicht mehr viel übrig geblieben. Forsgren trug Jeans und ein T-Shirt in verwaschenem Grau, das ebenso wie die Hose schon bessere Tage gesehen hatte. Er war barfuß, das Haar verstrubbelt, die Augen blutunterlaufen, als hätte er die letzten Stunden durchgesoffen. Wovon auch sein Atem und die alkoholgeschwängerte Luft zeugten.

Da musste ja einiges vorgefallen sein seit ihrem gestrigen Besuch. So wie Forsgren drauf war, hatte die Hochzeit ganz offensichtlich nicht stattgefunden.

Norberg überlegte nicht lange, sondern öffnete die Balkontür. Draußen herrschten zwar immer noch über dreißig Grad, aber er musste wenigstens das Gefühl von frischer Luft haben.

Forsgren protestierte nicht. Nachdem er sie ins Wohnzimmer geführt hatte, war er in einen Sessel gesunken und starrte apathisch vor sich hin.

»Sind Sie ansprechbar, Herr Forsgren?«

Der Architekt schien Norbergs Frage nicht wahrgenommen zu haben, also wiederholte er sie. Als auch jetzt keine Antwort erfolgte, wurde es ihm zu dumm. Kurz entschlossen packte er Forsgren und verfrachtete ihn ins Bad, wo er ihn in die Duschkabine drängte, sich kurz an der Armatur orientierte und dann die Regendusche anstellte. Das kalte Wasser ließ Forsgren nach Luft schnappen, er begann zu fluchen, und als Norberg seinem Blick durch das Glas der Kabine begegnete, hatte er zum ersten Mal seit Betreten dieser Wohnung das Gefühl, dass der Architekt seine Anwesenheit wahrnahm.

»Das gibt Ärger«, sagte Anna, als Norberg ins Wohnzimmer zurückkehrte.

»Das ist mir so was von egal«, erwiderte er gereizt. »Der Typ schmeckt mir nämlich langsam. Erst hinterlässt er die Nachricht, dass er uns sprechen will, und dann dröhnt er sich zu. Ich will jetzt wissen, was Sache ist, und dazu brauche ich ihn nüchtern.«

Zwanzig Minuten später kehrte Forsgren zurück. In trockenen Kleidungsstücken. Auch jetzt in Jeans und T-Shirt, immer noch barfuß, aber die Haare geföhnt und gekämmt, und sein Gesichtsausdruck war wesentlich wacher als bei ihrer Ankunft.

Bevor sie etwas sagen konnten, kam der Architekt ihnen zuvor. »Tut mir leid, dass Sie …« Er räusperte sich. »Dass Sie mich so erlebt haben.« Forsgren schluckte und wandte den Blick ab.

Mit einer Entschuldigung hatte Norberg nicht gerechnet. Sie trug allerdings nicht zu seiner Besänftigung bei. »Sie wollten uns sprechen?«, fragte er kurz angebunden.

Forsgren blickte ihn wieder an. »Sie hatten gestern gesagt, dass Sie jetzt davon ausgehen, dass Nina getötet wurde.« Er holte tief Luft. »Ich weiß nicht, wie Sie zu dieser Erkenntnis gelangt sind, Sie wollten es ja nicht sagen.« Sein Blick war fragend, er schien auf eine Antwort zu hoffen. Als sie ausblieb, fuhr er fort. »Vielleicht ist mein Verdacht vollkommen irrwitzig, aber ich kann ihn nicht für mich behalten.«

Wieder folgte eine Pause, und langsam reichte es Norberg. »Was wollen Sie uns sagen, Herr Forsgren?«

»Es geht um eine Beobachtung, die ich am 21. Juni im Haus von Sophie gemacht habe. Ich erinnere mich noch so genau an das Datum, weil ich an diesem Tag eine wichtige Präsentation hatte und Unterlagen vermisste. Deshalb bin ich schon ziemlich früh bei ihr aufgetaucht, weil ich dachte, dass ich sie dort vergessen hätte. Da ist mir ein größerer Blutfleck auf dem Teppichboden im Wohnzimmer aufgefallen, und ich habe sie natürlich darauf angesprochen. Sophie hat mir dann erklärt, dass am Vorabend eine verletzte Katze durch die offen stehende Terrassentür ins Haus gekommen wäre. Sie hätte sie zuerst gar nicht wahrgenommen, weil sie in der Küche gewesen sei, und einen ziemlichen Schreck bekommen, als sie ins Wohnzimmer kam und sah, dass der Teppichboden voller Blut war. Die Katze hätte noch in der Terrassentür gestanden und sich aus dem Staub gemacht, bevor sie ihr helfen konnte.« Forsgren knetete seine Hände. »Ich habe Sophie geglaubt, wieso auch nicht, es klang ja nicht unwahrscheinlich.«

Norberg ließ Forsgrens Worte sacken. Von der Katze und dem Blutfleck hörten sie jetzt zum ersten Mal, sie wussten nur, dass in Sophie Brechtmanns Haus derzeit Renovierungsarbeiten stattfanden und sie aus diesem Grund ins Hotel gezogen war.

Standen diese Arbeiten in Zusammenhang mit dem blutbefleckten Teppich? Stammte das Blut womöglich von keiner Katze, sondern von Nina Brechtmann, und ihre Schwester setzte gerade alles daran, Beweismaterial verschwinden zu lassen? Das musste auch Forsgrens Vermutung sein, denn sonst hätte er sie ja wohl kaum darauf aufmerksam gemacht.

»Und jetzt haben Sie Zweifel an der Aussage Ihrer Frau?«, fragte Anna.

»Sie ist nicht meine Frau!«, brach es aus Forsgren heraus. »Unter diesen Umständen konnte ich sie doch nicht heiraten. Was, wenn Sophie Nina getötet hat und das Blut von ihr stammte? Ich kriege diesen Gedanken einfach nicht mehr aus dem Kopf.«

Norberg erhob sich. »Entschuldigung, aber ich muss kurz mit meiner Kollegin sprechen.«

Anna Wagner schien zu ahnen, was ihn umtrieb, da sie ihm umgehend hinterherkam.

»Wir sollten das draußen besprechen«, meinte er. Sie nickte und folgte ihm ins Treppenhaus.

»Wir müssen an diesen Teppich rankommen«, sagte sie leise. »Sind Ihnen irgendwelche Raumausstatter hier im Umkreis bekannt, die die Arbeit durchgeführt haben könnten?«

»Ich kenne zwei Firmen auf Eiderstedt, aber ich denke, dass es noch mehr geben wird.« Norberg zog den Fahrzeugschlüssel aus der Hosentasche. »Ich kümmere mich um den Teppich, und Sie nehmen sich Forsgren vor. Ich hatte das Gefühl, dass der Mann reden will, und da sind Sie vielleicht geeigneter als ich. Mir gehen jedenfalls langsam die Nerven durch, wenn ich mit dem Typen und seinem ganzen Beziehungswirrwarr zu tun habe, das Nina vielleicht das Leben gekostet hat.«

Bent Forsgren hatte in der Zwischenzeit Kaffee aufgesetzt. »Möchten Sie auch eine Tasse?«, fragte er, als sie ins Wohnzimmer zurückgingen.

Anna verneinte. »Aber gerne ein Glas Wasser.« Ihr war heiß, und sie wünschte sich im Moment nichts sehnlicher, als am Wasser zu sein und ein erfrischendes Bad nehmen zu können. Dankbar nahm sie das gefüllte Glas entgegen, das Forsgren ihr reichte, und trank einen großen Schluck.

»Wie kommen Sie darauf, dass Sophie ihre Schwester getötet haben könnte?«, begann sie das Gespräch.

»Weil sie Nina gehasst hat«, sagte Forsgren tonlos. »Das Verhältnis war schon seit Jahren schlecht, dass sie keinen

Kontakt mehr hatten, wissen Sie ja. Aber nachdem ich eine Beziehung mit Nina eingegangen bin, hat sich Sophies Gleichgültigkeit ihrer Schwester gegenüber in Hass verwandelt.«

»Ich müsste zum besseren Verständnis mehr über Ihre Beziehung zur Familie Brechtmann wissen«, sagte Anna. »Wann gab es den ersten Kontakt? Und zu wem?«

»Ich habe Sophie und ihre Mutter im September 2018 kennengelernt. *Küstenhotels* hatte eine Ausschreibung für ein weiteres Hotel in St. Peter-Ording und eines in Eckernförde gestartet, auf die ich mich mit mehreren Entwürfen beworben hatte und in die engere Wahl gekommen war. Die anderen Ausgewählten und ich wurden dann eingeladen, weil sich Constanze und Sophie einen persönlichen Eindruck verschaffen wollten. Ich habe mich mit den beiden Frauen auf Anhieb gut verstanden, und nach drei Monaten habe ich den Zuschlag erhalten.«

»Und wann sind Sie und Sophie Brechtmann zusammengekommen?«

»Noch mal zwei Monate später. Und irgendwie nahmen die Dinge dann ihren Lauf. Erst die Verlobung, und dann sprach Sophie immer häufiger von Heirat.«

Irritiert sah Anna ihn an. »Das klingt, als wären Sie an alldem unbeteiligt gewesen.«

»Nein, das war ich natürlich nicht, aber an manchen Tagen fühlte ich mich überrollt. Ich habe mir immer eine Familie gewünscht – und natürlich auch Kinder, aber mir kamen häufig Zweifel, ob Sophie auch wirklich die richtige Frau für mich war. Wir waren während unserer Beziehung oft getrennt, weil ich natürlich auch in Kopenhagen arbeiten musste, und immer wenn ich wieder nach St. Peter-Ording zurückkam, hatte ich das Gefühl, dass ich sie überhaupt nicht richtig kenne. Sophie ist sehr geschäftstüchtig und unglaublich ehrgeizig. Sie will die Hotelkette voranbringen, und ich hatte so manches Mal das Gefühl, dass sie ihre Mutter am liebsten ausbooten würde. Dabei teilt Constanze viele ihrer Vorstellungen, aber sie spricht manchmal eben auch ein Machtwort, weil sie nun mal die Chefin ist. Damit kann Sophie nicht umgehen. Sie hasst es, wenn Constanze sie bevormundet, weil sie das Heft am liebsten in der Hand behalten will. Daraus haben sich immer wieder Konflikte ergeben, in die ich dann hineingezogen wurde.«

Anna lag eine spitze Bemerkung auf der Zunge. Wenn dir das alles nicht gefallen hat, hättest du doch gehen können. Aber da stand dir natürlich dein beruflicher Ehrgeiz im Weg, weil du ja unbedingt diese Hotels bauen wolltest und ganz bestimmt auch auf Folgeaufträge erpicht warst. Sie beschloss jedoch, sich jede Bemerkung zu verkneifen, da sonst damit zu rechnen war, dass Forsgren dichtmachte.

»Und dann haben Sie Nina Brechtmann kennengelernt.«

Auf Forsgrens versteinertem Gesicht ging eine Veränderung vor. Es wurde weich, und ein zärtliches Lächeln umspielte die vollen Lippen. »Ja.«

»Wann war das?«

»Letztes Jahr im November.«

»Und wo?«

»In der Seehundstation in Friedrichskoog. Meine kleine Nichte war für einige Tage bei mir zu Besuch. Sie sollte eigentlich schon im Sommer kommen, hatte sich aber den Arm gebrochen, und so hatten wir den Besuch dann in den November gelegt. Das Wetter war zum Glück gut, und wir haben mehrere Ausflüge unternommen. Ich kannte die Station zu dem Zeitpunkt nur vom Hörensagen, aber ich hatte Mette davon erzählt, und da wollte sie natürlich unbedingt dorthin. Als wir ankamen, war gerade Fütterungszeit, und Mette war hellauf begeistert. Sie ist acht Jahre alt, und Seehunde waren schon immer ihre Lieblingstiere.« Er schloss für einen kurzen Moment die Augen. »Als die Fütterung beendet war, kam die Tierpflegerin zu uns. Wir waren zu dem Zeitpunkt die einzigen Besucher, und ihr war Mettes Begeisterung nicht entgangen. So habe ich Nina kennengelernt.«

Wenn ihm früher jemand etwas von Liebe auf den ersten Blick erzählt hatte, hatte er nur ein müdes Lächeln übrig gehabt. Sex war okay und wichtig, aber bitte nicht dieses ganze emotionale Zeug drum herum. Es gab Wichtigeres im Leben. Erfolg zum Beispiel.

»So kann auch nur jemand reden, der noch niemals richtig verliebt war«, hatte seine Schwester einmal gesagt. »Du hast immer davon gesprochen, dass du dir Kinder wünschst und dazu gehört ja wohl auch eine Frau, die nicht nur als Gebärmaschine herhalten muss. Also hör auf mit diesen Machosprüchen, ich gehe jede Wette ein, dass es auch dich früher oder später erwischen wird.«

»Hallo.« Die Tierpflegerin hockte sich neben Mette. »Ich bin Nina, und wie heißt du?«

Seine Nichte strahlte über das ganze Gesicht. »Mette. Darf ich die Tiere auch mal füttern?« Mette wuchs durch ihren deutschen Vater zweisprachig auf und bemühte sich wie im-

mer, wenn sie Deutsch sprach, auch dieses Mal um eine fehlerfreie Aussprache.

Die Tierpflegerin erhob sich und schüttelte den Kopf. »Nein, das ist leider nicht erlaubt. Das dürfen nur wir.« Sie blickte ihn an und lächelte. Ihr Gesicht war ungeschminkt und von Sommersprossen übersät, das dunkelbraune lockige Haar zu einem Pferdeschwanz gebunden. »Sind Sie zum ersten Mal mit Ihrer Tochter hier?«

Er schluckte und suchte nach Worten, hatte aber das Gefühl, keinen zusammenhängenden Satz herausbringen zu können. Erst als er sich geräuspert hatte, gelang es ihm. »Ja. Aber Mette ist nicht meine Tochter. Sie ist meine Nichte.« Es war ihm plötzlich immens wichtig, dies richtigzustellen. Er streckte Nina seine Hand entgegen. »Bent.« Normalerweise stellte er sich mit Vor- und Nachnamen vor, aber angesichts der Vertrautheit, die er bereits nach diesen wenigen Minuten empfand, erschien ihm dies überflüssig.

Ihr Händedruck war fest. »Freut mich.« Sie blickte wieder zu Mette, deren Augen immer noch von dem eben Erlebten leuchteten. »Was hältst du davon, wenn ich dir unser Informationszentrum zeige?«

»Au ja.« Mette strahlte über das ganze Gesicht.

»So fing es an. Nina hat Mette alles gezeigt, was für die Besucher zugänglich ist, wir waren bestimmt drei Stunden vor Ort. Bei der Verabschiedung bestand Mette drauf, dass wir noch mal wiederkommen. Natürlich habe ich ihr diesen Wunsch erfüllt, denn ich wollte Nina unbedingt wiedersehen.

Bei unserem zweiten Besuch habe ich sie dann gefragt, ob ich sie zum Abendessen einladen dürfte. Ich war überglücklich, als sie meine Einladung angenommen hat.«

Er hatte lange überlegt, wohin er sie ausführen könnte, und sich schließlich für ein Restaurant in Büsum entschieden, da Friedrichskoog gastronomisch für seinen Geschmack nichts hergab. Außerdem lag der Küstenort weit genug entfernt von St. Peter-Ording, dass er nicht Gefahr lief, auf Sophie zu treffen oder auf andere Personen, die er aus St. Peter kannte.

Nina erschien in Jeans und Pullover. Ihr Haar war wie bei den beiden Besuchen in der Station zu einem Pferdeschwanz zusammengebunden, ihr schmales Gesicht mit den großen braunen Augen auch heute ungeschminkt. Sie strahlte eine natürliche Schönheit aus, die keiner Hilfsmittel bedurfte, um sie in Szene zu setzen. Er war hingerissen und fragte sich, wie er die letzten Tage überstanden hatte, ohne sie zu sehen.

»Wie geht es Mette?«, fragte sie, nachdem er ihr aus der Jacke geholfen hatte und sie an dem reservierten Tisch Platz genommen hatten, der versteckt in einer kleinen Nische lag.

»Gut, ihr Vater hat sie gestern wieder abgeholt. Ich schätze, dass sie ihm die ganze Bahnfahrt von der Seehundstation erzählt hat.«

»Ich bin noch nie mit einem Mann ausgegangen, von dem ich nur den Vornamen kenne«, sagte Nina, als ein kurzes, verlegenes Schweigen entstand.

»Oh, Entschuldigung. Bent Forsgren.« Ich kenne auch nur deinen Vornamen, *dachte er.* Nina …

Sie wiederholte seinen Namen, und ein Schauer lief über seinen Rücken. »Dann erzähl mir doch mal etwas über dich, Bent Forsgren.«

Er lachte, befreit vom Stress eines langen Arbeitstages und dankbar dafür, dass er hier mit ihr sitzen und reden konnte. Er sprach über seinen Beruf, die Firma, den Auftrag in Malmö und die Hotelaufträge in St. Peter-Ording und Eckernförde. Bis ihm auffiel, dass sich ihr Gesicht verdunkelt hatte. »Was ist?«, fragte er. »Ich hab zu viel geredet, oder?«

»Nein«, sie schüttelte den Kopf. »Es ist nur …« Ihr Blick war traurig geworden. »Die Hotelaufträge, die du erwähnt hast, das sind die Neubauten der Brechtmanns, oder?«

Er nickte. »Kennst du die Familie?«

»Ich bin Nina Brechtmann. Die andere Tochter.«

49

»Sie können sich vorstellen, wie schockiert ich war. Ich war gerade auf dem besten Weg, meine Verlobte zu hintergehen, und erfahre, dass die Frau, in die ich mich Hals über Kopf verliebt habe, ihre Schwester ist.« Forsgren fuhr sich mit beiden Händen durch die Haare. »Ich habe versucht, mir nichts anmerken zu lassen. Nina erzählte mir, dass sie sich schon vor Jahren von ihrer Familie losgesagt hatte, weil ihr deren Expansionspolitik gegen den Strich ging. Mir war endgültig klar, dass ich jetzt so etwas wie ein Feindbild für sie darstellen musste, als ich erfuhr, dass sie sich einer Umweltgruppe angeschlossen hatte, die gegen Hotelneubauten an der Küste vorgeht. Der Rest des Abends verlief dann auch dementsprechend verkrampft, und wir waren beide froh, als wir endlich aufbrechen konnten.«

»Aber trotzdem haben Sie Nina wiedergesehen und eine Beziehung mit ihr begonnen«, wandte Anna ein. »Wie ist es dazu gekommen?«

»Ich konnte sie nicht vergessen, und sie gestand mir im Nachhinein, dass es ihr ebenso ergangen war. Zwei Wochen habe ich durchgehalten, dann bin ich wieder nach Friedrichskoog gefahren. Nina war noch in der Station. Ich habe gewartet, bis sie Feierabend hatte, dann sind wir zu ihr nach Hause gegangen. Wir haben geredet und geredet, und schließlich ist eins zum anderen gekommen.«

»Wann haben Sie Ihrer Verlobten erzählt, dass Sie sich in ihre Adoptivschwester verliebt haben?«

»Kurze Zeit später. Mir war klar, dass ich die beiden Hotelaufträge verlieren würde, wenn ich die Verlobung löse. Aber Nina war es mir wert, weil ich zum ersten Mal in meinem Leben wirklich geliebt habe.« Ein verlegener Ausdruck trat in sein Gesicht. »Das muss für Sie wie der letzte Kitschroman klingen, aber genauso ist es gewesen. Nina ist so ganz anders als Sophie. Für sie zählen weder Geld noch Macht. Der Umweltschutz und die Tiere sind ihre große Leidenschaft, dafür setzt sie sich ein. Nicht mit militanten Aktionen, sondern immer wieder mit Überzeugungsarbeit. Sie druckt Flyer auf eigene Kosten, die sie an Haushalte und in Geschäften verteilt. Nina verdient nicht viel, aber sie braucht auch nicht viel, weil ihr die kleinen Dinge des Lebens wichtig sind. Ein Tag am Meer, ihre Fotografie. Sie konnte tagelang durch die Gegend streifen auf der Suche nach schönen Motiven.«

»Die kleinen Dinge des Lebens, wie Sie sie nennen, waren aber offensichtlich dann doch nicht genug für Sie. Denn sonst wären Sie ja wohl kaum zu Sophie Brechtmann zurückgekehrt.« Diese Spitze konnte Anna sich nicht verkneifen.

Forsgrens Gesicht umwölkte sich.

»Sophie ist schwanger.«

Er hatte gezögert, ob er auf Constanzes Mail, in der sie ihn zu sich nach Hause zitierte, antworten sollte. Nach der Auflösung der Verlobung hatte sie ihm in einer kurzen Nachricht mitgeteilt, dass sie die beiden Hotelaufträge anderweitig vergeben würde, und danach hatten auch sie keinen Kontakt mehr gehabt. Was ihn schließlich dazu gebracht hatte, einem

Besuch zuzustimmen, konnte er nicht sagen. Vielleicht hatte es damit zusammengehangen, dass er noch immer in St. Peter-Ording rumhing, ohne zu wissen, wie es jetzt weitergehen sollte. Er hatte in diesen Tagen so manches Mal das Gefühl gehabt, dass er auf einen Anstoß, von wem auch immer, wartete, etwas, was ihm den nächsten Schritt vorgab.

»Schwanger?« Er wusste nicht, ob er lachen oder weinen sollte. Er hatte immer Kinder haben wollen, aber unter den jetzigen Umständen war die Nachricht eine Katastrophe für ihn.

»Hör zu, mein Lieber!« Constanze trat ganz nah an ihn heran, ihre Stimme klang eiskalt. »Es ist mir egal, ob ich in deinen Augen old-fashioned *bin, aber ich erwarte, dass du dir deiner Verantwortung gegenüber meiner Tochter bewusst bist und sie heiratest. Andernfalls wirst du dein Kind niemals zu Gesicht bekommen und Alimente zahlen, bis du schwarz wirst. Was dir angesichts der prekären Situation, in der sich deine Firma befindet, endgültig das Genick brechen dürfte.«*

Woher wusste sie …?

Sie schien seine Gedanken erraten zu haben und lachte hämisch auf. »Ja, ich weiß von dem geplatzten Malmö-Auftrag. Hast du wirklich geglaubt, dass du das geheim halten kannst?«

Schockiert starrte er sie an. »Und Sophie? Ich meine … Weiß sie ebenfalls Bescheid?«

»Nein. Es bestand kein Grund, es ihr zu sagen. Sie hat schon genug unter eurer Trennung gelitten, und ich will verhindern, dass sie sich womöglich irgendwas zusammenreimt.« Ihre Augen blickten ihn voller Verachtung an. »Ich würde dich norma-

lerweise zum Teufel jagen, aber leider ist meine Tochter verrückt nach dir.« Sie schüttelte den Kopf. »Was ich im Leben nicht verstehen werde, denn außer deinem Talent, was die Architektur angeht, ist an dir nun wirklich nichts Besonderes. Aber sie will dich nun mal, und deshalb wird sie dich auch bekommen.«

»Nachdem der Malmö-Auftrag geplatzt war, habe ich mir den Kopf zerbrochen, wie es weitergehen soll. Ich hätte Insolvenz anmelden müssen, meine Mitarbeiter hätten auf der Straße gestanden, und ob ich meine Firma jemals wieder zum Laufen gebracht hätte, bezweifle ich. Drei geplatzte Aufträge innerhalb kürzester Zeit, da wäre es sehr schwer gewesen, wieder irgendwo einen Fuß an Land zu bekommen. Die Leute kennen ja die Hintergründe nicht und gehen dann davon aus, dass es nicht mit der Zusammenarbeit geklappt hat und derlei Dinge. Da ist der Ruf ganz schnell ruiniert.«

»Und da haben Sie beschlossen, zu Sophie zurückzukehren und die Frau, die Sie angeblich über alles lieben, wieder zu verlassen.«

Forsgren versteifte sich, seine Stimme wurde hart. »Es gab keine andere Möglichkeit. Mir ist schon klar, dass Sie das nicht verstehen. Sie haben einen sicheren Job, bekommen irgendwann eine gute Pension, Sie müssen nicht kämpfen. Haben Sie eine Ahnung, wie schwer es in meinem Beruf ist, Aufträge an Land zu ziehen? Welche Kompromisse man eingehen muss? Sowohl finanziell als auch, was die Umsetzung der Projekte anbelangt? Das ist kein Zuckerschlecken, das können Sie mir glauben.«

Oh bitte, dachte Anna mit zunehmender Verärgerung, jetzt komm mir nicht mit der Mitleidsnummer. Eine Insolvenz ist keine Kleinigkeit, schon klar, aber auch nicht das Ende der Welt. Doch es ist natürlich einfacher, wieder ins gemachte Nest zurückzukehren. »Wie hat Nina die Trennung aufgenommen?«

»Sie war verzweifelt und wollte sie nicht akzeptieren.«

»Wusste sie, dass Sie zu ihrer Schwester zurückgekehrt waren?«

»Ja.«

»Haben Sie ihr auch die Gründe dafür genannt?«

»Ich habe ihr von Sophies Schwangerschaft erzählt.«

»Mehr nicht?«

Er mied ihren Blick. »Nein.«

Klar, das hätte sie sich ja denken können.

»Wie sah es nach der Trennung aus? Haben Sie Nina noch einmal gesehen oder gesprochen? Oder die Beziehung mit ihr sogar fortgesetzt? Und jetzt will ich endlich eine ehrliche Antwort, Herr Forsgren!« Wenn sie mittlerweile den Verbindungsdatennachweis erhalten hätten, hätte sie ihn mit Sicherheit auf weitere Kontakte festnageln können, aber die Telefongesellschaft hatte trotz mehrmaliger Aufforderung noch immer nichts geliefert.

Er sackte regelrecht in sich zusammen. »Ja, das habe ich.«

»Was genau haben Sie?«

»Wir haben unsere Beziehung fortgesetzt.«

Wie wir vermutet haben, dachte Anna. Sie musterte Forsgren, der jetzt wie ein Häufchen Elend vor ihr saß, und fragte sich, was ihn für Sophie und Nina so begehrenswert gemacht hatte, das keine von beiden ihn hatte aufgeben wollen. Okay, er war ein ausgesprochen attraktiver Mann, in Annas Augen aber ansonsten ein Weichei ohne irgendwelche Anzeichen von Charakterstärke.

»Und Nina hatte keine Probleme mit dieser Dreiecksbeziehung?«

»Natürlich hatte sie Probleme damit. Aber sie hat mich nicht gedrängt, sondern gesagt, dass sie auf die Zeit baut und mir irgendwann klar werden wird, wohin ich gehöre.«

Als alles hinnehmenden Weibchentyp hatte Anna Nina bisher nicht gesehen, aber die zwischenmenschlichen Beziehungen beinhalteten vielerlei Varianten. Überflüssig, Forsgren zu fragen, ob er vielleicht irgendwann einmal so etwas wie Scham empfunden hatte. Selbst wenn es so gewesen war oder immer noch sein mochte, würde sein Ego ein solches Geständnis nicht zulassen.

Anna schob den Gedanken beiseite und konzentrierte sich wieder auf die Vernehmung. »Dann haben Sie sich also an den Tagen, die in Ninas Organizer vermerkt waren, weiterhin mit ihr getroffen?«

Forsgren nickte.

»Wusste Sophie Brechtmann das?«

»Davon war ich nicht ausgegangen, aber jetzt habe ich meine Zweifel.«

»Was haben Sie eigentlich geglaubt, wie lange Sie diesen Zustand durchhalten können, ohne dass Ihnen Sophie auf die Schliche kommt? Ganz abgesehen von Nina, denn die hätte ja auch irgendwann die Nase voll haben können.«

Er zuckte die Schultern, und Annas Ärger verstärkte sich. Ihr war klar, dass sie auch ihren eigenen auf Forsgren projizierte: Auch sie war betrogen worden und hatte es lange nicht bemerkt. Wieso glaubten so viele Männer, sich alles herausnehmen zu können? Wieso logen und betrogen sie nach Strich und Faden und kamen in vielen Fällen auch noch damit durch? Stopp, ermahnte sie sich. Du bist schon wieder dabei, alle Männer über einen Kamm zu scheren.

Sie rief ein Foto auf ihrem Smartphone auf und zeigte es Forsgren. »Ist Ihnen dieses Armband einmal an Nina aufgefallen?«

Er nahm das Handy in die Hand und sah sich das Foto aufmerksam an, bevor er den Kopf schüttelte und das Smartphone wieder zurückgab. »Nein. Ich kann mich nicht erinnern, jemals ein Schmuckstück an Nina gesehen zu haben. Sie war nicht der Typ dafür und hat auch mal gesagt, dass sie sich nichts aus Schmuck macht.«

Ria Herzog hatte auf telefonische Nachfrage ebenfalls ausgesagt, dass sie das Armband niemals an Nina gesehen hätte, ebenso wenig wie anderen Schmuck. Und nachdem Anna jetzt ein bisschen mehr über Nina erfahren hatte, musste sie zugeben, dass dieses Armband in seiner Protzigkeit auch überhaupt nicht zu der jungen Frau passte. Okay, sie hatte es von Constanze Brechtmann geschenkt bekommen, wenn deren Aussage der Wahrheit entsprach. Aber Anna konnte sich nur schwer vorstellen, dass Nina es behalten hatte, nachdem sie ihrer Familie den Rücken gekehrt hatte. Anna hätte es an ihrer Stelle zurückgegeben, so jedenfalls hatte sie es mit den wenigen Schmuckstücken gehalten, welche Ralf ihr im Verlauf ihrer Ehe geschenkt hatte.

Anna hatte sich mit Norberg darüber ausgetauscht, wie der Fund von Ninas Armband einzuordnen war. Sie ging ebenso wie er davon aus, dass sie hier auf eine falsche Fährte gelockt werden sollten. Wenn man diese Überlegung zu Ende dachte, bestand die Wahrscheinlichkeit, dass Constanze oder Sophie Brechtmann das Armband in der Blumenrabatte platziert hatten. Weil sie damit den Eindruck erwecken wollten, dass Nina noch am Leben war. Vielleicht waren sie auch für den Schriftzug an der Wand verantwortlich. Und das wiederum ließ nur den einen Schluss zu, dass sie etwas mit Ninas Verschwinden und deren etwaigen Tod zu tun hatten. Deshalb hatte die Sicherstellung des Teppichbodens jetzt oberste Priorität. Anna schickte ein Stoßgebet zum Himmel, dass er noch nicht entsorgt worden war. Ohne ihn würden sie nämlich keinen Durchsuchungsbeschluss für das Haus von Sophie Brechtmann erhalten, in dem vielleicht noch andere Spuren von Nina sichergestellt werden konnten.

»Sie sagten, dass Sie sich an den Tagen, die nach Ihrer Trennung in Ninas Organizer vermerkt waren, mit ihr getroffen haben. Trifft das auch auf den letzten Termin am 18. Juni zu, als sie bereits im Urlaub war?«

Forsgren nickte.

»Hat sie Ihnen gegenüber wirklich nicht erwähnt, dass sie in diesem Urlaub ihre Familie besuchen wollte? Oder speziell Sophie?«

»Nein, mit keinem Wort«, sagte er erregt. »Wir haben uns nur kurz getroffen, da ich noch eine Menge für den Kongress in Kopenhagen vorzubereiten hatte, zu dem ich einige Tage später geflogen bin.«

»Haben Sie Nina danach noch einmal gesprochen?«

»Nein.« Forsgrens Blick war voller Verzweiflung. »Wir hatten einen Streit bei diesem letzten Treffen. Nina hat mir meine Unentschlossenheit vorgeworfen und gesagt, dass sie mich die nächsten Wochen nicht sehen will, weil sie Zeit zum Nachdenken brauche. Ich habe diesen Wunsch respektiert und mich nicht bei ihr gemeldet, auch wenn es mir wahnsinnig schwerfiel.«

Das passt zu diesem Mann, dachte Anna erbost. Anstatt selber endlich eine Entscheidung zu treffen, überlässt er es Nina.

Es gelang ihr, sich ihre Verachtung nicht anmerken zu lassen. »Wann sind Sie zurückgekommen?«

»Am Montag. Einige Zeit bevor Sie bei mir in der Tür standen.«

Wenn man seiner Aussage Glauben schenken konnte, hatte Nina am 18. Juni also noch gelebt.

Das musste sie sich jetzt erst einmal alles durch den Kopf gehen lassen und mit Norberg besprechen. Eine Sache stand allerdings noch aus, bevor sie ging. Sie holte den mobilen Fingerabdruckscanner aus ihrer Tasche und gab die erforderlichen Angaben ein. »Ich benötige Ihre Fingerabdrücke sowie eine DNA-Probe.«

Forsgren erhob keine Einwände, sondern kam ihrer Aufforderung nach. Anna übermittelte die Abdrücke über ihr Tablet an die Spurensicherung, der umgehende Versand der DNA-Probe an die Kollegen würde nach ihrer Rückkehr in die Polizeistation erfolgen. Als alles erledigt war, erhob sie sich.

»Danke, das war's für den Moment. Sie bleiben bitte vor Ort.«

Forsgren stand ebenfalls auf und brachte sie zur Haustür. »Geben Sie mir bitte sofort Bescheid, wenn Sie etwas Neues erfahren.«

50

Hendrik Norberg war mit Sondersignalen zurück zur Polizeistation geprescht. Wenn Forsgrens Verdacht bezüglich des blutbefleckten Teppichbodens wirklich zutraf, durften sie keine Sekunde verlieren, sondern mussten so schnell wie möglich sehen, dass sie ihn noch sicherstellen konnten. Die Arbeit lag mittlerweile zwölf Tage zurück, und Norberg hatte wenig Hoffnung, den Teppichboden noch ausfindig zu machen.

Nils Scheffler, den er telefonisch benachrichtigt hatte, hatte bereits eine Liste von Innenausstattern auf Eiderstedt zusammengestellt: Norbergs telefonische Nachfrage ergab schließlich, dass die Firma Müller & Sohn aus Tetenbüll die Arbeiten im Haus von Sophie Brechtmann durchgeführt hatte. Norberg konnte sein Glück kaum fassen: Der bewusste Teppichboden befand sich noch in der Firma, er sollte erst am kommenden Tag entsorgt werden. Norberg forderte erneut die SpuSi aus Flensburg an, bevor er sich auf den Weg machte.

Tetenbüll war eine kleine Gemeinde mit knapp sechshundert Einwohnern, einer Kirche, einer Grundschule und einem Sportverein. Das Geschäft von Müller & Sohn befand sich in der Dörpstraat, und Norberg wurde bereits von Johann Müller, dem Seniorchef, erwartet, der ihn bei der Begrüßung neugierig anschaute.

»Moin. Was ist denn mit dem Teppichboden, dass sich die Polizei dafür interessiert?«

»Tut mir leid, Herr Müller, aber das kann ich Ihnen nicht sagen.«

Müller strich sich über das schüttere graue Haar und schien zu einer erneuten Frage ansetzen zu wollen, besann sich dann aber eines Besseren und führte Norberg zu einem großen, schon etwas hinfällig aussehenden Schuppen hinter dem Laden.

»Haben Sie noch andere Arbeiten im Haus von Sophie Brechtmann vorgenommen?«, fragte Norberg, als Müller die Tür des Schuppens aufschloss. Nach Forsgrens Aussage glaubte er zwar nicht mehr, dass es sich um eine ganz normale Renovierung gehandelt hatte, aber das musste überprüft werden.

»Nein, wir sollten nur den Teppichboden im Wohnzimmer durch Parkett ersetzen.« Müller hielt Norberg die Tür auf und folgte ihm in das Innere des Schuppens, wo er den Lichtschalter betätigte. »Ich gebe zu, dass ich mir mehr erhofft hatte, es ist nämlich nicht immer einfach, den Laden am Laufen zu halten. Ich bemühe mich schon seit Jahren, bei den Hotels in St. Peter einen Fuß in die Tür zu kriegen, aber offensichtlich trauen die einer kleinen Firma wie meiner keine größeren Aufträge zu. Deshalb hab ich mich auch gewundert, als die Anfrage von Sophie Brechtmann kam. Aber das hing wohl nur damit zusammen, dass sie es eilig hatte und so schnell niemand anderen an Land bekam.« Seine ganze an die eins achtzig große Statur drückte Verärgerung aus.

Norbergs Blick wanderte durch den Schuppen. Unordnung, um nicht zu sagen, Chaos, wohin er auch sah. Aufgetürmte Bretter an der hinteren Wand, die zu was auch immer benötigt wurden, daran anschließend mehrere Sofas und Sessel mit fadenscheinigen Stoffen, die allem Anschein nach auf ihre Restaurierung warteten. Eine Werkbank mit Mülltüten darunter und in einer Ecke dahinter ein längliches zusammengerolltes Gebilde, das wie ein Teppichboden aussah und auf das der Raumausstatter jetzt zielstrebig zusteuerte.

»Moment!« Norbergs Ausruf stoppte Müller. »Ist er das?«

Müller drehte sich zu ihm herum und nickte. »Sie haben Glück, dass er noch da ist. Ich wollte ihn ja schon längst entsorgt haben, aber mein Lieferwagen musste in die Werkstatt, und es hat ewig gedauert, bis das Ersatzteil endlich ankam.« Er beäugte ihn neugierig. »Was ist das denn nun mit diesem Teppich und dem Blut? Hat ja ein bisschen was vom *Tatort*, was Sie hier abziehen.«

Norberg reagierte nicht und zog seinen Block aus der Hosentasche. »Lassen Sie uns das Ganze jetzt mal zusammenfassen. Wann genau hat Sophie Brechtmann Ihnen den Auftrag erteilt?«

Müller schien mucksch zu sein, kam aber trotzdem schnell mit der Antwort rüber. »Das war am 21. Juni morgens, ich habe vorhin extra noch mal nachgeschaut. Sie hat um halb acht auf den Anrufbeantworter gesprochen und um sofortigen Rückruf gebeten. Ich bin nicht gleich dazu gekommen, woraufhin sie so gegen Viertel nach acht noch mal angerufen hat. Wir öffnen um acht, da hatte ich sie dann persönlich am Telefon.«

»Erinnern Sie sich noch, was sie gesagt hat?«

»Ja klar. Sie sagte, dass am Vorabend eine verletzte Katze in ihr Wohnzimmer gekommen sei und einen großen Blutfleck auf dem Teppichboden hinterlassen hätte, den sie nicht wieder rausbekäme. Deshalb wolle sie ihn komplett rausreißen und durch einen Parkettboden ersetzen lassen. Das hätte sie schon länger vorgehabt, und jetzt sei eben eine gute Gelegenheit. Sie wollte wissen, ob ich Zeit hätte und die Arbeit noch am selben Tag ausführen könnte. Also den Teppich rausreißen. Das Parkett verlegen ging ja nicht sofort, weil ich das Material erst bestellen musste. Das dauert unter Umständen mehrere Wochen, bis ich das dann bekomme, je nachdem wie viel die betreffende Firma gerade auf Lager hat. Ich habe ihr gesagt, dass man das doch besser in einem Aufwasch machen sollte, weil sie sonst für eine gewisse Zeit ihr Wohnzimmer nicht benutzen könne, aber sie hat gesagt, das sei ihr egal, sie würde so lange ins Hotel ziehen.«

Norberg nickte und bemühte sich, seine Ungeduld zu zügeln.

»Ich hatte Zeit, also bin ich gleich hingefahren und hab mir die Sache angeschaut«, fuhr Müller fort. »Der Fleck war groß, aber mit den richtigen Mitteln hätte man ihn schon wegbekommen.« Er grinste. »Hab ich sie aber nicht drauf aufmerksam gemacht, bin ja Geschäftsmann. Außerdem hatte ich die Hoffnung, dass ich bei dieser Gelegenheit vielleicht doch die Möglichkeit für Aufträge in den Hotels bekomme, wenn sie sieht, dass ich schnell und zuverlässig arbeite.«

»Sie haben sich das also angesehen. War das Blut nur auf dem Teppichboden, oder haben Sie auch noch woanders welches entdeckt? An irgendwelchen Gegenständen zum Beispiel oder vielleicht an der Wand?«

Müllers Stirn legte sich in nachdenkliche Falten, dann schüttelte er den Kopf. »Nö, da ist mir nichts aufgefallen. Ich hab jetzt aber auch nicht so doll rumgeguckt.«

»An welcher Stelle war denn der Fleck? Bei der Terrassentür?«

»Nö, der war auf Höhe des Kamins.«

Norberg überlegte fieberhaft: Zu einem Kaminofen gehörte doch ein Besteck mit Schürhaken, Besen und Schaufel. Und häufig auch ein Regal oder ein Korb für das Holz, sofern es nicht draußen gelagert wurde. Er fragte Müller danach.

»Da stand überhaupt nichts rum«, gab dieser zur Antwort. »Ich denke mal, dass Frau Brechtmann das weggeräumt hatte, damit ich gleich mit der Arbeit beginnen konnte.«

Möglich, aber vielleicht waren die Utensilien auch entfernt worden, weil das Blut auf dem Teppichboden eben nicht von einer Katze, sondern von einem Menschen stammte, der niedergeschlagen worden war. Mit einem Schürhaken zum Beispiel. An dem ebenfalls Blut haftete und der deshalb hatte verschwinden müssen.

Am liebsten hätte Norberg sofort alle Hebel in Bewegung gesetzt, um das Haus von Sophie Brechtmann auf den Kopf stellen zu lassen. Aber ihm war klar, dass er zum jetzigen Zeitpunkt noch keinen Durchsuchungsbeschluss bekommen würde, weil der Verdacht von Forsgren ohne einen Beweis nicht das Geringste wert war. Also musste jetzt so schnell wie möglich das Blut auf dem Teppichboden untersucht werden.

Norberg wandte sich wieder an Müller, der mit interessiertem Blick neben ihm stand. »Wie ging es dann weiter?«

»Ich hatte Frau Brechtmann mehrere Musterbücher für Parkettböden mitgebracht. Die hat sie sich allerdings nur oberflächlich angeschaut und dann einen aus der teuersten Preisklasse geordert. Das ging alles ratzfatz, und ich hatte den Eindruck, als wenn es viel wichtiger für sie war, dass der Teppichboden rauskam.«

»Wann haben Sie ihn entfernt?«

»Noch am selben Tag. Ich hab die notwendigen Gerätschaften geholt und ihr nach meiner Rückkehr noch beim Möbelzusammenrücken geholfen, und dann ging das los. Eine Stunde später war alles erledigt, mit der entsprechenden Maschine ist das ja ein Kinderspiel.«

»Hat Frau Brechtmann darauf gedrungen, dass Sie den Teppichboden schnell entsorgen?«

»Ja, jetzt, wo Sie's sagen. Sie wollte, dass ich ihn noch am selben Tag zum Recyclinghof bringe. Diese Eile hat mich gewundert, aber ich habe es ihr zugesagt. Allerdings ist mir dann der Wagen verreckt, bevor ich mich darum kümmern konnte.«

»Haben Sie Frau Brechtmann darüber informiert, dass es mit der Entsorgung länger dauern wird?«

Müller sah ihn verwundert an. »Nö, warum das denn, das ist doch nicht ihre Sache!«

»Für wann ist die Verlegung des Parkettbodens geplant?«

»Den soll ich Mitte nächster Woche bekommen. Bis dahin will Frau Brechtmann im Hotel bleiben.«

Norbergs Smartphone begann zu klingeln. Die SpuSi-Kollegen standen vor der Tür. Er ging zur Straße und dirigierte die beiden Kastenwagen, von denen einer die Ausrüstung enthielt und der andere für den Transport der Auslegware gedacht war, am Geschäft vorbei Richtung Schuppen.

»Moin«, grüßte Norberg, als drei Kollegen aus dem Wagen stiegen. »Mit euch habe ich so schnell gar nicht gerechnet.«

»Wir kommen gerade von einem Einsatz auf Nordstrand und wollten eigentlich auch wieder nach Hause fahren«, sagte Krischan Garbers, der Einsatzleiter, grinsend.

»Schön, dass du von deinem Lehrgang zurück bist«, sagte Norberg erleichtert.

Garbers lachte und stieg in seinen Schutzanzug. »Ja, Hanno und du, das hat noch nie gepasst.«

Norberg bat Müller, der schon wieder äußerst interessiert in die Gegend guckte, in den Laden zurückzugehen und dort auf ihn zu warten. Es fiel dem Mann sichtlich schwer, dieser Bitte Folge zu leisten. »Och nö, jetzt seien Sie doch nicht so. So was kennt man ja immer nur aus dem Fernsehen. Da möchte ich gerne mal zugucken!«

»Tut mir leid, Herr Müller, aber daraus wird nichts!« Norberg machte eine auffordernde Handbewegung in Richtung der Ladentür, und der Mann fügte sich schließlich. Allerdings erst, nachdem er noch einen langen Blick zu den SpuSi-Kollegen geworfen hatte, die gerade den Schuppen betraten. Kurze Zeit später sah Norberg sein Gesicht an einem der beiden hinteren Fenster auftauchen. Er beschloss, ihn im Auge zu behalten, nicht dass der Mann jetzt anfing, Videos zu drehen und sie sich später im Netz wiederfanden.

Norberg begab sich zu den Kollegen, die mittlerweile im Schuppen verschwunden waren, deutete auf den Teppich und erklärte den Hintergrund der Aktion. »Und in das Haus dieser Frau können wir noch nicht rein?«, wollte Garbers wissen.

Norberg schüttelte resigniert den Kopf. »Die momentane Beweislage reicht leider noch nicht für einen Anfangsverdacht. Denn es besteht ja durchaus die Möglichkeit, dass die Vermutung unseres Zeugen nicht zutrifft und das Blut wirklich von einer Katze stammt.«

Was er persönlich nicht glaubte, weil ihm sein in mehr als zwanzig Berufsjahren erworbener Instinkt etwas anderes sagte.

Es dauerte nicht lange, bis die Kollegen den Teppichboden sichergestellt und in dem zweiten Kastenwagen verstaut hatten. Norberg versiegelte den Schuppen für den Fall, dass sie ein weiteres Mal hineinmussten. Er verabschiedete die Kollegen und betrat dann das Geschäft, um noch einmal mit Müller zu sprechen, der seinen Beobachtungsposten hinter dem Fenster mittlerweile aufgegeben und sich einen Kaffee gemacht hatte.

»Möchten Sie auch einen?«, fragte er Norberg.

Er verneinte und reichte Müller seine Karte. »Rufen Sie mich bitte an, wenn der Parkettboden eingetroffen ist. Mich – und nicht Frau Brechtmann, okay? Das ist sehr wichtig! Bis auf Weiteres können Sie das Parkett nämlich nicht verlegen.«

Wenn die Lieferung vor dem Ergebnis der DNA-Analyse eintraf, würde er Müller anweisen, Sophie Brechtmann etwas von Lieferschwierigkeiten zu erzählen. Falls das Blut auf dem Teppichboden wirklich von Nina stammen sollte, musste das Haus ihrer Schwester von der Spurensicherung unter die Lupe genommen werden. Sollte es weitere nachweisbare Spuren geben und dieses Haus tatsächlich ein Tatort sein, würde Sophie in der Zwischenzeit zwar versucht haben, alles zu beseitigen, was darauf hindeuten könnte. Aber den Kollegen stand eine Vielzahl von Möglichkeiten zur Verfügung, um diese Spuren wieder sichtbar zu machen.

Müller nickte beflissen. »Mach ich.«

Während der Rückfahrt setzte sich Norberg mit Anna Wagner in Verbindung und berichtete ihr von seinem Fund. Sie verabredeten sich in der Polizeistation, wo Anna ihn über ihr Gespräch mit Forsgren unterrichten wollte. »Könnten Sie uns Pizza mitbringen?«, bat er zum Ende des Gesprächs. »Mir hängt der Magen in den Kniekehlen. Mit Schinken oder Salami, wenn's geht.«

»Mach ich«, versprach sie. Ein kurzes Zögern folgte, dann stellte sie die Frage, die er gefürchtet hatte. »Haben Sie eigentlich schon die Kripo in Husum informiert?«

Er war sich vollkommen darüber im Klaren, dass er dies spätestens nach dem Hinweis von Forsgren hätte tun müssen. Aber noch immer widerstrebte ihm dieser Gedanke, weil er wusste, dass man ihnen dann die Sache aus der Hand nehmen würde. Anna und er hatten die perfekte Vorarbeit geleistet, um unter Umständen ein Tötungsdelikt aufklären zu können, aber den Erfolg würden andere für sich verbuchen. Ja, er brauchte ihn für sein lädiertes Ego, aber ihm wurde bewusst, dass es ihm ebenso um Anna Wagner ging. Sie war neu hier, zudem eine Frau, musste sich also doppelt und dreifach beweisen. »Nein.«

Er hatte den Eindruck, als würde sie erleichtert aufatmen.

51

Durch das geöffnete Fenster drang Kindergeschrei, aber Bent Forsgren nahm es nicht wahr. Ein Zittern hatte seinen Körper erfasst, und trotz der Hitze fror er bis ins Mark.

Wenn Nina wirklich tot war, trug er allein daran die Schuld. Weil er alles gewollt hatte. Nina, die er so geliebt hatte wie niemals eine Frau zuvor. Aber ebenso die Hotelaufträge, weil er es nicht ertragen hätte, die Firma, die ihm sein Vater zu treuen Händen übergeben hatte, in die Insolvenz zu treiben und aufgeben zu müssen.

Es war richtig gewesen, der Polizei seine Vermutung mitzuteilen. Aber die Verachtung, die die beiden Beamten ihm gegenüber nicht gänzlich hatten verbergen können, hatte er als unglaublich demütigend empfunden. Mindestens ebenso sehr wie die Gedanken an das Geschehen in Westerhever.

Anstatt die Konfrontation zu suchen und Sophie auf seinen Verdacht anzusprechen, hatte er sich feige davongemacht. Er war den Deich hinuntergehetzt, hatte nur noch weggewollt. Weg von Sophie, die vielleicht Nina auf dem Gewissen hatte. Weg von Constanze, diesem eiskalten Monster, von dem er sich viel zu lange hatte manipulieren lassen.

Die Kutsche hatte gerade die Einfahrt passiert und kam langsam den Deich empor. Er hatte jeden Blickkontakt mit den Insassen vermieden und sich bemüht, die Rufe, die ihm hinterherschallten, auszublenden. Unten angekommen, wandte er sich Richtung Parkplatz und stieß einen Seufzer der

Erleichterung aus, als er sah, dass das Taxi noch in kurzer Entfernung vor der Schranke am Straßenrand hielt. Er sprang hinein und gab sein Fahrtziel an, und während der Wagen wendete, sah er, dass Sophie und zwei der Hochzeitsgäste auf sie zugelaufen kamen. Sie waren noch zu weit entfernt, um den Wagen stoppen zu können, und trotzdem schnauzte Forsgren den Fahrer an, sich nicht so viel Zeit beim Wendemanöver zu lassen. Der Blick des Mannes, der ihn im Rückspiegel musterte, hatte Bände gesprochen, das Grinsen, das um dessen schmale Lippen spielte. Mann auf der Flucht vor seiner Hochzeit. Bent hatte sich nicht darum gekümmert, sondern noch während der Fahrt in der Polizeistation angerufen.

Und jetzt saß er hier, in seiner Wohnung, und dachte in einer Dauerschleife an das zurückliegende Gespräch mit den beiden Polizisten. Wenn der Teppichboden noch nicht entsorgt worden war, würde man feststellen können, ob das Blut wirklich von Nina stammte. Allerdings würden sie dann immer noch nicht wissen, was mit ihr war.

Er stützte den Kopf in die Hände und versuchte sich vorzustellen, was geschehen sein mochte, falls seine Vermutung zutraf.

War Nina von sich aus zu Sophie gegangen, oder hatte diese sie zu sich bestellt? Was auch immer, es musste zu einem Streit gekommen sein, bei dem Nina verletzt oder sogar getötet worden war.

Von Sophie?

Oder von Constanze?

Die Polizei hatte gesagt, dass sie von einem Tötungsdelikt ausgingen, aber auch vorhin mit keinem Wort erwähnt, wie sie zu dieser Vermutung gekommen waren.

Was ihn jetzt stutzig machte, war die Tatsache, dass sich Sophie seit seinem überstürzten Aufbruch nicht bei ihm gemeldet hatte. Ahnte sie unter Umständen den Grund seines unmöglichen Verhaltens und zog es deshalb vor, ihn nicht zu kontaktieren? Und was war mit Constanze? Auch von ihr hatte er nichts gehört.

Forsgren schloss die Augen und sank im Sessel zurück. Er würde alles dafür geben, wenn Nina noch am Leben wäre. Mit ihr fortgehen, weit weg von hier, alles wiedergutmachen.

Bitte, lieber Gott, mach, dass es noch nicht zu spät dafür ist!

52

Immer wieder erstaunlich, was ein Mann so alles verdrücken kann, dachte Anna, nachdem Norberg den letzten Bissen seiner XXL-Pizza verspeist hatte und sich mit einem behaglichen Seufzer in seinem Schreibtischstuhl zurücklehnte. Sie hatte sich mit der kleinsten Pizzavariante begnügt und statt der heiß geliebten Quattro-Formaggi-Ausgabe eine Tomate-Mozzarella-Pizza gewählt, die sie in Zeitlupengeschwindigkeit zu sich nahm, in der Hoffnung, dass endlich ein Sättigungsgefühl einsetzen würde. Sollte doch angeblich nach zwanzig Minuten der Fall sein. War es aber nicht, mittlerweile knabberte sie seit fast dreißig Minuten an ihrer Pizza und hatte immer noch Hunger wie ein Wolf, also würde wohl auch noch das letzte Viertel dran glauben müssen. So viel zum Thema »Abnehmen«. Aber morgen war schließlich auch noch ein Tag.

»Was für einen Eindruck hat Forsgren bei der Befragung gemacht?«, fragte Norberg am Ende ihrer Ausführungen. »Hatten Sie das Gefühl, dass er dieses Mal die Wahrheit sagt?«

»Ich glaube schon.« Anna sah ihren Pizzarest stirnrunzelnd an und beschloss, noch einen Augenblick die Finger von ihm zu lassen. »Der Mann ist mir zwar nach wie vor unsympathisch, ich hatte aber den Eindruck, dass ihn sein Verdacht komplett aus der Bahn geworfen hat. Sie haben seine Wohnung ja auch gesehen. Da hat sich jemand ziemlich gehenlassen. Ich denke, dass ihm bewusst geworden ist, dass er mit seinem Verhalten unter Umständen etwas Schreckliches heraufbeschworen hat.«

»Was glauben Sie, was passiert sein könnte?«

Anna wiegte nachdenklich den Kopf. »Dann dürfte Sophie mitbekommen haben, dass er sie hintergeht. Vielleicht hat sie Nina zu sich bestellt, um sie zur Rede zu stellen. Eine andere Möglichkeit wäre, dass Nina von sich aus zu ihr gefahren ist, um endlich klare Verhältnisse zu schaffen, denen Forsgren nicht mehr aus dem Weg gehen kann. Dann kam es zu einem Streit – und *zack* … hat Sophie sich ihrer Nebenbuhlerin entledigt.«

»Aber um eine Leiche wegzuschaffen, braucht es eine gewisse Körperkraft«, wandte Norberg ein. »Ninas Blut im Kofferraum ihres Wagens deutet ja darauf hin, dass sie in diesem Wagen transportiert wurde. Entweder schon tot, vielleicht aber auch noch lebendig, jedenfalls hat sie jemand dort reingehievt. Und ist dann zu einem Ort gefahren, um dort ihre Leiche zu begraben. Ich kann mir beim besten Willen nicht vorstellen, dass Sophie Brechtmann das alles allein getan haben soll.«

Anna nickte. »Da käme für mich nur ihre Mutter infrage. Sie hat Sophie geholfen, und damit wir denken, dass Nina noch am Leben ist, hat sie den Farbanschlag auf das Hotel durchgeführt und Ninas Armband in der Blumenrabatte platziert.«

»Das ergibt Sinn«, pflichtete Norberg ihr bei.

Anna trieb im Moment noch etwas anderes um. Würde Forsgren gegenüber Sophie Brechtmann seinen Verdacht äußern und ihr womöglich auch erzählen, dass er die Polizei darüber in Kenntnis gesetzt hatte? Es war schwer vorstellbar, aber nicht gänzlich auszuschließen. Darauf angesprochen meinte Norberg, dass er nicht davon ausging.

»Und falls doch, können wir es nicht verhindern. Wenn Forsgrens Verdacht zutreffen sollte, hat Sophie Brechtmann sowieso schon alles verschwinden lassen, was sie eventuell noch belasten könnte. Deshalb setze ich ja meine ganze Hoffnung in diesen Teppichboden.« Er warf einen Blick auf die Wanduhr und erhob sich. »Es ist zwar schon Feierabend, wir sollten uns Hellmer aber trotz der neuen Entwicklung heute noch vornehmen.«

Tatsächlich, fast schon sieben Uhr. Auf dem Weg in den Vernehmungsraum fiel Anna ein, dass Corinna Heckler sie zum Abendessen eingeladen hatte. Mist, das hatte sie über den Ereignissen vollkommen vergessen.

Bei der Durchsuchung von Hellmers Wohnung waren elf weitere Plastiktüten mit insgesamt einhundertachtzig Ecstasypillen zutage gefördert worden, wie Scheffler ihnen gerade am Telefon mitgeteilt hatte. Mehr hatten sie nicht gefunden, er würde sich jetzt auf den Heimweg machen.

Kai Hellmer hatte der Aufenthalt in der Arrestzelle sichtlich zugesetzt. Sein Nervenkostüm schien schon vorher nicht das beste gewesen zu sein, aber jetzt stand er allem Anschein nach kurz davor, die Fassung zu verlieren. Sein Gesicht war leichenblass, seine Hände zitterten. Als Anna die Vernehmung mit der Frage begann, ob Nina von den Drogen gewusst hätte und deshalb zu einem Problem für ihn geworden sei, jaulte er auf.

»Ich habe nichts mit Ninas Verschwinden zu tun! Bitte, das müssen Sie mir glauben.«

»Hat Nina davon gewusst?«, beharrte Anna auf ihrer Frage.

Hellmer schüttelte den Kopf. »Nein.« Er nahm ihren ungläubigen Blick wahr. »Sie hat es wirklich nicht gewusst.«

»Seit wann dealen Sie?«, fragte Norberg.

»Noch nicht so lange.« Hellmer wand sich auf seinem Stuhl. »Ich krieg jobmäßig einfach kein Bein an Land, und irgendwo muss die Kohle ja herkommen.«

In der folgenden Stunde hielt Hellmer an dieser Aussage fest, eine Erklärung, woher er die Drogen bezog, blieb er schuldig, sodass sie die Vernehmung schließlich beendeten. Vielleicht würde eine Nacht im Arrest ihn weichkochen, und sie kämen am nächsten Tag weiter. Hoffentlich auch bei Jutta Gräfsen, die sich immer noch im Krankenhaus befand.

»Ich mache mir Gedanken über ihren Nervenzusammenbruch, der ja nicht ganz ohne zu sein scheint, wenn wir immer noch nicht mit ihr sprechen können«, sagte Anna, als sie Norberg ins Freie folgte. Sie hatten beschlossen, für heute Schluss zu machen. »Sie weiß ja bisher noch nichts von unserer neuen Einstufung des Falls. Ist das jetzt nur die Sorge wegen Ninas Verschwinden, oder steckt da doch mehr dahinter?«

»Nicht unwahrscheinlich nach dem, was wir von ihrem Mann erfahren haben«, meinte Norberg. »Vielleicht haben wir morgen ja Glück und können mit ihr sprechen.«

Anna schloss gerade das Tor der Doppelgarage, als aus dem Haus der Hecklers erregte Stimmen zu ihr herüberdrangen.

»Lasse, jetzt nimm doch Vernunft an! Ich werde die Vermietung nicht rückgängig machen!«

»Warum nicht? Ist dir die Kollegin von Hendrik wichtiger als ich? Ich muss endlich raus von zu Hause, ich dreh dort noch durch. Alles erinnert mich an Mama.«

»Glaubst du nicht, dass es deinem Vater und Finn ebenso geht?«

»Das weiß ich nicht, und es interessiert mich auch nicht!«

»Lasse, bitte! Der Tod deiner Mutter ist für keinen von uns leicht. Aber du darfst dich nicht so hängen lassen. Wir wollen doch alle nur dein Bestes.«

»Ja klar.« Ein höhnisches Lachen folgte, dann stürmte ein hochgewachsener Junge aus dem Haus und schnappte sich das Fahrrad, das im Vorgarten auf dem Rasen lag. Als Anna die Auffahrt zur Straße hinunterging, schoss er an ihr vorbei, allerdings nicht ohne ihr vorher einen wütenden Blick zuzuwerfen.

Irritiert blickte Anna ihm hinterher. Selbst wenn sie seinen Namen nicht gehört hätte, wäre ihr klar gewesen, dass es sich bei dem Jungen um Norbergs ältesten Sohn gehandelt hatte. Bis auf die blonden Haare war die Ähnlichkeit zwischen den beiden verblüffend. Selbst der mürrische Gesichtsausdruck stimmte, auch wenn Norberg senior ihn zwischenzeitlich immer häufiger ablegte.

Als sie wieder zum Haus der Hecklers hinübersah, bemerkte sie Corinna, die in der offenen Haustür stand und ihrem Enkel mit einem verzweifelten Gesichtsausdruck hinterherblickte. Anna schwankte, ob sie zu ihr gehen sollte, weil sie sich nicht aufdrängen wollte, aber sie fühlte sich auch verpflichtet, eine kurze Entschuldigung anzubringen, dass sie die Essenseinladung heute nicht hatte wahrnehmen können.

»Das macht doch nichts«, sagte Corinna und versuchte ein Lächeln. »Wir können es ja an einem anderen Abend nachholen, wenn es zeitlich besser bei Ihnen passt.«

Anna nickte. Während Corinna Heckler am Vorabend ganz offensichtlich der Sinn nach einem Gespräch gestanden hatte, wirkte sie heute in sich gekehrt, und Anna beschloss sich zurückzuziehen. Sie verabschiedete sich und ging in ihr Ferienhaus hinüber, wo sie sich einen Tee kochte und dann auf dem gemütlichen Leinensofa im Wohnzimmer Platz nahm.

Lasse Norberg tat ihr leid, und für einen Moment fühlte sie sich schuldig, dass sie das Haus bewohnte, in das er am liebsten geflüchtet wäre. Sie wusste nicht das Geringste über die Familie; nicht, ob die Ehe der Eltern intakt gewesen war, und ebenso wenig, ob sie mit ihren beiden Söhnen ein glückliches Leben geführt hatten. Aber letztlich war es auch nicht entscheidend, weil bei einem Todesfall das bestehende Gefüge immer auseinanderbrach.

Anna überlegte, wie sie sich fühlen würde, wenn ein geliebter Mensch, mit dem sie eine Wohnung oder ein Haus geteilt hatte, sterben würde. Hätte sie die Kraft, weiter in den vertrauten vier Wänden zu leben, oder würde es ihr wie Lasse ergehen, der dem Ort, der ihm einmal Geborgenheit gegeben hatte, jetzt entfliehen wollte?

Sie hatte keine Antwort darauf und beschloss, das Grübeln einzustellen und ins Bett zu gehen.

Einige Stunden später erwachte sie durch das laute Zuschlagen einer Autotür. Sie blinzelte und drehte sich auf die andere Seite, um einen Blick auf den Wecker zu werfen.

01:32 Uhr.

Sie schwang die Beine über den Bettrand und erhob sich mit einem leichten Schwanken. Wenn sie unvermittelt aus dem Schlaf gerissen wurde, brauchte ihr Kreislauf immer einige Minuten, um auf Trab zu kommen.

Auf nackten Fußsohlen tapste sie zum Fenster und schob die Übergardinen zur Seite. Die Bewegungsmelder vor dem Haus der Hecklers waren angegangen, und in dem Wagen, der am Straßenrand parkte, meinte sie Norbergs privaten Pkw zu erkennen. Schlagartig wurde ihr klar, dass sein nächtlicher Besuch etwas mit Lasse zu tun haben musste.

Einige Augenblicke später traten Norberg und das Ehepaar Heckler aus dem Haus. Durch das gekippte Fenster konnte Anna sie miteinander sprechen hören, aber was dort gesagt wurde, war nicht zu verstehen. Nur einmal meinte sie die Worte »Wir teilen uns auf« zu vernehmen.

Was hatte das zu bedeuten? War Lasse womöglich verschwunden?

Sie überlegte, ob sie ihre Hilfe anbieten sollte, aber die Hecklers und Norberg waren bereits in ihre Autos gestiegen und fuhren davon.

53

Freitag, 3. Juli

Hendrik Norberg hatte die schlimmste Nacht seines Lebens hinter sich. Nach Kathrins Tod hatte er gedacht, dass es keine Steigerung mehr geben könnte, nur um feststellen zu müssen, dass er sich geirrt hatte.

Lasse war nicht nach Hause gekommen, sein Handy war ausgeschaltet. Nach dem Besuch bei seinen Großeltern war er verschwunden, und Norberg und die Hecklers hatten bis zum Anbruch des Morgens nach ihm gesucht. Und wie schon bei seinen Alleingängen in einigen Nächten zuvor hatte Norberg auch diesmal wieder feststellen müssen, dass er nicht die geringste Ahnung hatte, wo sein Sohn sich aufhalten könnte. Und seinen Schwiegereltern ging es ebenso. Sämtliche Nachfragen bei Freunden und Bekannten waren ergebnislos verlaufen, ebenso wie die Suche auf gut Glück am Strand und in der näheren Umgebung.

Erst Finn hatte vor wenigen Minuten diesen quälenden Zustand der Ungewissheit beendet, nachdem er schlaftrunken die Treppe heruntergekommen war und wissen wollte, was los sei. Norberg und seine Schwiegereltern hatten in der Küche gesessen und bei einem starken Kaffee beratschlagt, was sie jetzt tun sollten.

»Er ist bestimmt zu Opa nach Stockholm geflogen«, sagte der Stöpsel, nachdem Norberg ihm so schonend wie möglich beigebracht hatte, dass Lasse verschwunden war. Finn hatte sich den Schlaf aus den Augen gewischt und herzhaft gegähnt, offensichtlich ziemlich unberührt von der Aufregung um ihn herum. »Neulich hat er mal so was gesagt. Wenn er nicht bei Oma und Opa hier einziehen kann, fliegt er eben nach Stockholm zu Opa Norberg.«

Norberg hatte vor Beginn der Suche schwer mit sich gehadert, ob er Finn für ein paar Stunden allein lassen konnte, aber sein Jüngster hatte so tief geschlafen, dass er das Risiko eingegangen war. Vorsichtshalber hatte er ihm einen Zettel hingelegt, dass er noch einmal dienstlich wegmüsse und Lasse bei einem Freund übernachten würde, damit der Stöpsel nicht in Panik geriet, wenn er doch aufwachte und feststellen musste, dass niemand außer ihm zu Hause war.

Nach Finns Worten griff Norberg zum Smartphone. Seine Nachforschungen ergaben, dass Lasse den ersten Flug an diesem Tag von Hamburg aus genommen hatte und bereits in der Luft war.

»Darf er in seinem Alter denn ohne Begleitung fliegen?«, fragte Corinna zweifelnd.

Ihr Mann nickte. »Ja. Bis zwölf müssen Kinder meines Wissens nach den Begleitservice der Fluggesellschaften in Anspruch nehmen, danach können sie bei den meisten Gesellschaften allein fliegen.«

Norberg rief seinen Vater an. Er hatte ihn länger nicht gesprochen, ihr Verhältnis war nicht das beste, und nachdem Norbergs Mutter vor vier Jahren gestorben war, hatte Lennart Norberg Deutschland verlassen, um wieder in seine Heimatstadt Stockholm zurückzukehren. Seitdem ging der Kontakt zwischen Vater und Sohn gen null. Norbergs Eltern hatten in

Husum gelebt und ebenso wie die Hecklers ein gutes Verhältnis zu ihren beiden Enkeln gehabt. Wobei Lasse eindeutig Lennarts Liebling war; mit Finn, der bei seiner Abreise erst drei Jahre alt gewesen war, hatte er nicht so viel anfangen können.

Lennart war bereits über die Ankunft seines Enkels informiert. Während er den Worten seines Vaters lauschte, wurde Norberg von Minute zu Minute aufgebrachter. Vorhaltungen, wie immer. Dass er sich nicht ausreichend um Lasse gekümmert hätte, seit Finn auf der Welt sei. Dass der Nachzügler immer bevorzugt worden sei. Kein Wunder, dass es Lasse nicht mehr zu Hause aushalte. Und, und, und … Norberg kannte diese Vorwürfe seit Jahren. Sie entsprachen nicht den Tatsachen, was er sich guten Gewissens versichern konnte, aber er hatte es schon lange aufgegeben, seinen Vater vom Gegenteil überzeugen zu wollen. Als dieser ihn allerdings darüber aufklärte, dass Lasse jetzt erst einmal bis zum Ende der Sommerferien bei ihm bleiben würde, wurde Norberg laut.

»Das kommt überhaupt nicht infrage! Du setzt ihn sofort in den nächsten Flieger!«

Eine heftige Debatte begann, bis Norberg irgendwann auffiel, dass sein Vater das Gespräch beendet hatte.

»Was ist?«, fragte Corinna.

Norberg schüttelte voller Unverständnis den Kopf. »Aufgelegt. Er hat einfach aufgelegt.«

Corinna nahm ihm das Smartphone aus der Hand, als er erneut die Nummer seines Vaters wählen wollte. »Jetzt warte doch mal.«

Aufgewühlt sah er sie an und hatte für einen Moment das Gefühl, dass ihm alles entglitt. Corinna legte beruhigend eine Hand auf seinen Arm.

»Habe ich das richtig verstanden, dass dein Vater Lasse während der Ferien bei sich behalten will?«

Norberg nickte.

»Aber das ist doch eine gute Idee. Wieso bist du denn so dagegen?«, fragte Peter Heckler, der bis jetzt geschwiegen hatte. Corinna nickte bestätigend.

»Weil …« Norberg stockte. Weil ich meine Jungs um mich haben will. Weil ich es nicht ertragen könnte, noch jemanden, den ich liebe, zu verlieren.

Corinna bemerkte wie immer seine Not. »Lass uns doch mal in Ruhe darüber nachdenken. Lasse und Lennart haben immer einen guten Draht zueinander gehabt. Deshalb kann es doch nur von Vorteil für den Jungen sein, wenn er ein paar Wochen bei ihm verbringt. Du weißt, dass Lasse hier die Decke auf den Kopf fällt, und ich glaube, dass ihm das in unserem Ferienhaus ebenso ergehen würde. Da ist ein Aufenthalt in Stockholm doch genau das Richtige, der wird ihn nämlich auf andere Gedanken bringen.«

Im ersten Moment wollte Norberg ihr widersprechen, aber dann ließ er den Gedanken sacken. Hatte Corinna recht? Ihn peinigte die Vorstellung, dass eine vorübergehende Trennung nicht die Lösung ihrer Probleme bringen, sondern ihm Lasse noch mehr entfremden würde. Aber ihm war auch bewusst, dass es so, wie es im Moment lief, nicht weitergehen konnte.

Er nickte, auch wenn ihm die Entscheidung immer noch schwerfiel. Lasse war bei seinem Großvater in den besten Händen, aber er vermisste seinen Sohn jetzt schon.

»Okay.«

Im zweiten Telefonat verhehlte Lennart nicht seine Genugtuung darüber, dass sein Sohn zur Vernunft gekommen sei. Weiterhin versprach er, sich zu melden, wenn er seinen Enkel am Flughafen in Empfang genommen hatte. Lennarts Tonfall erboste Norberg, diese besserwisserische Arroganz darin, als spräche er mit einem unmündigen Kind.

»Vorschlag«, sagte Peter Heckler, nachdem Norberg das Gespräch beendet hatte. »Was hältst du davon, wenn wir Finn ab übernächster Woche bis zum Ende der Ferien zu uns nehmen? Er hat Corinna erzählt, dass er im Moment noch jeden Tag mit seinem Freund Daniel und dessen Vater unterwegs ist, aber die fahren wohl in einer Woche selbst in den Urlaub, und dann hätte der Junge nichts mehr um die Ohren. Ich bin dabei, den Partykeller umzubauen, da könnte Finn dann sein Zimmer bekommen. Kathrins Bett habe ich schon runtergeschafft, und bis zu dem Termin wäre dann auch alles andere fertig.« Peter Heckler lächelte seine Frau an und hatte auf einmal so gar nichts Bärbeißiges mehr an sich. »Ich halte das im Moment wirklich für die beste Idee, Hendrik. Dann bist du dienstlich unabhängig, und ich sehe meine Frau tagsüber auch mal wieder.« Er tätschelte Corinnas Hand. »Das wäre doch auch in deinem Sinn, oder?«

Corinna Heckler nickte zustimmend. »Natürlich wäre es das.« Sie blickte Norberg an. »Wir wollen aber nicht, dass du jetzt den Eindruck gewinnst, dass wir irgendetwas hinter deinem Rücken machen, Hendrik. Wir haben nur überlegt, was für alle Beteiligten im Moment die beste Lösung ist.«

Norberg hätte den Vorschlag am liebsten abgelehnt, denn der Gedanke, dass er abends dann in ein leeres Haus käme, setzte ihm zu. Aber ihm war bewusst, dass er sich auch hier nicht von seinen Gefühlen leiten lassen durfte. Corinna hatte sich ebenso wie er um Kathrins Pflege gekümmert und half seit deren Tod jetzt bei ihm aus, was bedeutete, dass sie ihren Mann nur noch am Abend sah. Er konnte sie nicht ewig von zu Hause fernhalten, auch wenn sie immer wieder behauptete, dass sie gerne für ihn und ihre Enkel da sei. Außerdem sah er die Notwendigkeit, dass sie und Peter wieder mehr Zeit miteinander verbrachten und Kathrins Tod endlich gemeinsam verarbeiteten. Also stimmte er zu unter der Bedingung, dass Finn einverstanden war, und ging anschließend zu seinem Jüngsten, der sich wieder in sein Bett verzogen hatte. In einer irrationalen Anwandlung streifte Norberg die Hoffnung, dass Finn sich weigern würde, zu seinen Großeltern umzusiedeln, aber nichts dergleichen geschah. Im Gegenteil, der Stöpsel freute sich, in Daniels Abwesenheit einen Spielkameraden in seinem Großvater zu haben.

Norberg war sich selten in seinem Leben so überflüssig vorgekommen.

54

Anna Wagner hatte bereits um kurz nach sechs eine Whatsapp-Nachricht von Norberg erhalten, dass er später kommen würde. Wann, könne er noch nicht sagen. Sie ahnte, was der Hintergrund war, hoffte aber trotzdem, dass sie sich irrte.

Als er dann gegen zehn Uhr ihr Büro betrat, sah sie auf den ersten Blick, dass er eine schreckliche Nacht hinter sich haben musste. Sein Gesicht zeigte Falten, wo gestern noch keine gewesen waren, und unter seinen Augen lagen tiefe Schatten. Seine Bewegungen wirkten wie die eines alten Mannes, als er zu ihrem Schreibtisch hinüberkam.

»Tut mir leid, es ging nicht früher.« Er wirkte unentschlossen, als wisse er nicht, ob er Platz nehmen oder gleich wieder gehen solle.

»Ist etwas passiert?«

»Wie kommen Sie darauf?«

Wenn er sich nicht äußern wollte, war das seine Sache, aber sie hätte es albern gefunden, hier jetzt die Nichtsahnende zu spielen, und erzählte ihm deshalb, was sie am Abend und in der Nacht mitbekommen hatte. Selbst auf die Gefahr hin, dass er sie für neugierig hielt.

Er zögerte einen Augenblick, dann sank er in den Stuhl vor ihrem Schreibtisch. »Ihre Vermutung war richtig. Mein ältester Sohn war verschwunden, und meine Schwiegereltern und ich haben ihn die ganze Nacht über gesucht.«

Er hatte »war« gesagt, also mussten sie Lasse mittlerweile gefunden haben.

»Ja, das haben wir«, bestätigte Norberg ihre Frage. »Er ist zu meinem Vater nach Stockholm geflogen. Das haben wir heute Morgen dann endlich in Erfahrung gebracht.« Er rieb über sein Gesicht, und Anna sah, wie die Aufregung langsam von ihm abzufallen begann und einer tiefen Erschöpfung Platz machte.

»Fahren Sie doch wieder nach Hause, und schlafen Sie sich aus! Ob wir heute noch ein Ergebnis bezüglich des Teppichbodens erhalten, ist ja fraglich, und falls doch, rufe ich Sie an.«

Er schüttelte den Kopf. »Wir müssen uns Hellmer noch mal vornehmen und Jutta Gräfsen. Wissen Sie schon, ob wir heute mit ihr sprechen können?«

»Ja, das können wir. Ich kann beide Vernehmungen aber auch allein durchführen.«

»Ja, natürlich können Sie das. Aber …«

Sie beendete den Satz für ihn. »Sie wären halt gerne dabei.«

Er zuckte mit den Schultern und wirkte für einen Moment hilflos. »Das hat nichts mit Ihnen zu tun.«

»Das weiß ich«, sagte sie und meinte es auch so. Dass er sie und ihre Arbeit schätzte, war ihr mittlerweile bewusst, aber er wollte eben auch weiterhin mitspielen.

»Dann gehen Sie heute aber wenigstens früher nach Hause«, ordnete sie mit strenger Stimme an.

Ein Lächeln zuckte um seine Mundwinkel. »Aye, aye, Chefin!«

Kai Hellmer sah noch derangierter aus als am Vortag, blieb aber bei seiner Aussage, dass Nina Brechtmann nichts von den Drogen gewusst habe und er seinerseits keinen Kontakt mehr zu ihr hatte. Da sie ihm nicht das Gegenteil beweisen konnten, mussten sie ihn wieder freilassen mit dem Hinweis, dass er mit einem Verfahren wegen Verstoßes gegen das Betäubungsmittelgesetz rechnen müsse.

Der Besuch bei Jutta Gräfsen entpuppte sich als ein weiterer Reinfall. Sie lag in einem Einzelzimmer, und bevor sie zu ihr hineingingen, sprachen Anna und Norberg mit dem behandelnden Arzt, um in Erfahrung zu bringen, wie ihr heutiger Zustand war.

»Nicht so gut.« Der Arzt schaute sie mit einem kritischen Blick über den Rand seiner dunklen Hornbrille an. »Sie können eine Viertelstunde bei ihr bleiben und Ihr Glück versuchen. Aber ich mache Ihnen nicht viel Hoffnung.«

»Was heißt das?«, fragte Anna.

»Sie hat sich vollkommen in sich zurückgezogen, wir kommen im Moment nicht an sie ran.«

Zu einem Gespräch kam es dann auch nicht, da Jutta Gräfsen während ihrer gesamten Anwesenheit nur apathisch vor sich hin starrte und ihre Gegenwart überhaupt nicht wahrzunehmen schien. Als der Arzt sie nach exakt einer Viertelstunde aus dem Zimmer scheuchte, lief ihnen Hans Gräfsen auf dem Flur über den Weg.

»Ich erreiche sie auch nicht mehr«, klagte er, nachdem sie mit ihm in einen Warteraum gegangen waren.

»Hat Ihre Frau denn noch irgendetwas gesagt, was uns weiterhelfen könnte, nachdem sie hier eingeliefert wurde?«, fragte Anna.

Gräfsen schüttelte hilflos den Kopf. »Nein, überhaupt nichts. Ich habe manchmal das Gefühl, dass sie in eine andere

Welt abgedriftet ist. Die Ärzte meinen, dass Ninas Verschwinden und Juttas Schuldgefühle, die sie all die Jahre über mit sich rumgetragen hat, der Auslöser für diesen totalen Zusammenbruch sein können.«

Oder Schlimmeres, dachte Anna auf dem Rückweg zum Streifenwagen. Sie hatten im Moment zwar ihr Hauptaugenmerk auf die beiden Brechtmann-Frauen gerichtet, aber Jutta Gräfsen war ebenso wie Kai Hellmer noch lange nicht außen vor. Was auch für Bent Forsgren galt, der den Hinweis auf das Blut im Teppichboden Norbergs Meinung nach auch ganz gezielt gegeben haben konnte, um den Verdacht auf Sophie zu lenken.

Davon ging Anna allerdings nicht aus. »Sie waren bei der Vernehmung nicht dabei«, sagte sie. »Für einen so guten Schauspieler halte ich Forsgren nicht. Der Mann war fix und fertig bei unserem Gespräch.«

55

Samstag, 4. Juli

Samstagfrüh kam dann endlich die heiß ersehnte Nachricht, die allen Spekulationen ein Ende bereitete. Die Kollegen von der Spurensicherung hatten unter Hochdruck gearbeitet, und nun stand zweifelsfrei fest: Das Blut in Sophie Brechtmanns Teppichboden stammte von Nina Brechtmann.

Norberg schickte Rohde und Klüver ins *Seaview*, wo sie Sophie wegen dringenden Tatverdachts vorläufig festnehmen und auf die Dienststelle bringen sollten. Es dauerte eine halbe Stunde, dann führten die beiden Beamten die junge Frau in den Vernehmungsraum. Anna und Norberg hatten beschlossen, Sophie zu zweit in die Mangel zu nehmen.

»Sind Sie verrückt geworden?«, fuhr Sophie auf, sobald sich die Tür hinter Anna und Norberg geschlossen hatte. »Wieso lassen Sie mich wie eine Schwerverbrecherin verhaften und aus meinem Hotel abführen?«

»Setzen Sie sich, Frau Brechtmann«, sagte Norberg unbeeindruckt und wies auf einen Stuhl.

»Ich will mich nicht setzen, ich will wissen, was hier los ist«, sagte Sophie aufgebracht. Sie sah mitgenommen aus, das Gesicht blass und ungeschminkt, die Haare strähnig, als wären sie seit Tagen nicht mehr gewaschen worden. Kein Vergleich zu der Businessfrau, die bisher den Eindruck erweckt hatte, dass sie sich niemals auch nur eine Sekunde gehen ließ.

Wenn sie wirklich den Tod von Nina zu verantworten hatte, dürften die letzten Tage ihr schwer zugesetzt haben. Das Töten eines Menschen und das Beseitigen der Leiche gingen an niemandem spurlos vorbei, selbst wenn er so eiskalt war, wie Anna Sophie Brechtmann einschätzte.

Nicht zu vergessen die geplatzte Hochzeit. Zum zweiten Mal von dem Mann im Stich gelassen zu werden, mit dem man nicht nur seine private, sondern auch die berufliche Zukunft plant, dürfte jedem an die Substanz gehen.

»Das werden Sie erfahren.« Norberg blieb ruhig, und mit einem unwilligen Laut gab Sophie Brechtmann schließlich nach und nahm Platz. Anna hatte sie die ganze Zeit über nicht aus den Augen gelassen und den Eindruck gewonnen, dass unter der zur Schau gestellten Empörung Angst schwelte.

Norberg belehrte Sophie Brechtmann über ihre Rechte, sprach Datum und Uhrzeit in das Aufnahmegerät und ließ sich dann ebenfalls am Tisch nieder.

»Sie haben am 21. Juni dieses Jahres die Raumausstatterfirma Müller & Sohn aus Tetenbüll damit beauftragt, den Teppichboden in Ihrem Wohnzimmer zu entfernen.«

Sophie Brechtmann versteifte sich nach seinen Worten. Für den Bruchteil einer Sekunde flackerte ihr Blick, dann hatte sie sich wieder unter Kontrolle. »Ja. Und?«

»Sie haben als Begründung für den eiligen Auftrag auf das Blut hingewiesen, das Ihrer Aussage nach von einer Katze stammte«, sagte Anna.

»Ja, das Vieh ist am Vorabend durch die offen stehende Terrassentür gekommen und hat mir den Teppich versaut. Das hat mich angeekelt. Da ich sowieso vorhatte, das Wohnzimmer mit Parkett auslegen zu lassen, habe ich die Gelegenheit genutzt.« Ihr Blick flog zwischen Anna und Norberg hin und her. »Wieso ist das für Sie von Interesse?«

»Weil das Blut von keiner Katze, sondern von Ihrer Schwester Nina stammt«, sagte Anna.

»Sie sind ja verrückt geworden!« Trotz der markigen Worte lag ein Zittern in Sophies Stimme.

»Wenn Sie etwas zu sagen haben, Frau Brechtmann, sollten Sie das jetzt tun«, sagte Norberg. »Ein Geständnis wirkt sich strafmildernd aus.«

»Was unterstellen Sie mir?« Sophie krampfte ihre Hände im Schoß zusammen. »Ich habe nichts zu gestehen!«

»Wir unterstellen Ihnen überhaupt nichts, Frau Brechtmann«, sagte Norberg. »Wir würden nur gerne wissen, wie Ninas Blut auf Ihren Teppichboden gelangt ist. Und in den Kofferraum vom Wagen Ihrer Schwester, mit dem am 20. Juni, also einen Tag bevor Sie die Firma beauftragt haben, eine Verkehrsunfallflucht begangen wurde. Bei diesem Unfall sind zwei Menschen zu Tode gekommen, die einfach auf der Straße liegen gelassen wurden. Wir haben den Wagen in einer Scheune im Tümlauer Koog gefunden.«

Sophie schwieg und blickte auf die Wand hinter ihnen. Das Schweigen dehnte sich, bis sie schließlich Anna ansah. »Ich will unseren Anwalt sprechen.«

Der Familienanwalt befand sich im Australienurlaub, woraufhin Sophie mit seinem Stellvertreter Dr. Constantin Plessner sprach. Dieser versprach, sich umgehend auf den Weg zu machen, benötigte für die Anfahrt von Kiel nach St. Peter-Ording allerdings fast drei Stunden, weil er in einen

Stau aufgrund von Straßenbauarbeiten geriet. Eine Zeitspanne, in der Sophie Brechtmann äußerlich ruhig blieb. Sie hatte mehrere Male vergeblich versucht, ihre Mutter anzurufen, die sich gerade geschäftlich in Frankfurt aufhielt. Sie hatte diese erst kurz vor Plessners Ankunft erreicht, weil Constanze Brechtmann ihr Handy während eines Termins stumm geschaltet hatte. Sie wollte versuchen, am Nachmittag zurückzufliegen. Anna hoffte, dass Sophie ohne den Beistand ihrer Mutter einknicken würde. Wenn der Anwalt keinen Riegel vorschob.

Er versuchte es, allerdings ohne Erfolg. Sie hatten ihn und Sophie im Vernehmungsraum zurückgelassen, damit sie sich ungestört besprechen konnten, aber schon nach kurzer Zeit waren erregte Stimmen bis auf den Flur hinaus zu hören. Schließlich öffnete sich die Tür, und ein sichtlich gereizter Strafverteidiger trat heraus.

»Frau Brechtmann möchte mit Ihnen sprechen.«

»Wollen Sie nicht dabeibleiben?«, fragte Anna irritiert, als er sich Richtung Eingang wandte.

»Nein. Sie hat mir gerade ihr Vertrauen entzogen.«

Sophie machte einen aufgewühlten Eindruck, saß aber kerzengerade auf ihrem Stuhl. Als Anna und Norberg eintraten, legte sie die Arme auf dem kleinen Resopaltisch ab und faltete die Hände.

»Ihr Anwalt sagte, dass Sie mit uns sprechen wollen.« Anna nahm auf der gegenüberliegenden Seite des Tisches Platz, Norberg schaltete wieder das Aufnahmegerät ein und setzte sich dann neben sie.

»Ja.«

»Sind Sie sicher, dass Sie ihn nicht dabeihaben wollen?«

Sophie sah sie mit einem resignierten Blick an. »Er rät mir zu schweigen. Aber das halte ich nicht mehr durch. Ich muss jetzt endlich loswerden, was passiert ist.« Sie straffte die Schultern. »Nina ist tot, aber ich habe sie nicht umgebracht. Wir hatten einen Streit.«

Es lagen anstrengende Tage hinter ihr, und sie waren noch nicht vorbei. So war es immer, wenn ein Hotelneubau anstand, aber sie kannte es bis jetzt nur vom Hörensagen, da sie bei dem letzten Projekt noch zu jung gewesen war, um an vorderster Front mitzumischen. Aber nun war es endlich so weit, und sie genoss jede Sekunde. Eine Besprechung jagte die nächste, und in wenigen Tagen würden Constanze und sie nach Düsseldorf fliegen, um bei dem exklusivsten Innenausstatter der Stadt eine erste Auswahl der Möbel für die Hotels in St. Peter-Ording und Eckernförde zu treffen. Die Häuser sollten vom Stil her ähnlich eingerichtet werden, viel Holz und Chrom, unaufdringliche Farben, die dem Auge einen Ruhepol boten.

Sophie war vor einer Viertelstunde nach Hause gekommen. Sie hatte im Hotel einen Salat zu sich genommen, nachdem Bent verkündet hatte, den Ergänzungsvorschlag, den Constanze bezüglich der Lobby gemacht hatte, sofort umzusetzen. Sophie kannte ihn gut genug, um zu wissen, dass jede Bitte, dies auf morgen zu verschieben, zwecklos gewesen wäre. Er war ein Workaholic und setzte neue Ideen am liebsten so zeitnah wie möglich um.

Als es an der Haustür klingelte, dachte sie für einen Moment, er hätte es sich doch anders überlegt. Bent besaß zwar einen Schlüssel, kündigte sein Kommen aber immer mit einem Klingeln an, wenn er sie zu Hause wusste. Mit der Person, die statt seiner vor ihrer Tür stand, hätte Sophie hingegen im Leben nicht gerechnet.

»Du?«

»Hallo, Sophie.«

Es dauerte einen Augenblick, bis Sophie ihre Sprache wiederfand. »Was willst du hier?«

»Mit dir sprechen. Lass mich bitte rein.«

Am liebsten hätte sie Nina die Tür vor der Nase zugeknallt. Aber nachdem Bent zu ihr zurückgekehrt war, marterte Sophie immer wieder die Ungewissheit, ob sie seinen Beteuerungen, dass die Beziehung mit ihrer Adoptivschwester beendet sei, wirklich Glauben schenken konnte. Dass Nina nach Jahren hier auftauchte und um Einlass bat, sprach nicht dafür. Denn welchen Grund hätte sie sonst haben sollen, hier so unverhofft zu erscheinen?

Sophie trat widerwillig zur Seite. »Bitte.« Sie schloss die Haustür, ging Nina voraus ins Wohnzimmer und deutete auf die elegante Ledergarnitur.

Nina wirkte unentschlossen. »Ich will dich nicht lange aufhalten.« Sie schwieg einen Augenblick, als wisse sie nicht weiter, aber vielleicht auch, um Kraft für die folgenden Worte zu sammeln. Dann setzte sie sich doch.

Sophie ließ sich auf der Kante des gegenüberliegenden Sessels nieder und musterte sie. Sie hatte Nina bei der Demo im Januar zum letzten Mal gesehen. Es war kalt gewesen an diesem Tag, Nina hatte eine dicke Mütze getragen und einen

Schal, der Teile ihres Gesichts bedeckte, und trotzdem war ein Strahlen von ihr ausgegangen, das diesen ungemütlichen Wintertag plötzlich in einem hellen Licht erscheinen ließ. Sophie hatte den Grund damals allzu gut gekannt, da ihr Bent eine Woche zuvor gestanden hatte, dass Nina und er sich lieben würden und zusammenbleiben wollten. Sophie war aus allen Wolken gefallen, denn sie hatte nicht das Geringste geahnt.

Als sie jetzt an diesen Moment zurückdachte, hatte sie wie damals Mühe, sich der aufsteigenden Gefühle zu erwehren. Wut, nein, Hass auf die Frau, die versucht hatte, ihr den Mann zu nehmen. Aber gleichermaßen und völlig unerwartet in diesem Augenblick eine große Sehnsucht bei dem Gedanken an unbeschwerte Kindheits- und Jugendtage. Und Trauer darüber, dass Nina und sie sich irgendwann auf dem Weg ins Erwachsenendasein verloren hatten. Wie hatte das passieren können? Sie waren doch eins gewesen, niemand hatte zwischen sie gepasst.

»Gib Bent frei, Sophie. Er liebt dich nicht.«

Sie glaubte, sich verhört zu haben. Aber im nächsten Moment verwandelte sich die schwelende Ungewissheit in eine schreckliche Erkenntnis. »Ihr seid wieder zusammen. Oder habt ihr euch überhaupt nicht getrennt, und Bent verarscht mich jetzt seit Monaten?«

Über Ninas Gesicht flog ein schuldbewusster Ausdruck, und Sophie musste an sich halten, sie nicht zu schlagen.

»Wir hatten uns getrennt, das musst du mir glauben. Aber unsere Gefühle waren stärker.«

Sophie lachte höhnisch auf. »Ach Gottchen, da kommt ja wieder die Kitsch-Jule aus der Teenagerzeit zum Vorschein, die einen Liebesroman nach dem anderen verschlingt.« Sie äffte Ninas letzte Worte nach. »›Unsere Gefühle waren stärker.‹ *Ich könnte kotzen, wenn ich das höre.«*

»Es tut mir leid, Sophie. Ich hatte nie die Absicht, dir wehzutun.«

»Ach nein, hattest du nicht? Und warum tust du es dann immer wieder? Hat es dir nicht gereicht, mich damals im Stich zu lassen, weil du ja unbedingt deinen eigenen Weg gehen wolltest? Musstest du mir jetzt auch noch den einzigen Mann wegnehmen, den ich jemals geliebt habe?«

Nina schwieg.

Sophie ballte die Hände zu Fäusten und trat nah an sie heran. »Ich bin schwanger, Nina. Hat Bent dir das etwa nicht erzählt?«

»Doch, das hat er.«

Die Gelassenheit in ihrer Stimme brachte Sophie noch mehr auf. »Du brauchst dir trotzdem keine Hoffnung zu machen. Er würde sein Kind nie für eure Beziehung opfern.«

»Du machst dir etwas vor, Sophie.«

Sie spürte ihren Herzschlag gegen die Rippen wummern und atmete mehrere Male tief durch, um sich zu beruhigen. Aber es gelang ihr nicht, die Welt um sie schien in einen roten Schleier getaucht.

»Warum kommst du zu mir?«, stieß sie schließlich hervor. »Wieso ist Bent nicht Manns genug, es mir zu sagen?« Ein Schrei brach aus ihrer Kehle. »Beim ersten Mal hat er doch auch keine Probleme damit gehabt!«

»Bent weiß nicht, dass ich hier bin«, sagte Nina leise.

Sophie starrte sie an, während die Worte in ihr Bewusstsein sickerten und sich schließlich die einzig logische Schlussfolge-

rung vor ihr ausbreitete. »Dann würde er also weiterhin zweigleisig fahren? Einen Tag fickt er dich und den anderen mich? Oder wie muss ich das verstehen?«

Nina stand auf und begann im Raum hin- und herzugehen, bis sie vor dem Kamin stehen blieb und ihr den Rücken zuwandte.

Sophie riss sie herum. »Antworte mir!« Als Nina nicht reagierte, brach sich der Hass endgültig Bahn.

Wie der Schürhaken in ihre Hände gekommen war, konnte Sophie im Nachhinein nicht mehr sagen. Sie kam erst wieder zur Besinnung, als es vorbei war.

»Frau Brechtmann?«

Sophie starrte vor sich hin und schien auf einmal weit weg zu sein.

»Frau Brechtmann? Wie ging es dann weiter?«, fragte Norberg.

Sophies Blick richtete sich auf die Tischplatte. »Nina hat nichts auf meine Bemerkung erwidert, aber für mich war die Sache klar. Bent wollte sie, und ich war nur deshalb wichtig für ihn, weil er die Hotelaufträge zurückwollte. Und natürlich hatte er auch Angst, dass sein Kind ohne ihn aufwachsen würde. Wenn Nina mich nicht aufgeklärt hätte, wäre er weiterhin zweigleisig gefahren, und ich dumme Kuh hätte es nicht gemerkt. So gesehen hätte ich ihr dankbar für die Aufklärung sein müssen. Aber das war ich nicht, ich habe Borotgesehen und ihr eine Ohrfeige verpasst. Sie fiel zu Boden. Ich habe mich neben sie gekniet und gesehen, dass sie bewusstlos war und eine Wunde am Hinterkopf hatte. Sie war gegen das Kaminbesteck gefallen. Ich war total in Panik und wusste nicht, was ich tun sollte.« Sie schlug die Hände vor das Gesicht und schluchzte auf. »Meine Reaktion war ein Reflex, ich wollte sie doch nicht verletzen, das müssen Sie mir glauben.«

»Sie sagten, dass Sie Nina nur eine Ohrfeige gegeben haben«, sagte Anna. »Ist es wirklich dabei geblieben, oder haben Sie in Ihrer Wut womöglich noch mit etwas anderem auf sie eingeschlagen?« Es war wichtig, hierzu eine Aussage zu erhalten, um diese beim Auffinden von Ninas Leiche überprüfen zu können.

Sophie starrte sie mit einem entsetzten Ausdruck an. »Nein, wie kommen Sie darauf? Ich habe ihr nur eine Ohrfeige verpasst.«

»Was haben Sie getan, nachdem Sie sahen, dass Nina bewusstlos war?«, fragte Norberg.

Sophie holte tief Luft und starrte auf ihre im Schoß verschränkten Hände. »Ich wusste nicht mehr weiter und habe meine Mutter angerufen.«

Anna wechselte einen verwunderten Blick mit Norberg. »Ihre Mutter?«, fragte sie ungläubig. »Wieso haben Sie keinen Krankenwagen gerufen?«

Sophies Stimme zitterte. »Weil ich Angst hatte! Mein Gott, ich hatte Nina doch nur eine Ohrfeige gegeben, ich konnte doch nichts dafür, dass sie unglücklich gefallen ist. Aber wer hätte mir das geglaubt?«

»Und dann wollten Sie, dass Ihre Mutter Ihnen die Entscheidung abnimmt, oder wie sollen wir das jetzt verstehen?«, fragte Anna aufgebracht. Sie hatte Sophie Brechtmann bisher als toughe Geschäftsfrau kennengelernt, die ihre Interessen zu wahren wusste. Diese Frau brauchte mit Sicherheit niemanden, der ihr Entscheidungen abnahm. Was war da gelaufen?

Als Sophie schwieg hakte Anna nach. »Ist Ihre Mutter gekommen?«

»Ja.«

»Wo ist sie?«

»Im Wohnzimmer.«

Als Constanze den Raum betrat, verharrte sie für einen Moment, und Sophie hörte, wie sie scharf die Luft einsog. »Mein Gott, Kind, was hast du getan?«

Sophie schluchzte auf. »Sie wollte, dass ich Bent freigebe. Die beiden sind immer noch zusammen.«

»Aber das ist doch kein Grund …«, sagte Constanze, und Sophie erlebte zum ersten Mal in ihrem Leben, dass ihre Mutter fassungslos war. Constanzes Blick irrte umher. Über das Blut auf dem Teppichboden, die Spritzer an der Kamineinfassung und der Wand, bis er schließlich an Ninas zerstörtem Gesicht hängen blieb. Constanze ging in die Hocke und legte zwei Finger an Ninas Halsschlagader. Ihr Atem ging schwer, als sie sich wieder erhob und Sophie anschaute. »Sie ist tot.«

Tot. *Das Wort hallte in Sophies Kopf nach.* Tot. *Sie horchte in sich hinein, aber da war kein Gefühl des Bedauerns über ihre Tat, sondern nur die jähe Erkenntnis, dass sie aus dieser Sache jetzt so gut wie möglich rauskommen musste.*

»Oh, mein Gott! Das wollte ich nicht!«

Das Weinen auf Kommando war ihr noch nie schwergefallen, und auch jetzt klappte es auf Anhieb. Sie musste allerdings aufpassen, dass sie nicht überzog. Constanzes Antennen versagten zwar kläglich, wenn es um sie ging, aber man musste die Sache ja nicht ausreizen. Wichtig war jetzt, dass Constanze ihr half. Und das würde sie tun, selbst in dieser Situation, davon war Sophie überzeugt. Constanze würde sich wie eine Löwenmutter für sie in den Ring werfen, selbst wenn sie dabei zugrunde ging.

»Was sollen wir denn jetzt tun, Mama?« Sophie zog ein Papiertaschentuch aus der Hosentasche und wischte sich über ihr Gesicht.

Constanze erwiderte nichts, sondern blickte wieder auf Nina hinab.

»Mama? Bitte, du musst mir helfen!«

Sophie Brechtmann brach in Tränen aus und gab zu Protokoll, dass ihre Mutter zu einem Sofakissen gegriffen und Nina damit erstickt hätte. Sie selber hätte wie paralysiert danebengestanden und nichts tun können. Erst als Constanze sie angeherrscht hatte, dass sie Ninas Leiche und auch den Teppichboden entsorgen mussten, damit keine Spuren zurückblieben, sei sie wieder zu sich gekommen.

An diesem Punkt unterbrachen Anna und Norberg die Vernehmung, um sich zurückzuziehen und zu besprechen.

»Können wir ihr glauben?«, grübelte Norberg. »Wenn ihre Schilderung der Wahrheit entspräche, würde Constanze

Brechtmann wegen des Tötungsdelikts angeklagt werden. Sophie wäre wegen Tatbeteiligung zwar auch dran, aber ein gewiefter Anwalt könnte sie da unter Umständen raushauen.«

Anna seufzte, denn sie hatte sich natürlich dieselbe Frage gestellt. »Ich habe den Eindruck, dass sie eine große Show abzieht. Die Frau ist doch eiskalt und nur auf ihren Vorteil bedacht. Forsgren hat ausgesagt, dass er manchmal das Gefühl gehabt hätte, dass Sophie ihre Mutter rausdrängen wollte, um das alleinige Sagen zu haben. Deshalb halte ich es durchaus für möglich, dass sie Nina umgebracht hat und jetzt versucht, alles auf ihre Mutter zu schieben. Eine bessere Möglichkeit, an die Spitze der Firma zu gelangen, wird sich ihr nicht bieten, selbst wenn sie eine kurze Strafe absitzen würde. Constanze Brechtmann wandert für lange Zeit ins Gefängnis, und Sophie kann endlich schalten und walten, wie sie will.«

»Die Frage ist, was Constanze Brechtmann aussagen wird. Wenn sie den Mord nicht begangen hat, wird sie ihn sich kaum von ihrer Tochter unterschieben lassen.«

»Oh, unterschätzen Sie den Mutterinstinkt nicht. Ich kann da zwar nicht persönlich mitreden, aber solche Fälle hat es immer wieder gegeben. So etwas müssten Sie als Vater doch nachvollziehen können.«

»Ja, auszuschließen ist es nicht. Das Problem ist nur, dass man uns im Moment sonst was erzählen kann. Solange Ninas Leichnam nicht gefunden wird, können wir nicht überprüfen, ob Sophies Aussage stimmt.« Norberg wiegte nachdenklich den Kopf. »Falls sie die Wahrheit gesagt haben sollte, wird sie uns zu ihm führen.«

»Vielleicht pokert sie aber auch.«

»Wie meinen Sie das?«

»Seit dem Mord an Nina sind jetzt mehr als zwei Wochen vergangen, und das bedeutet, dass ihr Leichnam mittlerweile ein gewisses Verwesungsstadium erreicht hat, wo immer er sich auch befinden mag. Vielleicht geht Sophie davon aus, dass man die Todesursache deshalb nicht mehr nachweisen kann und ihr somit nicht auf die Schliche kommen würde, falls sie Nina getötet haben sollte. Also würde sie ihrer Meinung nach auch nicht in Gefahr geraten, wenn sie uns den Ort nennt. Für ihr Verständnis würde sie damit ja sogar ihren guten Willen zeigen.«

Norberg erhob sich. »Probieren wir's aus.«

»Was geschah mit Ninas Leiche?«, setzte Anna die Vernehmung fort. »Wohin haben Sie sie gebracht?«

Sophie schluckte. »Wir haben sie in zwei Müllsäcke gewickelt und im Kofferraum ihres Wagens verstaut. Meine Mutter kennt einen verlassenen Bauernhof im Tümlauer Koog, der abseits der Koogstraße liegt. Auf dem Weg dorthin ist dann dieser Unfall passiert.« Sophie schlug die Hand vor den Mund, ein Schluchzen drang aus ihrer Kehle.

Na, jetzt bin ich aber mal gespannt, dachte Anna. »Wer hat Ninas Wagen gefahren?«

»Meine Mutter. Sie ist vorausgefahren, weil ich den Weg nicht kannte. Ich bin ihr mit meinem Wagen gefolgt, denn wir mussten ja wieder zurückkommen.«

»Dann hat Ihre Mutter den Unfall verursacht«, sagte Norberg.

Sophie nickte. »Ich war ein Stück hinter ihr. Als wir losgefahren waren, hatte es zu regnen begonnen, und auf den

Straßen war teilweise so ein richtiger Schmierfilm. Plötzlich leuchteten die Bremslichter auf, und dann sah es so aus, als würde der Wagen ins Schleudern geraten. Schließlich blieb er quer auf der Straße stehen. Als ich rangekommen war, hab ich die beiden Menschen auf der Straße liegen sehen und ein Mofa am Straßenrand. Constanze hat gesagt, dass bei dem Mofa kein Rücklicht geleuchtet hätte und sie deshalb zu spät darauf aufmerksam geworden sei.«

»Das entspricht nicht der Wahrheit«, sagte Norberg. »Laut dem hinzugezogenen Unfallsachverständigen war die Rückleuchte intakt.«

Sophie wirkte für einen Moment irritiert, dann sprach sie schnell weiter. »Kann sein, das weiß ich nicht. Meine Mutter trieb mich jedenfalls an, weiterzufahren und uns nicht mit diesem Unfall aufzuhalten. Ich stand unter Schock, sonst hätte ich doch sofort einen Rettungswagen gerufen.«

Anna musste an sich halten, ihr Entsetzen nicht offenkundig werden zu lassen, denn eine derartige Gefühllosigkeit war ihr noch nicht begegnet.

Wie musste ein Mensch gestrickt sein, der kurz vorher einen eiskalten Mord begangen hatte und dann zwei Menschen am Straßenrand liegen ließ, die er überfahren hatte?

Und wieder stand die Frage im Raum, ob nicht doch Sophie den Wagen gefahren hatte und jetzt versuchte, auch dieses Delikt auf ihre Mutter abzuwälzen.

»Sie sind dann also weitergefahren, ohne sich um die Unfallopfer zu kümmern«, stellte Norberg fest, dessen Gesicht keine Gefühlsregung anzumerken war.

»Ja, wie gesagt ...« Sophie zuckte kurz mit den Schultern.

»Schon klar, Sie konnten sich nicht mit dem Unfall aufhalten, schließlich mussten Sie ja Ninas Leichnam entsorgen.« Anna gelang es nicht, die Bemerkung zu unterdrücken, dazu war sie einfach zu aufgewühlt. Sophie Brechtmann reagierte allerdings nicht darauf.

Norberg hatte in der Zwischenzeit Google Maps auf seinem Tablet aufgerufen und vergrößerte den Bereich um St. Peter-Ording. »Wo haben Sie Nina hingebracht?«

Sophie warf einen Blick auf die Karte und deutete auf die Tümlauer Chaussee, die kurz hinter Brösum linker Hand von der B202 abzweigte und nach einiger Zeit in die Koogstraße überging. Sie vergrößerte den Bereich ein weiteres Mal und deutete dann auf einen Punkt, an dem die Koogstraße weiter geradeaus führte, es aber zwei Abfahrten mit demselben Namen gab, von denen der linke Weg zum Tümlauer Hafen führte und der rechte ins Marschland. »Hier ist es.« Sophie wechselte zur Satellitenansicht und zoomte so weit herunter, bis abseits der Straße auf der rechten Seite ein Bauernhof zu erkennen war. Die Scheune, in der sie Ninas Wagen gefunden hatten, war einige Hundert Meter dahinter zu erkennen.

Anna wusste von Norberg, dass die Spurensicherung das gesamte Terrain durchkämmt hatte. Wieso war Ninas Leichnam nicht gefunden worden? »Wo genau finden wir Nina?«

»In einer ehemaligen Klärgrube beim Bauernhof.«

Norberg forderte umgehend das SpuSi-Team aus Flensburg für die Öffnung der Grube und die Durchsuchung von Sophie Brechtmanns Haus sowie die Rechtsmedizin aus Kiel an.

Währenddessen scannte Nils Scheffler Sophies Fingerabdrücke ein und nahm eine DNA-Probe.

Bevor sie zum Bauernhof aufbrachen, erteilte Norberg Scheffler und einem weiteren Kollegen den Auftrag, Constanze Brechtmann am Flughafen in Hamburg abzuholen und ebenfalls vorläufig festzunehmen. Auch bei ihr sollten die Fingerabdrücke genommen und eine DNA-Probe sichergestellt werden, die umgehend nach Flensburg gebracht werden musste. Sophies Mutter würde um zehn nach drei in Hamburg eintreffen, wie sie ihrer Tochter in einer Whatsapp-Nachricht mitgeteilt hatte, die während der Vernehmung eingegangen war. Sophie würde ebenfalls in Gewahrsam bleiben.

»Constanze Brechtmann darf auf keinen Fall Kontakt zu ihrer Tochter haben«, schärfte Norberg den Kollegen ein. »Wir müssen jede weitere Absprache vermeiden. Es ist davon auszugehen, dass Frau Wagner und ich noch in die Rechtsmedizin fahren, falls der Leichnam nicht vor Ort identifiziert werden kann. Wovon ich ausgehe. Das bedeutet, dass wir spät zurückkommen werden und die weiteren Vernehmungen dann erst morgen stattfinden können.«

»Mir will nicht in den Kopf, warum die SpuSi Ninas Leichnam nicht gefunden hat«, schimpfte Norberg auf dem Weg. »Nach dem Fund ihres Wagens haben sie den Hof und das umliegende Terrain doch ebenfalls unter die Lupe genommen.«

Anna hatte sich diese Überlegung ebenfalls durch den Kopf gehen lassen. »Sie waren bei dieser Aktion doch die ganze Zeit über dabei, oder?«

»Ja, bis die Kollegen uns am frühen Morgen nahegelegt haben, ihnen nicht mehr vor den Füßen rumzustehen.«

»Sophie hat doch ausgesagt, dass die Klärgrube nicht so ohne Weiteres zu entdecken ist und sie vor ihrer Abfahrt auch noch Buschwerk darauf verteilt hätten.«

»Das dürfte für ein gutes SpuSi-Team aber nun wirklich kein Problem sein«, sagte Norberg aufgebracht. »Aber da sieht man mal wieder, dass die SpuSi-Teams der einzelnen Kripodienststellen lange nicht so gut beschult sind wie die in unseren Bezirkskriminalinspektionen.«

»Ach, deshalb haben Sie Husum diesmal außen vor gelassen«, grinste Anna.

»Ja nun, ich arbeite eben lieber mit Profis.«

Anna lachte und warf einen Blick aus dem Autofenster. Bisher hatte sie noch nichts von St. Peter-Ordings Umgebung gesehen, aber das würde sie nachholen, denn auch wenn sie nach Beendigung des Falls nach Kiel zurückmusste, war sie entschlossen, St. Peter immer wieder Besuche abzustatten. Mit dessen Umgebung musste man sich allerdings erst einmal anfreunden, wie sie sich jetzt eingestand, vor allem wenn man aus Bayern stammte und Berge gewohnt war.

Plattes Land zu beiden Seiten der Straße, immer wieder von schmalen Wasserläufen durchzogen. Vereinzelte Gehöfte, hin und wieder kleinere Baumgruppen. Natur pur, aber ebenso Einsamkeit. Dafür musste man geschaffen sein.

Als die Tümlauer Chaussee in die Koogstraße überging, kam linker Hand der Deich ins Blickfeld, auf dem eine Vielzahl von Schafen graste. Auch auf der Grasfläche, die ein Zaun zur Straße hin begrenzte, tummelten sich einige Tiere.

Annas Gurt straffte sich, als Norberg unvermutet bremste und den Wagen am rechten Seitenstreifen zum Stehen brachte. Er schaltete das Sondersignal auf dem Wagendach ein, öffnete die Tür und lief zu den Schafen hinüber. Sie beobachtete, wie er ein auf dem Rücken liegendes Tier packte und es hochzog, damit es wieder auf die Füße kam.

»Was war das denn?«, wollte sie wissen, als Norberg zurückgekommen war und wieder auf dem Fahrersitz Platz genommen hatte.

»Schafe schubsen.« Er startete den Motor und warf ihr einen kurzen Seitenblick zu, bevor er anfuhr. »Kennen Sie das nicht?«

Sie schüttelte verwundert den Kopf. »Nie gehört.«

»Aber Schafe gibt es doch auch in Bayern.«

»Das ist mir trotzdem noch nicht untergekommen«, rechtfertigte sie sich.

»Wenn Sie ein Schaf auf dem Rücken liegen sehen, müssen Sie ihm immer ins Fell greifen und es hochziehen«, erklärte Norberg. »Von allein schafft es das nämlich häufig nicht und würde dann qualvoll verenden. Im Frühjahr werden Sie das oft sehen, weil dann viele Schafe trächtig sind und zudem noch eine Menge Wolle am Körper tragen. Wenn es dann wärmer wird, juckt es die Tiere natürlich, und sie wälzen sich auf dem Boden. Und dann schaffen sie es mit ihren kurzen Beinen häufig nicht mehr, hochzukommen.«

Schafe schubsen. Wieder was dazugelernt. Der Hinweis auf das Frühjahr hatte ihr allerdings einen Stich versetzt, auch wenn Norberg das nur ganz allgemein erwähnt haben dürfte. »Im Frühjahr bin ich nicht mehr hier«, hörte sie sich trotzdem sagen und kam sich im selben Moment dumm vor, weil ihr bewusst wurde, dass sie gerade ziemlich kläglich geklungen hatte.

Für einen Moment herrschte Schweigen. »Würden Sie denn gerne bleiben?«, fragte er dann.

»Ja«, gab sie zu. »Ich habe zwar noch nicht viel von St. Peter gesehen, aber ich fühle mich hier sehr wohl. Und was die Zusammenarbeit mit den anderen Kollegen anbelangt, wäre ich auch optimistisch. Von dem, was ich bisher mitbekommen habe, scheint mir das ein sehr angenehmes Team zu sein, in dem es keine Konkurrenzkämpfe gibt. Abgesehen von Paulsen natürlich.« Sie seufzte. »Aber solche Überlegungen sind natürlich vollkommen illusorisch. Meine Stelle ist im LKA angesiedelt, und das hat nun mal seinen Sitz in Kiel. Außerdem ist in der hiesigen Polizeistation die Schutzpolizei zuständig. Da hat eine Kripotante wie ich nichts verloren. Und es ist ja auch noch überhaupt nicht sicher, ob die Befristung aufgehoben wird. Vielleicht muss ich im Januar schon wieder nach München zurück.« Das war im Moment der schlimmste Gedanke von allen. So weit war sie nämlich noch lange nicht. Dann lieber Kiel.

Norberg schwieg eine Weile. Dann: »Vielleicht ergibt sich in der Zwischenzeit ja noch etwas anderes.«

Sein Tonfall ließ sie aufhorchen. »Ist Ihnen denn etwas bekannt?«

Er verzog das Gesicht, als bereue er, zu viel gesagt zu haben. »Mir ist da was zu Ohren gekommen, was allerdings noch nicht spruchreif ist«, sagte er schließlich. »Tut mir leid, ich hätte es nicht erwähnen sollen. Ich möchte keine falschen Hoffnungen wecken.«

Anna überlegte, ob sie in ihn dringen sollte, beschränkte

sich dann aber: »Wenn es aktuell wird und etwas für mich sein sollte, wäre ich für eine Nachricht dankbar.«

Norberg nickte. »Auf jeden Fall.«

Anna Wagners Bemerkung hatte seinem Gedächtnis endlich auf die Sprünge geholfen und die Erinnerung an eine länger zurückliegende Besprechung im LKA geweckt. Es hatte die Überlegung im Raum gestanden, ein Dezernat einzurichten, deren Mitarbeiter die vier Mordkommissionen des Landes bei aktuellen aber auch bei zurückliegenden ungelösten Vermisstenfällen unterstützen sollten, wie es die Cold Case Unit bei ungelösten Tötungsdelikten tat. Da musste er nach Beendigung des aktuellen Falls einmal nachhaken …

Einige Minuten später erreichten sie den Bauernhof. Norberg parkte den Streifenwagen auf der kopfsteingepflasterten Auffahrt, und da das Eintreffen der Spurensicherung und des Rechtsmediziners noch dauern würde, wollten Anna und er erst einmal allein Ausschau nach der Klärgrube halten.

Sophie Brechtmann hatte ausgesagt, dass sich diese ungefähr fünfhundert Meter von der Längsseite der größeren Scheune entfernt unter einigen Bäumen befände. Die Abdeckung sei aus grünem Kunststoff und wäre größtenteils von Gras überwuchert gewesen.

Einen Tag nach dem Fund von Nina Brechtmanns Wagen war der Hof wieder freigegeben worden. Vereinzelt flatterte noch rot-weißes Absperrband in einer leichten Brise herum. Nachdem Norberg das Anwesen seinerzeit nur nachts und von den starken Scheinwerfern der Spurensicherung erleuchtet gesehen hatte, sah er sich jetzt noch einmal aufmerksam um.

Der Hof war in U-Form angelegt, mit dem Haupthaus in der Mitte und zwei unterschiedlich großen Scheunen zu beiden Seiten. Das Mauerwerk des Haupthauses, das aus rotem Backstein bestand, war verwittert, die Eternitziegel des Daches hatten den Wetterbedingungen nur zum Teil standgehalten. Eine Vielzahl hatte sich gelöst und über das Dach verteilt, andere waren heruntergefallen.

Die beiden Scheunen sahen ähnlich baufällig aus. Auf dem Hof wucherte das Unkraut zwischen den Kopfsteinen, überall lag Gerümpel herum.

Sophie hatte ausgesagt, dass der Hof vor fünf Jahren nach dem Tod des Besitzers aufgegeben worden war, da es keine Nachkommen gegeben hatte. Ihre Mutter hatte den Mann noch aus der Schule gekannt und vor seinem Tod, als er bereits schwer krank darniederlag, Überlegungen angestellt, den Hof zu erwerben, um dort mehrere luxuriöse Appartements entstehen zu lassen, verbunden mit Angeboten für gestresste Führungskräfte. Urlaub in wunderbarer Abgeschiedenheit hinter dem Deich, in dem man wieder zur Ruhe kam und zu sich selbst fand, in Kombination mit den unterschiedlichsten Wellnessangeboten. Nach eingehenden Überlegungen hatte Constanze Brechtmann dann allerdings Abstand von dem Projekt genommen, da die Investitionen immens gewesen wären und sie Zweifel überkommen hatten, dass sie ihre Zielgruppe an diesen Ort bekam.

»Urlaub auf dem Bauernhof könnte ich mir hier ja noch vorstellen«, sagte jetzt Anna Wagner kopfschüttelnd zu Norberg, »aber dieser ganze Schickimickikram für irgendwelche Großkopferten, die sich in ihrem Burn-out suhlen, ist doch nun wirklich eine Schnapsidee gewesen. Die lassen sich mit Sicherheit nicht in dieser Abgeschiedenheit nieder, wenn ein paar Kilometer entfernt *der* Hotspot an der Nordsee liegt.«

»Das ist Constanze Brechtmann dann ja offensichtlich auch klar geworden«, meinte Norberg und setzte sich in Bewegung.

Obwohl Sophie Brechtmann die Lage der Klärgrube beschrieben hatte, war diese nicht auf Anhieb zu finden. Sie stießen zwar auf die erwähnten Bäume, konnten die Grube aber nicht darunter entdecken, da überall Zweige und Äste über den Boden verteilt lagen und sie nichts anfassen durften. Erst als sie sich schon entschlossen hatten, zur Auffahrt zurückzugehen, sah Norberg bei nochmaligem genauen Hinsehen etwas Grünes durch die Zweige schimmern, was sich vom Farbton von der Umgebung abhob. Er machte Anna darauf aufmerksam. »Das könnte der Deckel sein, oder?«

Sie runzelte die Stirn und hob dann etwas hilflos die Schultern. »Puh, das kann ich ohne Brille nicht erkennen.«

Verwundert blickte Norberg sie an. »Bisher haben Sie doch auch keine getragen.«

»Das stimmt, aber ich sollte das jetzt wohl mal in Angriff nehmen.« Sie wandte sich um. »Können Sie mir den Stadel zeigen, in dem Ninas Wagen gefunden wurde?«

»Wenn Sie hierbleiben wollen, müssen Sie aber unsere Sprache lernen. Stadel haben wir hier nicht, nur Scheunen.«

»Wenn i dobleib, lern i's scho noch.«

In der Scheune sah Anna sich aufmerksam um und sondierte anschließend das äußere Terrain. Schließlich warf sie einen nachdenklichen Blick zum Hof zurück. »Merkwürdig«, sagte sie leise.

»Was meinen Sie?«

»Ich wundere mich, dass der Wagen nicht weiter entfernt versteckt wurde. Die Brechtmanns mussten doch damit rechnen, dass er irgendwann gefunden wird und hier dann Untersuchungen in einem großen Umkreis stattfinden werden.«

»Ich schätze, dass es mit dem Unfall zusammenhängt. Sie mussten den Wagen so schnell wie möglich loswerden, da überlegt man nicht mehr groß.«

Sie diskutierten diesen Punkt noch, als plötzlich Motorengeräusch erklang und sie auf den Transporter der Spurensicherung und den Wagen des Rechtsmediziners aufmerksam wurden, die sich im Schritttempo auf dem unbefestigten Weg näherten, der zum Hof führte.

»Moin, Hendrik«, grüßte Krischan Garbers, nachdem er den Wagen verlassen hatte. »Erst sieht man sich ewig nicht und dann fast jeden Tag.«

»Tja, so kann's kommen.« Norberg stellte Anna dem Rechtsmediziner Dr. Leiners und den SpuSi-Kollegen vor und händigte Garbers dann das Röhrchen mit der DNA-Probe von Sophie Brechtmann aus. »Untersucht das bitte so schnell wie möglich. Ebenso die Fingerabdrücke der Frau, die müsstet ihr schon erhalten haben. Wir müssen wissen, ob sie mit den Abdrücken, die ihr in Nina Brechtmanns Wagen gefunden habt, übereinstimmen.«

Garbers warf einen Blick auf die Beschriftung. »Sophie Brechtmann. Ja, der Abgleich steht heute noch an.«

»Prima. Ihr bekommt später dann noch das Material ihrer

Mutter, das ebenfalls mit den Spuren aus dem Wagen abgeglichen werden muss. Auf jeden Fall auch noch heute.«

»Du bist wirklich ein Schinder, Hendrik Norberg, hat dir das schon mal jemand gesagt?« Garbers' Grinsen nahm seinen Worten die Schärfe.

»Ja, doch, schon öfter.« Wenn's weiter nichts war, damit konnte er leben.

»Du hast am Telefon gemeint, dass die SpuSi-Kollegen aus Husum schlampig gearbeitet haben, weil sie nicht auf die Grube aufmerksam geworden sind«, fuhr Garbers fort, während er in einen Schutzanzug stieg.

»Es sieht mir verdammt danach aus. Wir hatten zwar auch Mühe, sie zu finden, aber nur weil wir das ganze Zeug auf dem Boden nicht beiseiteräumen wollten. Hätten die Kollegen das getan, hätten sie die Grube entdecken müssen.«

»Nun gut, aber zu dem Zeitpunkt hat noch niemand nach einer Leiche Ausschau gehalten«, wandte Garbers ein und zog als Letztes die Überzieher über seine Schuhe.

»Ich bitte dich, Krischan«, sagte Norberg, mittlerweile leicht gereizt. »Wir hatten einen Vermisstenfall, da zieht man doch vielleicht mal eins und eins zusammen.«

Garbers erwiderte nichts, aber Norberg war überzeugt, dass er die Sache nicht auf sich beruhen lassen, sondern die Kollegen zur Rede stellen würde.

Sie machten sich auf den Weg, und Norberg zeigte den Kollegen die Stelle, an der er die Grube vermutete. Seine Annahme erwies sich als richtig.

»Sieht aus, als hättest du recht«, räumte Garbers ein, nachdem er einen Teil des Laubwerks vorsichtig zur Seite geräumt hatte und eine dunkelgrüne Kunststoffabdeckung zum Vorschein gekommen war. Garbers winkte seine Mitarbeiter heran. »Dann wollen wir mal.«

Die Kollegen sperrten den Bereich ab und verbannten Norberg und Anna hinter das rot-weiße Band. Zwei Mitarbeiter machten sich an der runden Abdeckung zu schaffen, die nach Norbergs Einschätzung einen Durchmesser von anderthalb Metern aufwies und sich nur mit Mühe öffnen ließ. Es dauerte einige Zeit, bis die Kollegen sie endlich hochgewuchtet und zur Seite gelegt hatten.

»Puh.« Anna Wagner trat einen Schritt zurück, und Norberg fragte sich, ob sie bei ihrer bisherigen Arbeit überhaupt schon mal eine Leiche zu sehen bekommen hatte. Der Verwesungsgeruch, der sich nach dem Öffnen der Grube wie ein Pesthauch über alles und jeden zu legen schien, peinigte auch ihn, aber ihm war er wenigstens vertraut.

Garbers und der Rechtsmediziner standen neben der Grube und hatten die Aktion beobachtet. Jetzt warf Garbers einen Blick hinein und hob die rechte Hand mit hochgestrecktem Daumen in Norbergs Richtung.

Sie waren also fündig geworden. Norbergs Anspannung wuchs. Er beobachtete, wie die beiden Kollegen, die die Abdeckung entfernt hatten, bäuchlings an die Grube heranrobbten und sich – soweit wie möglich – in den Schacht hinunterbeugten, während sich zwei weitere Mitarbeiter auf ihre Beine hockten, damit sie nicht hineinfielen. Es dauerte einige Zeit, aber schließlich gelang es den Männern mit vereinten Kräften, ihren Fund an die Oberfläche zu befördern.

Der Leichnam war in zwei schwarze Müllsäcke gehüllt. Jeweils ein Sack von oben und unten, in der Mitte des Körpers mit Klebeband umwickelt, damit sie sich nicht lösten. Wie weit die Verwesung fortgeschritten war, würden sie in der Rechtsmedizin sehen können, da die Müllsäcke erst dort nach dem Erstellen einer Computertomografie entfernt würden. Das war die übliche Praxis, weshalb Norberg jedes Mal einen dicken Hals bekam, wenn die Ermittler in Fernsehkrimis an den Leichen herumfummelten, und das meistens auch noch ohne Schutzanzug.

Er wandte sich an Anna, um ihr weiteres Vorgehen abzusprechen. »Ich schlage vor, dass wir mit nach Kiel in die Rechtsmedizin fahren.«

»Auf jeden Fall!«, bekräftigte sie. »Auch wenn wir beide doch wohl davon ausgehen, dass es sich um Nina Brechtmann handelt.«

Er nickte. »Alles andere wäre ja nun wirklich sehr unwahrscheinlich.«

»Sie dürfte es sein.« Garbers war neben sie getreten, in der einen Hand einen eingetüteten Personalausweis, in der anderen einen kleinen Rucksack, der ebenfalls in einem Asservatenbeutel steckte. »Das lag in einem Müllbeutel unter dem Leichnam.« Er reichte Norberg den Beutel mit dem Ausweis.

Nina Brechtmann.

56

Nina war tot, und sie hatten ihre Leiche gefunden, ohne sie bisher formal identifizieren zu können. Die Frage der Kommissarin nach auffälligen körperlichen Merkmalen von Nina ließ keinen anderen Schluss zu.

Mit einem Aufschrei warf Forsgren sein Smartphone auf das Sofa. Verdammt noch mal, warum hatten sie ihm keine Informationen gegeben? Er musste doch wissen, was mit Nina war, er hatte ein Recht darauf, es zu erfahren!

»Nina, mein Gott!« War sein Hinweis auf den Teppichboden ausschlaggebend gewesen, oder hatte die Polizei andere Anhaltspunkte gefunden, die zur Entdeckung von Ninas Leiche geführt hatten?

Er griff nach dem Handy, aber die Nummer der Kommissarin war besetzt. Nach weiteren Fehlversuchen gab er auf, sie würde ihm auch dieses Mal nicht mehr sagen.

Er barg seinen Kopf in den Händen, und je länger er nachdachte, umso überzeugter war er, dass Sophie Nina getötet hatte. Weder sie noch Constanze hatten sich seit seiner überstürzten Flucht in Westerhever gemeldet, das war doch ein eindeutiges Indiz, dass sie Gründe hatten, sich still zu verhalten, und vielleicht sogar die Vermutung hegten, dass er bezüglich des Bluts im Teppichboden seine eigenen Überlegungen angestellt und diese jetzt auch weitergegeben hatte.

Als er das Gefühl hatte, in der nächsten Minute verrückt zu werden, sprang er auf und hastete in den Flur, wo er in seine

Sneakers stieg und aus der Wohnung rannte. Getrieben von dem einzigen Gedanken, Sophie zur Rede zu stellen.

Im Hotel nahm er die Treppe in den dritten Stock, zwei Stufen auf einmal. Vor der Tür zur Suite blieb er stehen und hämmerte mit beiden Fäusten dagegen. »Sophie! Mach auf!« Als eine Reaktion ausblieb, trat er mit den Füßen gegen das Türblatt, aber auch jetzt öffnete die Tür sich nicht. Wild blickte er um sich und wurde auf eine Frau vom Roomservice aufmerksam, die in eine Flurnische geduckt stand und ihn mit erschrockenen Augen anstarrte. Ihr Anblick brachte ihn wieder zur Besinnung. Er ging auf sie zu und hob beide Hände in einer beschwichtigenden Geste, als sie vor ihm zurückzuweichen versuchte.

»Tut mir leid, ich … ich wollte Sie nicht erschrecken.« Er machte eine Bewegung in Richtung der Suite. »Ich suche Sophie Brechtmann. Wissen Sie, wo sie sich aufhält?«

Die Angestellte schien ihren Schreck noch nicht überwunden zu haben, ihre Stimme zitterte, als sie zu einer Antwort ansetzte. »Frau Brechtmann ist vorhin von der Polizei abgeholt worden.«

Er starrte sie an und fühlte sich, als wäre ein Stromschlag durch seinen Körper gegangen. Dann brach er in ein irres Gelächter aus.

57

Nach der Ankunft in der Rechtsmedizin gingen Anna und Norberg zunächst in einen Warteraum, weil Dr. Leiners die äußere Leichenschau generell nur mit einem seiner Mitarbeiter vornahm und dabei keine Zuschauer duldete. Rechtsmediziner und ihre Eigenheiten, hatte Anna gedacht. Das scheint ja überall das Gleiche zu sein.

Norberg war während der Wartezeit ans Fenster getreten und hatte ein Telefonat geführt, von dem einige Gesprächsfetzen zu ihr gedrungen waren. Sie hatten ausgereicht, um ihr begreiflich zu machen, dass es um die Betreuung seines jüngsten Sohnes ging, da Norberg davon ausging, erst am Morgen nach Hause zurückzukehren. Als er wieder neben ihr Platz nahm, gelang es ihm nicht, einen Seufzer zu unterdrücken.

»Meine Schwiegereltern wollen Finn zu sich holen, wenn sein Freund Daniel mit seinen Eltern in Urlaub fährt. Dann hat er Abwechslung, und Corinna muss nicht jeden Tag bei uns das Haus hüten.« Er rieb sich über die Augen. »Ich hatte gedacht, dass ich mich um meine Jungs kümmern kann, meine Frau hat das ja schließlich auch neben ihrem Job geschafft. Aber bisher habe ich jeden Tag feststellen müssen, dass ich hier einem Irrtum unterlegen bin.«

Anna bemühte sich, ihre Verwunderung nicht zu zeigen, denn sie hatte nicht damit gerechnet, dass Norberg so offen mit ihr sprechen würde. Sie hatten sich zwar angenähert, aber was den privaten Bereich anbelangte, hatte er sie bisher nur selten hinter die Fassade blicken lassen. Wie sie ihn einschätzte, dürfte es ihm selbst bei engsten Freunden schwerfallen, über seine Probleme zu sprechen. Dass er sich vor anderen Menschen verschloss, schien ja sogar für seine Schwiegereltern ein Thema zu sein. Sie konnte sich vorstellen, wie schwierig die Situation für Norberg war und dass er sich mit Selbstvorwürfen zerfleischte.

»Das ist doch ein guter Vorschlag«, sagte sie.

»Ich weiß.« Seinem Tonfall mangelte es an Überzeugung. »Corinna hat vorgeschlagen, Finn heute schon zu holen, damit ich in den nächsten Tagen den Rücken frei habe.«

»Ihre Schwiegermutter ist eine sehr vernünftige Frau. Ich mag sie wirklich gerne.«

Norberg nickte. »Ich wüsste nicht, was ich ohne sie täte.«

»Bereuen Sie es unter diesen Umständen, sich in den Vermisstenfall eingeschaltet zu haben?«, fragte sie, als er schwieg. »Ich meine, wenn Sie nur der normalen Arbeit in der Station nachgegangen wären, wäre Ihr täglicher Zeitaufwand ja wesentlich geringer gewesen.«

»Nein, ich bin froh, dass wir in dem Fall zusammenarbeiten. Wissen Sie«, er stockte einen Moment, »ich hätte diese Stelle ja normalerweise nie angetreten. Aber ich wollte die Jungs nach dem Tod ihrer Mutter nicht aus ihrer gewohnten Umgebung reißen.« Der Anflug eines Lächelns flog über sein Gesicht. »Die Arbeit an diesem Fall fühlt sich ein bisschen wie früher an. Dafür bin ich dankbar.«

Sie kam zu keiner Erwiderung, da sich die Tür zum Sektionsraum geöffnet hatte und Dr. Leiners sie hereinbat.

Der Geruch nach Fäulnis und Desinfektionsmitteln war überwältigend und verursachte Anna wie immer Übelkeit. Sie hatte erst an wenigen Obduktionen teilgenommen und hätte gerne auf weitere verzichtet. »Augen auf bei der Berufswahl«, hatte Ralf einmal gehöhnt, als sie nach einer Sektion blass und elend nach Hause gekommen war.

Nach einem kurzen Blick auf die menschlichen Überreste, die vor ihnen auf dem Obduktionstisch lagen, war ihr klar, dass es heute wohl wieder so werden würde. Sie konzentrierte sich auf die Erklärungen des Rechtsmediziners, in denen die Rede von Grünfäulnis und Schwarzfäulnis und von Madenfraßdefekten war. Dennoch konnte er mit Sicherheit sagen, dass es sich bei dem Leichnam um eine Frau handelte. Die beiden körperlichen Merkmale, die Anna ihm genannt hätte, seien aufgrund der fortgeschrittenen Verwesung nicht mehr auszumachen. Ob es sich also zweifelsfrei um die von ihnen gesuchte Frau handelte, könne er erst nach der DNA-Analyse sagen.

Norberg informierte Leiners über die Aussage von Sophie Brechtmann, was den Tatablauf betraf, und ihre diesbezüglichen Zweifel. »Wenn es sich bei der Leiche also um Nina Brechtmann handeln sollte und diese wirklich erstickt wurde, müssten sich doch Fasern in ihrer Lunge finden. Oder ist das nicht mehr festzustellen, weil ihre Leiche schon zu verwest ist?«

Leiners hob seine rechte Augenbraue und sah Norberg mit einem strafenden Blick an. »Also wirklich, Herr Norberg. Natürlich ist das noch nachweisbar!« Er wedelte mit einer Hand in Richtung der Tür. »Um das herauszufinden, brauche ich aber Zeit. Sie können also ruhig zurückfahren, ich melde mich, wenn ich mehr weiß.«

58

Auf dem Weg zum Streifenwagen erhielt Norberg einen Anruf des SpuSi-Teams, das sich Sophie Brechtmanns Haus vorgenommen hatte. Sie waren noch nicht fertig, konnten aber schon mit einem Ergebnis aufwarten. Norberg schaltete den Lautsprecher ein, damit Anna mithören konnte.

»Wir haben im Wohnzimmer im Bereich vor dem Kamin sowie an der Kamineinfassung und der Wand dahinter eine Reihe von Blutspritzern gefunden«, war eine Frauenstimme zu vernehmen. »Da hat sich zwar jemand die größte Mühe gegeben, sie zu beseitigen, aber dank unserem guten alten Luminol konnten wir alles wieder sichtbar machen.«

»Was ist mit dem Kaminbesteck?«, fragte Norberg. »Habt ihr da irgendwas gefunden? Vielleicht einen Schürhaken? Der könnte nämlich unter Umständen die Tatwaffe sein.«

»Nein, bisher nichts dergleichen. Wir haben uns aber schon mit der Firma in Verbindung gesetzt, die hier für die Müllabfuhr zuständig ist, falls etwas über den Hausmüll entsorgt wurde.«

Hoffentlich war das nicht der Fall, denn das Durchsuchen einer Mülldeponie erforderte nicht nur einen enormen zeitlichen Einsatz, sondern war auch mit einem hohen Personalaufwand verbunden, den man nicht so ohne Weiteres genehmigt bekam.

»Okay, dann meldet euch, wenn ihr noch etwas findet.«

Norberg streifte der Gedanke, dass er den Fall nun endgültig an die Flensburger Mordkommission abgeben müsste, da jetzt zweifelsfrei feststand, dass sie es mit einem Tötungsdelikt zu tun hatten, und davon auszugehen war, dass es sich bei der Toten um Nina Brechtmann handelte. Er wollte diese Entscheidung jetzt allerdings nicht mehr allein treffen, sondern mit Anna absprechen, die ein Donnerwetter von oben dann ja ebenso treffen würde wie ihn, falls sie sich dagegen entschieden.

»Natürlich bearbeiten wir den Fall zu Ende«, sagte sie energisch. »Wenn in München ein Todesopfer zu beklagen war, haben meine Kollegen und ich das auch getan. Dieser Zuständigkeitenhickhack ist doch in vielen Fällen so was von bescheuert, dagegen habe ich mich schon immer gewehrt. Und wenn uns hier jemand aufs Dach steigen will, kann er gerne kommen. Solche Auseinandersetzungen bin ich mittlerweile gewöhnt.«

Norberg versuchte gar nicht erst, ein Grinsen zu unterdrücken. Das war wirklich mal eine Kollegin nach seinem Herzen. Und wenn es irgendeine Chance gab, sie langfristig nach St. Peter zu holen, dann würde er sie ergreifen.

Während der Rückfahrt herrschte einvernehmliches Schweigen. Kurz vor Rendsburg begann Norbergs Handy zu klingeln.

»Wir waren fleißig«, war Garbers' Stimme über die Freisprechanlage zu vernehmen. »Das zweite Paar Fingerabdrücke, das wir auf dem Lenkrad von Nina Brechtmanns Wagen sicherstellen konnten, stammt von Sophie Brechtmann.«

Bingo, hätte Norberg am liebsten gerufen, aber er beschränkte sich darauf, mit der rechten Hand das Lenkrad abzuklatschen. »Klasse! Danke für die schnelle Arbeit, Krischan.«

»Da nich' für. Die Fingerabdrücke und eine DNA-Probe von Constanze Brechtmann sind ebenfalls eingetroffen. Da machen wir uns jetzt gleich dran.«

»Danke, ihr seid die Besten!«

»Ja, das ist uns bekannt.«

»Jetzt bin ich wirklich gespannt«, sagte Anna, nachdem Norberg das Gespräch beendet hatte. »Wenn Constanze Brechtmanns Fingerabdrücke nicht ebenfalls am Lenkrad vorhanden sind und auch keine DNA-Spuren von ihr im Wagen sichergestellt werden können, wissen wir, dass Sophie in allen Bereichen gelogen hat.«

»Ich glaube fast, dass es so sein wird. Die Frage ist, wie Constanze Brechtmann auf die Anschuldigungen ihrer Tochter reagiert. Ich kann mir beim besten Willen nicht vorstellen, dass sie die Schuld auf sich nehmen wird, weil ihr spätestens nach Sophies Aussage ja klar werden dürfte, dass ihre Tochter ein perfides Spiel spielt. Da dürfte die Mutterliebe definitiv aufhören.«

Sie verständigten sich darauf, die Vernehmungen am nächsten Morgen fortzusetzen. Bis dahin dürften dann hoffentlich die Ergebnisse aus der Rechtsmedizin und von der Spurensicherung vorliegen.

59

Obwohl er hundemüde war, hatte Norberg nach den Geschehnissen des Tages so unter Adrenalin gestanden, dass an Schlaf nicht zu denken war. Zwei Stunden hatte er sich hin- und hergewälzt, der Kopf hellwach, der Körper bleischwer, bis er schließlich wieder aufgestanden war und sich eine Kanne Kaffee gemacht hatte. Als er sein Notebook öffnete, sah er, dass trotz der frühen Uhrzeit bereits zwei Nachrichten der Rechtsmedizin eingegangen waren, die Anna Wagner in Kopie erhalten hatte.

Bei dem Leichnam handelte es sich zweifelsfrei um Nina Brechtmann. In ihrer Lunge waren keine Fasern gefunden worden; Dr. Leiners wies darauf hin, dass er im Bereich von Bronchien und Luftröhre eine sogenannte *Lavage* vorgenommen hätte, wobei die Atemröhren mit Wasser oder Kochsalz ausgespült würden. Stattdessen hatte er Schädelfrakturen am Kopf festgestellt. Weiterhin wies der Innenraum von Ninas Wagen weder Fingerabdrücke noch DNA-Spuren ihrer Mutter auf. Allerdings hatte die SpuSi beides an der Kofferraumklappe und im Kofferraum sichergestellt.

Ein weiterer DNA-Schnelltest hatte ergeben, dass das von der SpuSi durch den Einsatz von Luminol sichtbar gemachte Blut in Sophie Brechtmanns Haus ebenfalls von Nina stammte.

Norberg schenkte sich eine zweite Tasse Kaffee ein und warf einen Blick auf die Uhr. Erst kurz nach fünf, noch zu früh, um ins Büro zu fahren, wo er sich für halb acht mit Anna verabredet hatte, um die Vernehmung von Constanze Brechtmann zu beginnen und sie mit der Aussage von Sophie zu konfrontieren. Das Adrenalin pulsierte durch seinen Körper, er kannte diesen Zustand nur zu gut, in dem er keine Sekunde zur Ruhe kam, wenn noch wichtige Vernehmungen anstanden und er das Gefühl hatte, dass sie kurz vor dem Durchbruch standen. Ein Zustand, den er lange entbehrt hatte.

Er machte sich ein kräftiges Frühstück mit Rührei und Speck und allem, was sonst noch dazugehörte, da davon auszugehen war, dass es wieder ein langer Tag werden würde, an dem er nur selten oder sogar gar nicht zum Essen käme. Vorher war allerdings eine ausgiebige Dusche dran, und weil er gerade so in Schwung war, unterzog er das Bad im Anschluss daran einer gründlichen Reinigung. Zum ersten Mal war er froh, dass Lasse und Finn nicht zu Hause waren, und er sich nicht um ihre Versorgung und ihr Wohlergehen kümmern musste und niemanden mit seiner frühmorgendlichen Putzorgie störte. Der Gedanke fühlte sich merkwürdig an, und das schlechte Gewissen folgte unmittelbar. Er nahm sich vor, Finn am Abend zu besuchen, wenn es nicht allzu spät werden würde. Der Stöpsel hatte ihm am Vortag eine kurze Nachricht geschickt, dass es klasse bei Oma und Opa sei. Von Lasse hatte Norberg nichts gehört.

Um sieben Uhr brach er zur Polizeistation auf, nachdem er auch noch die Küche einer Grundreinigung unterzogen hatte, um seine überschüssige Energie irgendwie loszuwerden. Anna Wagner erschien um kurz vor halb acht und ließ sich nach einer kurzen Begrüßung mit einem Stöhnen in dem

Stuhl vor seinem Schreibtisch nieder. Auch sie sah aus, als hätte sie nicht viel geschlafen.

»Hab ich auch nicht«, erwiderte sie auf seine Frage hin. »Es soll ja Kollegen geben, die schon schlafen, bevor ihr Kopf auf dem Kissen liegt, selbst wenn ihr Tag noch so stressig war. Das habe ich noch nie geschafft. Und nach den Nachrichten von heute Morgen stand ich quasi senkrecht im Bett.«

Norberg erhob sich. »Dann wollen wir doch mal sehen, was Constanze Brechtmann zu Sophies Anschuldigung zu sagen hat.«

60

»*Was* hat Sophie gesagt?«

Constanze Brechtmann stand das blanke Entsetzen ins Gesicht geschrieben. Zu Beginn der Vernehmung hatte sie noch aufzutrumpfen versucht und sich lauthals darüber beschwert, dass man sie über Nacht festgehalten und ihr jeden Kontakt mit ihrer Tochter verwehrt hatte. Nachdem ihr jedoch Sophies Aussage vorgelesen worden war, war von der toughen und dominanten Geschäftsfrau nichts mehr übrig geblieben. Constanze hatte Tränen in den Augen, ihre Hände zitterten, und es dauerte einige Zeit, bis sie sich wieder gefangen hatte. Dabei hatte Anna den Punkt der Unfallflucht noch gar nicht erwähnt, weil sie Constanze hier erst einmal ihre Version erzählen lassen wollten.

»Ich habe Nina nicht umgebracht«, sagte Constanze schließlich mit tonloser Stimme. »Bitte, das müssen Sie mir glauben. Als ich ankam, war sie bereits tot. Sophie …« Ihre Stimme brach, und sie schlug die Hände vor das Gesicht. »Sie muss immer wieder zugeschlagen haben und sich in einen wahren Rausch hineingesteigert haben. Dieser Anblick … Es war furchtbar …« Constanze zog ein Taschentuch hervor und tupfte die Tränen aus dem Gesicht. Make-up und Wimperntusche waren verlaufen, sie sah erbarmungswürdig aus. »Wieso tut sie das?«, murmelte sie immer wieder. »Wieso tut sie mir das an? Ich habe doch mein Leben lang alles für sie getan.«

»Wie ging es dann weiter?«, fragte Norberg, als sie schwieg.

Constanze zuckte zusammen, als wäre sie gerade weit weg gewesen. Mit groß aufgerissenen Augen starrte sie Norberg an. »Ich wollte Sophie natürlich helfen, sie ist ja meine Tochter.«

Das war Nina auch, dachte Anna und spürte einen bitteren Geschmack im Mund.

»Ich habe hin und her überlegt, und dann ist mir dieser Bauernhof eingefallen, den ich vor einigen Jahren erwerben wollte«, fuhr Constanze fort. »Ich kenne die Örtlichkeiten gut, und da er seit dem Tod des Besitzers leer steht, haben wir beschlossen, Ninas Leiche dorthin zu bringen. Nachdem wir sie im Kofferraum ihres Wagens verstaut hatten, bin ich mit meinem Wagen vorausgefahren. Sophie ist mit Ninas Wagen hinterher, sie kannte den Weg ja nicht. Und dann ist auf dem Weg dieser Unfall passiert …« Sie schluckte, und ihre Augen füllten sich erneut mit Tränen. »Ich habe das zuerst gar nicht mitbekommen, mir fiel bloß irgendwann auf, dass keine Scheinwerfer mehr hinter mir zu sehen waren. Ich bin umgekehrt, und da habe ich gesehen, was passiert war.«

»Dann hat Sophie also den Unfall verursacht?«, fragte Anna.

»Ja. Sie sagte, dass das Mofa plötzlich vor ihr aufgetaucht wäre. Es muss von einem Hof oder einer Ferienwohnung auf die Straße gebogen sein, kurz bevor Sophie vorbeikam, denn ich hatte es ja noch nicht gesehen.«

»Wieso haben Sie die Unfallopfer einfach so liegen lassen?«

Constanze Brechtmann rang die Hände. »Weil … Wir mussten doch Ninas Leiche loswerden. Wir hatten noch gewartet, bis es dunkel wurde, aber auch mitten in der Nacht hätte ja ein Auto vorbeikommen können. Oder womöglich Kollegen von Ihnen.«

»Sie bleiben also dabei, dass Ihre Tochter den Unfall verursacht hat?«

Constanze Brechtmann sah Norberg irritiert an. »Ja.«

»Das ist interessant. Ihre Tochter hat nämlich ausgesagt, dass Sie Ninas Wagen gefahren haben, Frau Brechtmann.«

Ein Paukenschlag hätte keine größere Wirkung erzielen können als dieser letzte Satz. Hatte Sophies erste Anschuldigung ihre Mutter bereits bis ins Mark getroffen, schwand jetzt auch der letzte Funken Selbstbeherrschung, den sie bis zu diesem Moment gerettet hatte. »Das stimmt nicht! Wie kann sie es wagen, so etwas zu behaupten?«, schrie sie Norberg an. »Ich wollte ihr doch bloß helfen!« Sie sprang auf, das Gesicht hochrot, aus ihrem Mund flogen Speicheltropfen. Bevor sie jemand daran hindern konnte, rannte sie zur Tür. Sie riss sie auf und begann laut über den Flur zu schreien. »Sophie! Wo bist du? Warum tust du mir das an?«

Anna und Norberg versuchten die rasende Frau aufzuhalten, die bereits die erste Bürotür auf der Suche nach ihrer Tochter aufgerissen hatte. Es war nicht einfach, Constanze Brechtmann zu bändigen, die in ihrer Wut ungeahnte Kräfte entwickelte. Erst mit der Hilfe von Nils Scheffler gelang es schließlich, sie zu Boden zu bringen. Bevor sie ihr Handfesseln anlegen konnten, ließ jeder Widerstand nach, und die Frau sackte in sich zusammen.

»Scheiße!«, fluchte Norberg und ging neben ihr in die Hocke. Constanzes Gesicht war leichenblass und von einem feinen Schweißfilm überzogen.

»Ich ruf einen RTW«, stieß Scheffler hervor und lief in sein Büro.

Anna hockte sich ebenfalls neben die Frau und fühlte Constanzes Puls. Schwach und unregelmäßig. Norberg hatte bereits erste Maßnahmen zur Stabilisierung des Kreislaufs eingeleitet und blickte auf, als Scheffler wieder neben sie trat.

»Sie sind in fünf Minuten hier.« Als Anna ihn erstaunt anblickte, fügte er hinzu: »Der steht bei unserer DLRG, deshalb geht das so schnell.«

Keine zwanzig Minuten später wurde Constanze Brechtmann, die mittlerweile wieder bei Bewusstsein war, in den Rettungswagen verfrachtet, der sie in das Westküstenklinikum in Heide bringen würde. Sie leistete keinerlei Widerstand mehr, war nur noch ein Häufchen Elend, das immer wieder schluchzend fragte, warum Sophie ihr das antäte. Sie hätte doch immer alles für sie getan.

61

Die Nacht in der Zelle war Sophie Brechtmann nicht gut bekommen. Ihr eleganter grauer Hosenanzug und die weiße Seidenbluse waren zerknittert, die Haare strähnig, das Make-up ruiniert, was offensichtlich von dem vergeblichen Versuch herrührte, es mit Wasser und Seife vom Gesicht zu entfernen. Norberg hätte sich niemals als den großen Frauenversteher bezeichnet, er konnte aber durchaus nachvollziehen, dass dieser derangierte Zustand Sophie Brechtmann zusetzte, die mit Sicherheit einen Großteil ihres Selbstwertgefühls aus einem ansprechenden Äußeren zog. Vielleicht kam ihnen das ja zugute.

Er hatte mit Anna besprochen, dass sie Sophie zunächst mit der Aussage ihrer Mutter konfrontieren würden. Das Good-Cop-Bad-Cop-Spiel war nur ein Fall für Fernsehkrimis, in der Realität musste man den Täter – oder die Täterin – mit Einfühlungsvermögen zu einem Geständnis bringen. Egal wie sehr einem diese Person und seine Tat verhasst waren, man musste sie als Menschen behandeln, andernfalls würde man nichts aus ihr herausbekommen. Das war natürlich auch mit dieser Vorgehensweise nicht garantiert, aber die Chancen standen ungleich höher.

Sophie beharrte auf ihrer Aussage und bezichtigte ihre Mutter der Lüge. Sie trat allerdings lange nicht mehr so forsch auf wie am Vortag und ging auch mit keinem Wort auf den Ausbruch ihrer Mutter ein, den sie zumindest in Teilen von ihrer Zelle aus mitbekommen haben musste.

Anna blätterte in dem Obduktionsprotokoll und dem Bericht der Kriminaltechnik, die vor ihr auf dem Tisch lagen. »Sie sollten Ihre Aussage noch einmal überdenken, Frau Brechtmann«, sagte sie. »Ein Geständnis würde sich strafmildernd auswirken.«

»Ich habe nichts zu gestehen! Meine Mutter hat Nina umgebracht! Und für den Unfall bin ich auch nicht verantwortlich!«

Anna schloss die beiden Akten und beugte sich über den Tisch zu Sophie. »Frau Brechtmann! Das rechtsmedizinische Gutachten beweist, dass Nina nicht erstickt wurde. Es wurden Schädelfrakturen festgestellt, und ich bin mir sicher, dass eine weitere Untersuchung bestätigen wird, dass diese von dem Schürhaken Ihres Kaminbestecks stammen, den wir sicherstellen konnten.«

Diesen Bluff hatte Anna mit Norberg abgesprochen, da die Entscheidung über die Durchsuchung der zuständigen Müllhalde noch immer ausstand.

Sophie erblasste.

»Sie hatten gehofft, dass die Zeit für Sie arbeiten und wir dies nicht mehr würden nachweisen können, nicht wahr?«

»Ich verbitte mir diese Unterstellung!« Sophies Stimme klang brüchig.

Anna blieb ruhig. »Wir können beweisen, dass Sie Ninas Wagen gefahren haben und nicht Ihre Mutter. Außerdem haben wir uns Ihr Haus vorgenommen, Frau Brechtmann. Sie haben sich sehr viel Mühe gegeben, Ninas Blut am Kamin und an der Wand zu beseitigen, aber unsere Experten haben eine Reihe von Möglichkeiten, Blut wieder sichtbar zu machen.«

Sophies Hände begannen zu zittern, und Anna hatte den Eindruck, dass es nicht mehr lange dauern würde, bis sie gestand.

»Ich kann verstehen, dass Sie schockiert waren, als Sie von der nach wie vor bestehenden Beziehung zwischen Ihrer Schwester und Bent Forsgren erfahren haben. Zumal Forsgren Sie ja schon einmal ihretwegen verlassen hatte. Sie hatten geglaubt, dass er jetzt endgültig zu Ihnen zurückgekehrt sei, hatten die Hochzeit geplant und sich auf Ihr gemeinsames Kind gefreut …«

»Nina hat alles kaputt gemacht!« Sophie war aufgesprungen, ihr Gesicht vor Hass verzerrt. »Bent hat mir gehört, mit ihm an meiner Seite hätte ich endlich all die Pläne verwirklichen können, von denen ich schon so lange träume. Privat und beruflich. Wenn Nina ihn losgelassen hätte, hätten wir eine Familie gründen können. Er wäre ein toller Vater geworden und hätte sie schließlich vergessen, davon bin ich überzeugt. Aber sie musste mir ja dazwischenfunken. Als sie dann vor mir stand und ich mir das alles anhören musste, habe ich rotgesehen und zugeschlagen.« Ihre Augen sprühten Funken. »Das mit dem Teppich hat Bent Ihnen gesteckt, oder?« Ein hässliches Auflachen folgte, als sie keine Antwort erhielt. »Egal, ich bin froh, dass er jetzt seine Quittung bekommen hat. Keine Nina mehr, keine Hotels, und die Firma von seinem heiß geliebten Papi hat er auch an die Wand gefahren. Und sein Kind wird er niemals zu Gesicht bekommen, dafür werde ich sorgen!«

»Setzen Sie sich, Frau Brechtmann«, schaltete sich Norberg zum ersten Mal ein. Seine Stimme klang ruhig, aber Anna bemerkte, dass er bereit war, um sofort eingreifen zu können, falls es bei Sophie nicht bei einem verbalen Ausflippen bleiben würde. Wonach es im Moment aussah.

Sophie starrte ihn an und ließ sich nach einem langen Augenblick wieder auf ihren Stuhl sinken.

»Und nachdem Sie Nina umgebracht und in derselben Nacht dann auch noch den Tod von zwei Menschen verursacht hatten, reifte in Ihnen der Entschluss, das alles auf Ihre Mutter abzuwälzen, falls Sie in Verdacht geraten sollten«, sagte Anna.

»Es wird Zeit, dass Constanze endlich aufs Altenteil geht«, sagte Sophie verächtlich. »Meine Mutter ist in so vieler Hinsicht ein Hemmschuh für die Entwicklung unserer Kette. Sie steht zwar hinter den beiden Hotelneubauten, aber ansonsten lebt sie in unzähligen Bereichen noch in der Steinzeit. Haben Sie eine Ahnung, was für Mühe es mich gekostet hat, sie zu einem vernünftigen Internetauftritt zu überreden? Zu Social-Media-Aktivitäten? Sie will einfach nicht begreifen, dass so etwas heutzutage dazugehört und eine wichtige Werbeplattform ist. Wenn sie das Ruder hätte abgeben müssen, hätte ich endlich freie Fahrt gehabt.«

Nach diesem Eingeständnis war Anna froh, dass Norberg wieder übernahm. »Was ist mit dem Farbanschlag, der in der Nacht von Dienstag auf Mittwoch auf das *Seaview* verübt wurde? Und mit Ninas Armband, das Ihre Mutter angeblich danach in der Blumenrabatte neben dem Hotel gefunden hat? Waren Sie dafür verantwortlich, um uns glauben zu machen, dass Nina noch lebt?«

»Davon weiß ich nichts. Das wird wohl beides auf Constanzes Mist gewachsen sein.«

Die Kaltschnäuzigkeit der Frau erschütterte Anna, aber es gelang ihr, sich nichts anmerken zu lassen. Als Norberg allerdings noch einmal auf die beiden Unfallopfer zu sprechen kam und Sophie nur mit den Schultern zuckte und außer dem Wort »Kollateralschaden« nichts weiter dazu sagte, wäre es fast vorbei mit Annas Selbstbeherrschung gewesen. Zum Glück bekam Norberg ihren inneren Aufruhr mit und legte kurz seine Hand auf ihren Arm, um sie von unbedachten Äußerungen abzuhalten.

62

»Ich hätte sie schlagen können«, brach es aus Anna heraus, nachdem sie die Vernehmung beendet hatten und in einen Streifenwagen gestiegen waren, um zu Constanze Brechtmann in die Klinik zu fahren.

»Damit hätten Sie sich auf eine Stufe mit ihr gestellt.« Norberg startete den Motor. »Puh, was für ein eiskaltes Biest!« Er konnte nicht sagen, was ihn mehr erschütterte. Der Mord an Nina oder diese ungeheure Gefühllosigkeit, mit der die beiden Unfallopfer so einfach auf der Straße liegen gelassen worden waren. Hier stand Constanze Brechtmann ihrer Tochter allerdings in nichts nach, denn das Schicksal der beiden war ihr offensichtlich ebenso gleichgültig gewesen.

Der Beamte, der vor dem Krankenzimmer von Constanze Brechtmann Wache hielt, begrüßte sie mit dem Hinweis, dass es seit dem Vortag keine besonderen Vorkommnisse bei der Festgenommenen gegeben habe.

Constanze Brechtmann schien um Jahre gealtert. Unter ihren Augen lagen dunkle Ringe, ihre Haare wirkten stumpf. Ihre Wangen waren eingefallen, die Falten in ihrem Gesicht hatten sich vertieft. Die Ärzte hatten Norberg und Anna darüber in Kenntnis gesetzt, dass Frau Brechtmann unter Beruhigungsmitteln stünde und darum gebeten, die Vernehmung kurz zu halten.

»Ich habe Nina nicht umgebracht.« Ihre Stimme klang brüchig, die Hände auf der Bettdecke zitterten. »Sophie lügt.«

»Das wissen wir mittlerweile, Frau Brechtmann«, sagte er. »Ihre Tochter hat ein vollständiges Geständnis abgelegt, nachdem wir sie mit den Ergebnissen der Rechtsmedizin und der kriminaltechnischen Untersuchung konfrontiert haben.«

»Ich habe immer alles für Sophie getan.« Constanze schien ihn nicht gehört zu haben. »Die letzten Jahre habe ich sie zu meiner Nachfolgerin aufgebaut. Spätestens in fünf Jahren wollte ich in den Ruhestand gehen und ihr die volle Verantwortung übertragen.« Sie schluchzte auf. »Warum tut sie mir das an? Warum will sie, dass ich ins Gefängnis gehe?«

Im weiteren Gesprächsverlauf gab Constanze Brechtmann zu, dass sie die beiden Parolen auf die Hotelwand gesprüht und Ninas Armband in der Blumenrabatte platziert hatte. Auch das, um Sophie zu schützen, da sie den Eindruck gewonnen hatte, dass die Polizei ihre Tochter als Hauptverdächtige ins Auge gefasst hatte.

Nach einer Stunde wurden sie vom Arzt vor die Tür gesetzt. Es würde sowohl bei Sophie als auch bei Constanze Brechtmann noch einiger Vernehmungen bedürfen, aber das Ziel war erreicht: Ninas Leichnam war gefunden worden, und Sophie hatte den Mord an ihrer Adoptivschwester gestanden. Für die Eltern der beiden Unfallopfer und auch für die Kollegen Rohde und Klüver würde es eine große Erleichterung sein, dass die Unfallverursacherin gefunden worden war und zur Rechenschaft gezogen werden konnte.

»Fast könnte einem Constanze Brechtmann leidtun«, sagte Anna, als sie zum Wagen zurückgingen. »Nach allem, was wir bisher wissen, hat sie Sophie immer bevorzugt. Und jetzt fällt die ihr so brutal in den Rücken.«

»An diese Frau ist jeder Funken Mitleid verschwendet«, sagte Norberg aufgebracht. Er blieb stehen und sah Anna an. »Die Frau ist genauso eiskalt und berechnend wie Sophie. Sie hat auch keinen Finger für die beiden Unfallopfer gerührt, sondern ist seelenruhig weitergefahren.«

»Ich habe ja auch *fast leidtun* gesagt«, erwiderte Anna. »Weil das Ganze schon ziemlich tragisch ist, das müssen Sie zugeben.«

»Ja«, sagte er widerwillig.

»Ich frage mich, ob Constanze Brechtmann eigentlich nie mitbekommen hat, wie ihre Tochter tickt. Das muss sich doch in vielen Dingen gezeigt haben. Denn nach dem, was Sophie ausgesagt hat, dürfte es harte Auseinandersetzungen bezüglich der Führung der Hotelkette gegeben haben.«

»Vermutlich wollte sie es nicht sehen.«

63

Die folgende Woche verging mit der Nachbereitung und anschließenden Übergabe des Falls an die Flensburger Mordkommission. Norberg hatte gesagt, dass er deren neuen Leiter nur flüchtig kennen würde und deshalb nicht einschätzen könne, ob noch etwas nachkäme.

Auch die Angelegenheit mit dem zerstochenen Reifen an Annas Wagen konnte aufgeklärt werden. Der Vorfall ging ebenso wie die Sachbeschädigungen an anderen Pkw auf das Konto zweier Jugendlicher, die sich im Urlaub gelangweilt hatten und laut eigener Aussage ab und an mal »geile Action« brauchten.

Anna hatte noch einmal Bent Forsgren aufgesucht, um ihm mitzuteilen, dass sie Sophie anhand seines Hinweises hatten überführen können. Sie verachtete den Mann, der so viel Unheil angerichtet hatte, aber nachdem er jetzt in seiner ganzen Hilflosigkeit vor ihr saß und fast verrückt wurde bei dem Gedanken, dass sein Kind im Gefängnis zur Welt kommen würde, tat er ihr für einen Augenblick tatsächlich leid. Er hatte ihr sein Herz ausgeschüttet, dann aber unversehens dichtgemacht und sie gebeten zu gehen.

Je näher der Sonntag rückte, an dem Anna St. Peter-Ording verlassen und nach Kiel übersiedeln würde, umso schwerer wurde ihr Herz. Norberg hatte nichts mehr bezüglich seiner Andeutung erwähnt, und sie hatte sich entschlossen, nicht in ihn zu dringen, so schwer ihr dies auch fiel. Er hatte versprochen, ihr Bescheid zu geben, wenn er etwas Konkretes hatte, und sie glaubte ihn mittlerweile gut genug zu kennen, um darauf zu vertrauen, dass er seine Versprechen hielt.

Man hatte ihr mitgeteilt, dass in Kiel eine Dienstwohnung für sie angemietet worden war, sie hatte aber beschlossen, sich trotzdem umgehend auf Wohnungssuche zu machen, auch wenn ihre Zukunft im schleswig-holsteinischen LKA noch in den Sternen stand. Ihr war bewusst, dass diese Suche aufgrund der allgemeinen Wohnungsnot nicht einfach werden würde und sie es selbst im Erfolgsfall mit Sicherheit nicht mehr so gut wie in St. Peter-Ording treffen würde.

Corinna Heckler war aufrichtig betrübt, dass sie Anna als Nachbarin verlieren würde, und selbst ihr Mann, der seit der Übersiedelung seines jüngsten Enkels zugänglicher geworden war, drückte sein Bedauern aus. Beide hatten angeboten, das Haus frei zu halten, falls Anna einmal einen Urlaub in St. Peter verbringen wolle. Sie solle sich auf jeden Fall rechtzeitig melden.

Anna hatte kurzzeitig überlegt, eine kleine Abschiedsfeier mit den Kollegen zu veranstalten, sich dann aber dagegen entschieden. Zum einen, weil sie Abschiede hasste und bei solchen Gelegenheiten immer sehr nah am Wasser gebaut war, zum anderen, weil sie nur mit Norberg und Scheffler intensiv zusammengearbeitet hatte und den Rest der Kollegen nur von kurzen Begegnungen auf der Station kannte, bei denen außer »Moin!« und »Schönen Feierabend!« nicht viel mehr Worte gewechselt worden waren.

Als Norberg und Scheffler dann allerdings am Sonnabend mit einem großen Blumenstrauß vor ihr standen, entschied sie sich spontan, die beiden am Abend auf ein Glas Wein in ihr Ferienhaus einzuladen, wo sie ohnehin zu einem Abschiedstrunk mit den Hecklers verabredet war.

Die Verabschiedung von den anderen Kollegen war in Etappen erfolgt, da selten alle zusammen in der Polizeistation anzutreffen waren. Manche hatten Bedauern über ihr Weggehen zum Ausdruck gebracht, andere hatten einfach »Tschüs, mach's gut!« gesagt. Michael Paulsen war ihr zum Glück nicht mehr über den Weg gelaufen.

Um sechzehn Uhr hatte Anna ihren Schreibtisch leer geräumt und war aufgebrochen. Da sie wusste, dass alle Gäste gerne Fisch aßen, wollte sie noch einige Leckereien aus der Räucherscheune holen, der einzigen Fischräucherei in St. Peter-Ording, die ihr von Corinna Heckler wärmstens empfohlen worden war.

Mit Wehmut sah sie sich ein letztes Mal in dem kleinen Büro um, dann trat sie auf den Flur hinaus und schloss die Tür mit einem energischen Ruck hinter sich. Sie musste auf jeden Fall verhindern, dass sie jetzt in Sentimentalitäten verfiel, dann würde sie heute Abend nämlich unweigerlich irgendwann zur Tränensuse werden. Deshalb war selbst der kleinste Schluck Alkohol tabu.

Als Norberg und Scheffler gegen zwanzig Uhr kurz hintereinander eintrafen, hatten die Hecklers bereits auf der Terrasse Platz genommen, wo Anna schon alles für ein Fischbuffet vorbereitet hatte. Frisches Baguette und Butter, zweierlei Kartoffelsalat, nicht zu vergessen Bier und Weißwein. Im Kühlschrank warteten Stremellachs, Matjes und verschiedene Fischsalate.

Die Hecklers hatten Finn mitgebracht, den Anna sofort ins Herz geschlossen hatte. Aufgeregt war er mit seinem Fußball durch den Garten getobt und hatte sich große Mühe gegeben, sie mit Dribblings und Kopfbällen zu beeindrucken. Als sein Vater und Scheffler erschienen, vergaß Finn den Ball augenblicklich und rannte auf Norberg zu. Die innige Begrüßung der beiden versetzte Anna völlig unvermutet einen Stich. Sie hatte das Thema »Kinder« immer hintangestellt, hatte Karriere machen wollen und es während der krisengeschüttelten letzten Jahre ihrer Ehe schließlich zu den Akten gelegt. Jetzt aber kam es plötzlich wieder hoch. Norberg hatte seine Frau verloren, aber er hatte immer noch seine Kinder, die seinem Leben Halt und eine Richtung gaben. Sie hingegen stand völlig allein da. Der Unterschied wurde ihr schmerzlich bewusst, und sie schluckte heftig gegen den Druck in ihrer Kehle an.

»Wieso hast du keine Uniform an?«, wurde Nils gefragt, nachdem er die Hecklers begrüßt hatte. Dieselbe Frage hatte Finn bereits ihr gestellt, als Corinna Heckler sie als eine Kollegin seines Vaters vorgestellt hatte.

»Weil ich nicht im Dienst bin«, griente Nils, der auch bereits von Finn eingenommen schien.

Norberg lächelte und strich seinem Sohn über das Haar. »Finn ist ein Uniformfetischist. Mich nimmt er auch erst ernst, seitdem ich eine trage.«

»Gar nich'.« Finn zog Nils zum Rasen, wo der Fußball lag. »Spielst du 'ne Runde mit mir?«

»Das könnt ihr nachher noch machen, jetzt wird erst mal gegessen«, ordnete Corinna Heckler mit einem entschuldigenden Seitenblick zu Anna an. »Ist doch okay für Sie, oder?«

Anna lachte. »Natürlich. Ich hole die restlichen Sachen aus dem Kühlschrank.«

»Ich helfe dir«, bot Nils an.

In der Küche blieb er einen Augenblick lang unentschlossen stehen, und Anna schien es, als wenn er etwas auf dem Herzen hatte.

»Ich wollte dir nur sagen, dass ich es sehr schade finde, dass du uns verlässt«, sagte er schließlich und wirkte ziemlich verlegen dabei. »Unsere Zusammenarbeit hat mir großen Spaß gemacht, und ich habe einiges dabei gelernt.«

Anna war gerührt. »Ich fand es toll, dass du bei dem Fall mitarbeiten konntest. Du warst wirklich eine große Hilfe für uns.«

Die Aussage schien Nils' Verlegenheit noch zu steigern. Eine feine Röte stieg in sein Gesicht, und er bückte sich hastig, um die Fischsalate aus dem Kühlschrank zu holen. Gemeinsam brachten sie die Delikatessen ins Freie, wo Corinna bereits damit angefangen hatte, den Kartoffelsalat auf die Teller zu verteilen. Bevor sie mit dem Essen begannen, brachte Corinna Heckler noch einen Trinkspruch auf die erfolgreiche Arbeit der Soko St. Peter-Ording aus, wie sie Anna, Nils und ihren Schwiegersohn kurzerhand getauft hatte.

Nach dem Essen kam Finn dann endlich zu seiner heiß ersehnten Fußballpartie mit Nils Scheffler, aber als um zweiundzwanzig Uhr die Dämmerung einsetzte, bestand Norberg darauf, dass jetzt Schluss sei. Finn fügte sich widerspruchslos und verabschiedete sich von Anna und Nils, dann brachte sein Vater ihn ins Haus. Anna hoffte, dass Norberg anschließend aufbrechen würde und die anderen seinem Beispiel folgten, da sie in der letzten Stunde immer wehmütiger geworden war. Corinna schien ihre Stimmung bemerkt zu haben, denn als Norberg nach zwanzig Minuten zurückkehrte, schlug sie vor, den Abend zu beenden.

Die Hecklers gingen als Erste. »In unserem Alter ist ja eigentlich schon einundzwanzig Uhr das neue Mitternacht«, scherzte Corinna, »und jetzt ist es bereits zwei Stunden später.« Fest drückte sie Annas Hand. »Wir sehen uns morgen früh noch mal.«

Nils schloss sie beim Abschied in die Arme. »Am nächsten freien Wochenende kommst du wieder her. Und wenn es nur für einen Tag ist. Versprochen?«

Anna lachte und drückte ihn fest an sich. »Versprochen.«

Norberg war förmlicher und drückte nur ihre Hand. »Ich kann mich Nils' Bitte nur anschließen. Es war schön, mit Ihnen zusammenzuarbeiten, Sie sind hier jederzeit herzlich willkommen. Und wenn ich etwas erfahre, melde ich mich bei Ihnen.«

Nils sah ihn neugierig an, aber Norbergs Gesicht verriet nichts. Anna aber war erleichtert, dass er sein Versprechen wiederholt hatte.

Vielleicht würde ihr Wunsch ja doch noch in Erfüllung gehen. *Soko St. Peter-Ording*, das klang doch verheißungsvoll.

DANKE

St. Peter-Ording ist ein Sehnsuchtsort für viele Menschen und für mich seit mehr als vierzig Jahren meine zweite Heimat. Deshalb habe ich mich sehr gefreut, als ich von HarperCollins Germany gefragt wurde, ob ich mir vorstellen könnte, eine Krimiserie zu schreiben, die dort angesiedelt ist. Und ob ich das konnte, da fühlt sich das Schreiben ja wie Urlaub an ☺.

Mit »Nordwesttod« lege ich Ihnen, liebe Leserinnen und Leser, jetzt den ersten Band der Serie vor und lade Sie ein, mir an die schleswig-holsteinische Nordseeküste zu folgen, um dort ein paar spannende Stunden zu verbringen.

Einen Roman schreibt man nie allein – und einen Krimi schon gar nicht, weil man hier die Unterstützung der Experten von Polizei und Rechtsmedizin braucht. Hier geht mein Dank an Imke Kalus von der Polizeidirektion Neumünster, die seit mittlerweile acht Jahren meine Bücher Korrektur liest und mit Argusaugen jeden Fehler aufspürt, sowie an Prof. Dr. med. Klaus Püschel, den ehemaligen Direktor des Instituts für Rechtsmedizin am Universitätsklinikum Hamburg-Eppendorf, dem ich auch nach seinem Eintritt in den Ruhestand weiterhin Fragen stellen darf.

Trotz aller Unterstützung können sich Fehler einschleichen, weil man seinen Experten nicht richtig zugehört oder sie falsch verstanden hat. Die gehen in diesem Fall also auf meine Kappe. Allerdings musste ich aus dramaturgischen Gründen auch ab und an mal fünf gerade sein lassen, weil der Stoff anders nicht funktioniert hätte. Ich bitte also um wohlwollende Nachsicht.

Ein großer Dank geht an Andreas Falkenhagen, der seit 2002 die Gemeindebücherei in St. Peter-Ording leitet und einen »ortskundigen« Blick auf das Manuskript geworfen hat. Da gab es tatsächlich noch einiges, was mir nicht bekannt war, z. B. die nach wie vor strittige Frage, ob es nun »in« oder »auf Eiderstedt« heißt.

Mein persönlicher Hotspot in SPO ist der Ortsteil Ording, wo ich vor vielen Jahren ein zweites Zuhause im Hotel »Kölfhamm« gefunden habe. Hier geht mein Dank an Andrea Carstens für ein sehr interessantes Gespräch über die Hotelsituation im Ort. Sie und ihre Familie haben mit ihrem Hotel inmitten des immer trubeliger werdenden Badeortes eine kleine Oase geschaffen, in der man sich herrlich erholen kann.

Eine kräftige Umarmung und ein großes Dankeschön gehen an meine wunderbare Agentin Franka Zastrow von der Agentur Thomas Schlück, die immer ein offenes Ohr für mich hat, egal wie beschäftigt sie gerade ist.

Mein letzter Dank geht an meinen tollen Verlag HarperCollins Germany, der mich in allem so tatkräftig unterstützt und bei dem ich mich ganz wunderbar aufgehoben fühle. Ich drücke euch alle ganz kräftig, allen voran Heide Kloth von der

Programmleitung, Johanna Gress, die sich um meine Lesungen kümmert, Tabea Worthmann vom Vertrieb und ganz besonders meine engagierte Lektorin Annalena Ehrlicher, die mit ihren klugen Anmerkungen dafür gesorgt hat, die Schwachstellen des Manuskripts aufzuspüren und es »rund« zu machen.

Svea Jensen, im Juli 2020